Truffels & tandoori

Richard C. Morais

Truffels & tandoori

Vertaald door Inger Limburg

MOURIA

Mixed Sources
Productgroep uit goed beheerde bossen
en andere gecontroleerde bronnen
www.fsc.org   Cert no. SGS-COC-006507
© 1996 Forest Stewardship Council

Uitgeverij Mouria en drukkerij Bariet vinden het belangrijk om op milieu-
vriendelijke en verantwoorde wijze met natuurlijke bronnen om te gaan

ISBN 978 90 458 0193 3
NUR 302

www.mouria.nl
www.watleesjij.nu

Voor Katy en Susan

Inhoud

Mumbai

I

Ik, Hassan Haji, werd als tweede van zes kinderen geboren boven het restaurant van mijn grootvader in de Napean Sea Road, in wat toen West Bombay heette, twintig jaar voordat de grote stad werd herdoopt tot Mumbai. Ik denk dat mijn bestemming al meteen vastlag, want het eerste wat ik gewaarwerd in mijn leven was de geur van *machli ka salan*, een kruidige viscurry, die door de vloerplanken opsteeg naar het ledikantje in het vertrek van mijn ouders boven het restaurant. Tot op de dag van vandaag herinner ik me het gevoel van de koude spijlen van dat ledikant waartegen ik mijn peutergezicht had gedrukt, mijn neus zo ver mogelijk naar voren om de lucht af te speuren naar dat aromatische pakket van kardamom, vissenkoppen en palmolie, dat mij al op die jonge leeftijd vaag deed beseffen dat er onpeilbare rijkdommen te ontdekken en te proeven waren in de vrije wereld daarbuiten.

Maar laat me bij het begin beginnen. In 1934 trok mijn grootvader van Gujarat naar Bombay. Hij was een jongeman op weg naar de grote stad op het dak van een stoomlocomotief. Tegenwoordig ontdekken veel families die de sociale ladder aan het bestijgen zijn op wonderbaarlijke wijze dat ze van adellijke afkomst zijn – met beroemde familieleden die in de begintijd met Mahatma Gandhi hebben gewerkt in Zuid-Afrika – maar ik heb geen verheven voorouders. Wij waren arme moslims, boeren uit het dorre Bhavnagar die het land verbouwden voor eigen verbruik, en de ernstige meeldauwplaag op de katoenvelden in de jaren dertig van de vorige eeuw liet mijn grootvader geen andere keus dan naar Bombay te verhuizen, die bruisende metropool waar sinds lange tijd kleine lieden proberen een plaatsje te veroveren.

Mijn leven in de keuken begint kortom lang geleden, bij het grote verlangen van mijn grootvader. En zijn driedaagse rit op de trein, bakkend in de felle zon, zich uit alle macht vastklampend om er niet af te vallen terwijl het stomende ijzer door de vlakten van India pufte, was de weinig veelbelovende start van de reis van mijn familie. Grootvader sprak niet graag over die eerste tijd in Bombay, maar ik weet van Ammi, mijn grootmoeder, dat hij jarenlang op straat sliep en zijn brood verdiende door de lunch te bezorgen aan de Indiase kantoormedewerkers die de achterkamers van het Britse rijk bestuurden.

Om het Bombay waar ik vandaan kom te begrijpen, moet je in de spits naar Victoria Terminus gaan. Daar vind je de essentie van het Indiase leven. Mannen en vrouwen zitten gescheiden in de wagons en de forenzen puilen letterlijk uit de ramen en deuren terwijl de treinen over de rails naar de stations Victoria en Churchgate ratelen. De treinen zijn zo vol dat er niet eens plaats is voor de lunchblikjes van de forenzen, die om die reden na de spits in een aparte trein worden gebracht. Deze *dabba's* – meer dan twee miljoen gebutste tinnen blikjes met deksel, die ruiken naar dal en kool met gember – worden gesorteerd, op rolwagentjes geplaatst en met uiterste precisie afgeleverd aan iedere verzekeringsagent en bankmedewerker in heel Bombay.

Dat was wat mijn grootvader deed. Hij bezorgde lunches. Hij was een *dabba-wallah*. Niets meer. Niets minder.

Grootvader was een tamelijk stugge kerel. We noemden hem Bapaji en ik zie nog voor me hoe hij tijdens de ramadan tegen zonsondergang gehurkt op straat een *beedi* zat te roken, zijn gezicht bleek van honger en woede. Ik zie nog steeds zijn dunne neus en staalkabelachtige wenkbrauwen, zijn smoezelige mutsje en *koerta*, zijn witte, onverzorgde baard.

Hij was stug, maar hij zorgde ook goed voor ons. Toen hij drieëntwintig was bezorgde hij bijna duizend dabba's per dag. Er werkten veertien loopjongens voor hem, die in hun *lungi* – de rok van de arme Indiërs – met pompende benen door de verstopte straten van Bombay renden en de lunchblikjes afleverden bij de gebouwen van Scottish Amicable en Eagle Star.

Ik geloof dat het 1938 was toen hij eindelijk Ammi over liet komen. Ze waren al sinds hun veertiende getrouwd en ze kwam met de trein uit Gujarat, een kleine boerin met goedkope enkelbanden en een geoliede zwarte huid. Het treinstation vulde zich met stoom, de straatjongens deden hun behoefte op het spoor en de waterdragers riepen hun kreten. Een stoet vermoeide passagiers en kruiers liep over het perron. Achterin, in de derde klas, zat mijn Ammi met haar bullen.

Grootvader brulde iets tegen haar en daar gingen ze, de trouwe dorpsvrouw een paar eerbiedige stappen achter haar stadse man.

Aan de vooravond van de Tweede Wereldoorlog bouwden mijn grootouders een houten huisje in de krottenwijken langs de Napean Sea Road. Bombay was de achterkamer van het Aziatische oorlogsgebied en al snel stroomde een miljoen soldaten van over de hele wereld door de poorten. Voor veel soldaten waren het hun laatste uren van rust voor de gevechten in de verzengende hitte van Birma en de Filippijnen, en de jongens liepen vrolijk over de kustwegen van Bombay, met sigaretten tussen hun lippen, loerend naar de prostituees die op Chowpatty Beach werkten.

Het was mijn grootmoeders idee om kleine lekkernijen aan ze te verkopen en uiteindelijk stemde mijn grootvader in. Hij voegde aan de dabba-business een reeks eetkraampjes op fietsen toe die heen en weer reden tussen de zwemmende soldaten op Juhu Beach en de drukte van de vrijdagavondspits bij station Churchgate. Ze verkochten snoepjes gemaakt van noten en honing en thee met melk, maar vooral *bhelpuri*, een van een krant gevouwen puntzak met een mengsel van gepofte rijst, chutney, aardappels, uien, tomaten, munt en koriander, besprenkeld met specerijen.

Die waren heerlijk, kan ik wel zeggen, en het was geen verrassing dat de mobiele eetkraampjes een commercieel succes werden. Aangemoedigd door hun succes, ruimden mijn grootouders een braakliggend terrein aan het verre uiteinde van de Napean Sea Road leeg en daar bouwden ze een primitief eethuisje langs de weg. In een tent van het Amerikaanse leger richtten ze een keuken in met drie tandoori-ovens en een bak met brandend houtskool voor de *kadais* met schapenmasala. In de schaduw van de banyan zetten ze ruwhouten tafels neer en hingen ze hangmatten op. Grootmoeder nam Bappu in dienst, een kok uit een dorp in Kerala, en aan haar noordelijke repertoire voegde ze nu gerechten toe als uien-*thiyal* en kruidig gegrilde garnalen.

Soldaten en zeelieden en piloten wasten hun handen met Engelse zeep in een olievat, droogden zich af aan een handdoek en klommen in de hangmatten onder de boom. Mijn grootouders kregen hulp van een paar familieleden uit Gujarat, jongemannen die dienstdeden als ober. Ze legden houten planken over de hangmatten bij wijze van tafeltje en dekten ze vliegensvlug met schalen vol kipspiesjes en basmatirijst en snoepjes van boter en honing.

Als het rustig was, liep grootmoeder naar buiten in haar lange jurk met broek die wij *salwar kameez* noemen. Ze baande zich een weg tussen de hangmatten door en babbelde wat met de soldaten, die heimwee hadden en de gerechten van hun eigen land misten. 'Wat vind je lekker?' vroeg ze. 'Wat eet je thuis?'

En de Britse soldaten vertelden haar over hun hartige taarten met rundvlees en niertjes, over de stoom die eruit opsteeg als het mes door de korst sneed en het klonterige binnenste van de taart onthulde. Ze probeerden allemaal de ander te overtroeven en al snel was de tent gevuld met ge-oeh en ge-ah en opgewonden geklets. En de Amerikanen, die niet wilden onderdoen voor de Britten, zochten naarstig naar de juiste woorden om de gegrilde biefstuk te beschrijven van de runderen die werden gevoed met het moerasgras van Florida.

En gewapend met de kennis die ze opdeed tijdens deze gesprekjes trok Ammi zich terug in de keuken om in haar tandoori-oven haar eigen versie te creëren van de Britse en Amerikaanse gerechten. Zo was er een soort Indiase brood-en-boterpudding, bestrooid met verse nootmuskaat, die goed in de smaak viel bij de Britse soldaten; de Amerikanen, zo ontdekte ze, waren verzot op pindasaus met mangochutney in een gevouwen stuk naan. En het duurde niet lang voordat het nieuws over onze keuken zich verspreidde van de goerkha's naar de Britse soldaten, van barakken naar oorlogsbodems, en de hele dag door stopten jeeps voor onze tent in Napean Sea Road.

Ammi was een heel bijzondere vrouw en ik kan haar niet genoeg bedanken voor de rol die ze in mijn leven heeft gespeeld. Er is geen betere vis dan haar *karimeen*, een vis uit de regio die ze altijd besprenkelde met zoete chilimasala, in een bananenblad wikkelde en op de *tawa* grilde met een druppeltje kokosolie. Voor mij is dit echt het hoogtepunt van de Indiase cultuur en beschaving, zowel robuust als verfijnd, en alles wat ik sindsdien ooit heb bereid wordt vergeleken met deze standaard, het favoriete gerecht van mijn grootmoeder. En ze had dat wonderbaarlijke vermogen van de beroepskok om verschillende taken tegelijk uit te voeren. Ik groeide op met de aanblik van haar kleine figuurtje dat op blote voeten over de aarden keukenvloer trippelde, terwijl ze razendsnel plakken aubergine in kikkererwtenmeel doopte en in de kadai legde, een kok een draai om de oren gaf, mij een amandelwafel aanreikte en met schelle stem mijn tante uitfoeterde.

Maar waar het om gaat is dat Ammi's eettentje langs de weg al snel een melkkoe bleek en opeens zaten mijn grootouders er warmpjes bij. Het kleine fortuin dat ze hadden vergaard was samengesteld uit de klinkende munten van een miljoen soldaten, zeelieden en piloten die door Bombay kwamen.

Maar het succes bracht ook problemen met zich mee. Bapaji was berucht om zijn losse handjes. Hij begon altijd om het minste of geringste tegen ons te schreeuwen, bijvoorbeeld als we te veel olie op de tawa smeerden. Hij was ook eigenlijk een beetje gierig en omdat hij de buren en onze familieleden uit Gujarati niet vertrouwde, verborg hij zijn spaargeld in koffieblikken. Iedere zondag ging hij naar een geheime plek op het platteland waar hij zijn kostbare buit in de grond stopte.

Voor mijn grootouders kwam de grote doorbraak in de

herfst van 1942, toen de Britse regering, die geld nodig had voor de oorlog, hele stukken grond in Bombay veilde. Het grootste deel van de percelen bevond zich in Salsette, het grote eiland waarop Bombay was gebouwd, maar er werden ook andere stukken land en braakliggende terreinen van de hand gedaan, met inbegrip van het verlaten stuk grond langs de Napean Sea Road waar mijn familie zich had gevestigd.

Bapaji was in wezen een boer en zoals alle boeren had hij meer respect voor land dan voor papiergeld. Dus op een dag groef hij al zijn blikken op en ging hij, met een buurman die kon lezen en schrijven, naar de Standard Chartered Bank. Met behulp van de bank kocht Bapaji het stuk grond in Napean Sea Road van anderhalve hectare en betaalde hij op een veiling 1.016 Engelse ponden, 10 shillings en 8 pence voor een terrein aan de voet van Malabar Hill.

Pas in die periode kregen mijn grootouders kinderen. In de nacht van de beroemde munitie-explosie in de haven van Bombay brachten vroedvrouwen mijn vader, Abbas Haji, ter wereld. Grote vuurballen kleurden de avondhemel rood, enorme explosies bliezen in de hele stad de ramen aan gruzelementen en precies op dat moment slaakte mijn grootmoeder een bloedstollende kreet en gleed papa naar buiten. Zijn geschreeuw overstemde de explosies en de kreet van zijn moeder. We lachten allemaal om dit verhaal zoals Ammi het vertelde, want iedereen die mijn vader kende, was het erover eens dat dit een zeer gepast decor was voor zijn komst. Tante, die twee jaar later werd geboren, kwam onder veel rustigere omstandigheden ter wereld.

De Onafhankelijkheid en de Afscheiding kwamen en gingen. Wat er precies met de familie gebeurde in die beruchte tijd, blijft een mysterie; op geen van de vragen die we aan papa stelden kwam ooit een eenduidig antwoord. 'Och, weet je, het was heel zwaar,' zei hij als we aandrongen. 'Maar we

sloegen ons erdoorheen. En nu heb ik genoeg van dit verhoor. Haal mijn krant.'

We weten wel dat de familie van mijn vader, zoals zoveel
families, in tweeën werd gespleten. De meeste familieleden
vluchtten naar Pakistan, maar Bapaji bleef in Mumbai en
verborg zijn familie in de kelder van het pakhuis van een
Hindoe-zakenpartner. Ammi vertelde me ooit dat ze overdag
sliepen, omdat ze 's nachts wakker werden gehouden door
het gegil en de moordpartijen voor de deur van de kelder.

Wat ik wil zeggen is dat papa opgroeide in een heel ander
India dan het land dat zijn vader kende. Grootvader kon niet
lezen en schrijven; papa ging naar een plaatselijk schooltje.
Hoewel dat geen bijster goede school was, werd hij later toch
toegelaten op het Instituut voor Cateringtechnologie, een
technische hogeschool in Ahmedabad.

Wie onderwijs heeft genoten kan natuurlijk niet meer leven volgens de tradities van de stammen en in Ahmedabad
ontmoette papa Tahira, een studente boekhoudkunde met
een lichte huid die mijn moeder zou worden. Papa zegt dat
hij eerst verliefd werd op haar geur. Hij zat met zijn neus in
een bibliotheekboek toen hij een bedwelmende vleug *chapati's* en rozenwater rook.

Dat, zo zei hij, was mijn moeder.

Een van mijn vroegste herinneringen is dat mijn vader met
mij stevig aan de hand in de Mahatma Gandhi Road naar het
modieuze restaurant Hyderabad stond te staren. De steenrij-
ke familie Banaji en hun vrienden stapten uit een Mercedes
met chauffeur die bij de stoeprand stond geparkeerd. De
vrouwen slaakten gilletjes, kusten elkaar en becommentari-
eerden elkaars gewicht; achter hen zwaaide een sikh-portier
de glazen deur van het restaurant open.

Hyderabad en zijn eigenaar, een soort Indiase Douglas

Fairbanks Jr., die Uday Joshi heette, stonden regelmatig op de roddelpagina's van de *Bombay Times*, en iedere keer dat de naam Joshi werd genoemd, begon mijn vader te vloeken en luid met de krant te knisperen. Hoewel ons eigen restaurant tot een heel andere categorie behoorde dan het Hyderabad – wij serveerden goed eten voor een redelijke prijs – beschouwde papa Uday Joshi als zijn grote rivaal. En nu zag hij deze rijkelui het restaurant betreden voor een *mehndi*, een ritueel voorafgaand aan een bruiloft, waarbij de bruid en haar vriendinnen gezeten op kussens een sierlijk patroon op hun handen en voeten laten schilderen met henna. Het betekende goed eten, levendige muziek, pikante roddels. En het betekende vooral nog meer aandacht in de kranten voor Joshi.

'Kijk,' zei papa plotseling. 'Gopan Kalam.'

Papa beet op het puntje van zijn snor en klemde zijn klamme vuist om mijn hand. Ik zal zijn gezicht nooit vergeten. Het was alsof de wolken plotseling uiteen dreven en Allah zelf voor ons verscheen. 'Hij is miljardair,' fluisterde papa. 'Maakte zijn fortuin met petrochemie en telecommunicatie. Kijk, kijk naar de smaragden van die vrouw. Aii, zo groot als pruimen.'

Precies op dat moment liep Uday Joshi door de glazen deuren naar buiten en mengde hij zich tussen de stijlvolle perzikkleurige sari's en zijden Nehru-pakken alsof hij hun gelijke was. Vier of vijf krantenfotografen riepen onmiddellijk zijn naam en vroegen hem die of die kant op te draaien. Joshi stond erom bekend dat hij dweepte met alles wat Europees was, en hij stond parmantig voor de klikkende camera's in een glanzend zwart pak van Pierre Cardin, zijn hagelwitte filmsterrengebit fonkelend in het licht.

Al op die jonge leeftijd kon ik mijn ogen niet van de beroemde restaurateur afhouden. Hij zoog mijn blik naar zich toe als een Bollywood-filmster. Om Joshi's hals, zo herinner ik me nog, zat een opzichtige choker van gele zijde en zijn haar was luchtig achterovergekamd in een zilveren pompadoerkapsel, stevig vastgeplakt met een paar bussen haarlak. Ik geloof niet dat ik ooit zo'n elegante verschijning had gezien.

'Moet je zien,' siste papa. 'Moet je dat haantje nou eens zien.'

Papa kon de aanblik van Joshi geen seconde langer verdragen en hij draaide zich abrupt om en trok mij mee naar de Suryodhaya-supermarkt met zijn aanbieding van veertiglitervaten plantaardige olie. Ik was nog maar acht en moest rennen om zijn grote stappen en wapperende koerta bij te houden.

'Luister naar me, Hassan,' brulde hij over het verkeer heen. 'Op een dag zal de naam Haji wijd en zijd bekend zijn en zal niemand zich dat haantje herinneren. Wacht maar af. Vraag de mensen dan maar eens wie Uday Joshi is. "Wie is dat?" zullen ze zeggen. "Maar de Haji's? De Haji's," zeggen ze, "de Haji's zijn een zeer gedistingeerde en gewichtige familie."'

Papa was een man met een grote eetlust. Hij was dik maar groot voor een Indiër, net een meter tachtig. Hij had een pafferig gezicht, met stug, krullend haar en een dikke, met was opgestreken snor. En hij droeg altijd de traditionele kledij: een koerta met een broek.

Maar hij was niet bepaald verfijnd. Papa at, zoals alle moslimmannen, met zijn handen – althans, zijn rechterhand, de linker rustte in zijn schoot. Maar in plaats van het eten netjes naar zijn mond te brengen, duwde papa zijn gezicht in het bord en schoffelde hij het vette schapenvlees en de rijst naar binnen alsof het zijn laatste maal was. Hij zweette hevig tijdens het eten; in zijn oksels verschenen natte plekken zo groot als eetborden. Als hij eindelijk zijn gezicht ophief, had hij in zijn ogen de glazige blik van een dronkaard en dropen zijn kin en wangen van het oranje vet.

Ik hield van hem, maar zelfs ik moest toegeven dat hij er angstaanjagend uitzag. Na het eten hobbelde papa naar de bank, plofte erop neer en waaide zichzelf het volgende half-uur koelte toe, terwijl hij iedereen door luid te boeren en knallende scheten te laten deelgenoot maakte van zijn algehele tevredenheid. Mijn moeder, afkomstig uit een respectabel ambtenarengezin in Delhi, sloot vol afschuw haar ogen als dit ritueel zich voltrok. En ze zat altijd op hem te vitten als hij aan het eten was. 'Abbas,' zei ze. 'Rustig aan. Je verslikt je nog. Grote god. Het lijkt wel of ik met een ezel zit te eten.'

Maar je moest wel bewondering hebben voor papa, het charisma en de vastberadenheid achter zijn enorme doorzettingsvermogen. Toen ik in 1975 werd geboren, had hij de gehele leiding over het familierestaurant. Mijn grootvader leed aan emfyseem en zelfs op zijn goede dagen kon hij niet veel meer dan vanuit zijn rechte stoel op de binnenplaats toezicht houden op de dabba-bezorgers.

Ammi's tent had plaatsgemaakt voor een complex van grijs beton en baksteen. Mijn familie woonde op de eerste verdieping van het hoofdgebouw, boven ons restaurant. Mijn grootouders en kinderloze oom en tante woonden in het volgende huis en daarnaast stond een kubus van houten, twee verdiepingen hoge schuurtjes die onze familie-enclave afbakende en waar onze kok uit Kerala, Bappu, en de andere bedienden op de vloer sliepen.

De binnenplaats was het hart en de ziel van het oude familiebedrijf. Dabba- en snackkarretjes stonden tegen een van de muren en in de schaduw van een slap zeildoek stonden ketels met vissenkoppensoep en lagen vellen waspapier volgestapeld met bananenbladeren en verse samosa's. Tegen de muur aan de overzijde stonden grote ijzeren vaten met aromatische rijst met laurierbladeren en kardamom, en rondom deze heerlijkheden hing een constante zwerm vliegen. Meestal zat een mannelijke bediende bij de keukendeur op een juten zak de zwarte korreltjes aarde tussen de basmatikorrels uit te pulken en liep een gebukte vrouwelijke bediende, het hoofd ingesmeerd met olie en haar sari bijeen geknoopt tussen haar benen, met een korte bezem de aarde van de binnenplaats heen en weer, heen en weer te vegen. En in mijn herinnering bruiste de binnenplaats altijd van de bedrijvigheid. Het was er een druk komen en gaan, waardoor de hanen en kippen steeds weer alle kanten op stoven, zenuwachtig tokkend in de schaduwen van mijn kindertijd.

Dit was de plek waar ik na school in de middaghitte bij Ammi ging zitten, die aan het werk was onder de uitstekende dakrand. Ik klom altijd op een krat om de geur van haar kruidige vissoep op te snuiven en we kletsten wat over mijn schooldag, waarna ze aan mij de taak overdroeg om in de ketel te roeren. En ik herinner me nog dat ze met een sierlijke beweging de zoom van haar sari oppakte en naar de muur liep waarvandaan ze mij in de gaten hield terwijl ze haar ijzeren pijp rookte, een gewoonte die ze had overgehouden aan haar dagen in het dorp Gujarat.

Dit alles herinner ik me als de dag van gisteren. Het roeren, roeren op het ritme van de stad dat me voor het eerst in die magische roes bracht die me sindsdien altijd overvalt als ik aan het koken ben. Een zachte bries waaide over de binnenplaats en nam het gekef van de honden van Bombay en de verkeersgeluiden en de geur van ongezuiverd afvalwater mee. Ammi zat gehurkt in de schaduw, haar kleine, gerimpelde gezichtje verborgen achter vredige wolken rook; en van boven klonken de meisjesachtige stemmen van mijn moeder en tante, die op de veranda op de eerste verdieping bezig waren de kikkererwten en chili in lappen deeg te vouwen. Maar bovenal herinner ik me het geluid van mijn ijzeren schoffel die ritmisch over de bodem van de ketel schraapte en vanuit de diepte juwelen naar de oppervlakte bracht: benige vissenkoppen en witte ogen die op robijnrode draaikolken naar de oppervlakte dreven.

Ik droom nog steeds van die buurt. Als je de directe veiligheid van onze familie-enclave verliet, stond je aan de rand van de beruchte sloppenwijk van Napean Sea Road. Het was een zee van rommelige dakplaten boven op krakkemikkige houten hutjes, doorsneden door stinkende stroompjes. Uit de sloppenwijk steeg de stank op van houtskoolvuren en rottend afval, en de nevelige lucht zelf was gevuld met het kabaal van hanen en mekkerende geiten en de natte petsen van wasgoed op betonnen platen. Hier kakten kinderen en volwassenen op straat.

Maar aan de andere kant lag een ander India. Ik groeide tegelijk op met mijn land. Malabar Hill, de heuvel die zich boven de sloppenwijk verhief, was al snel bezaaid met hijskranen en tussen de oude, omheinde villa's verrezen hoge, witte gebouwen met namen als Miramar en Palm Beach. Ik weet niet waar al die gefortuneerde lui vandaan kwamen, maar het leek alsof ze plotseling uit de grond schoten. Er werd over niets anders gepraat dan kersverse softwareprogrammeurs en schroothandelaren en pasjmina-exporteurs en paraplufabrikanten en god weet wat nog meer. Miljonairs, eerst met honderden tegelijk, later met duizenden.

Eens per maand ging papa naar Malabar Hill. Dan trok hij een net gewassen koerta aan en beklom hij met mij aan de hand de heuvel zodat we ons 'respect konden betuigen' aan de machtige politici. We liepen met ferme pas naar de achterdeuren van vanillekleurige villa's, waar witgehandschoende butlers zwijgend naar terracotta potten wezen die binnen om het hoekje van de deur stonden. Papa liet zijn bruine, papieren zak tussen de andere papieren zakken vallen, de deur werd zonder pardon in ons gezicht dichtgeslagen en we liepen met de rest van de zakken vol roepies naar het volgende lid van het Regionale Congres Comité van Bombay. Maar er waren regels: nooit naar de voorkant van het huis, altijd naar de achteringang.

En ik herinner me dat papa op een van die excursies na gedane arbeid, onder het neuriën van een *ghazal*, mangosap en geroosterde maïskolven kocht waarna we op een bankje gingen zitten in de Hangende Tuinen, het park op Malabar Hill. Vanaf onze plek onder de palmbomen en de bougainvilles observeerden we het komen en gaan bij Broadway, het splinternieuwe appartementencomplex aan de andere kant van het zonovergoten grasveld: de zakenmannen die in hun Mercedes stapten, de kinderen die in hun schooluniform naar buiten kwamen, de vrouwen die op weg waren naar de tennisbaan of een theevisite. Een gestage stroom rijke jaïnisten – zijden gewaad, behaarde borst, goudgerande bril – passeerde ons op weg naar de jaïnistische Mandir, een tempel waar ze hun godenbeelden met sandelhoutpasta insmeerden.

Papa zette zijn tanden in de maïs en werkte woest de hele kolf af, waarbij stukjes maïs in zijn snor en aan zijn wangen en in zijn haar bleven plakken. 'Groot geld,' zei hij, smakkend met zijn lippen terwijl hij met de toegetakelde kolf naar de overzijde van de straat wees. 'Rijkelui.'

Er kwam een meisje uit het gebouw met haar oppas, duidelijk op weg naar een verjaarspartijtje. Ze wenkten een taxi.

'Dat meisje zit bij mij op school. Ik zie haar altijd op het schoolplein.'

Papa slingerde zijn kale maïskolf de bosjes in en veegde met een handdoek zijn gezicht af.

'Is dat zo?' zei hij. 'Is ze aardig?'

'Nee. Ze vindt zichzelf heel wat.'

Op dat moment parkeerde een bestelwagen voor de deur van het appartementengebouw. Het was een nieuwe service van de beroemde restaurateur Uday Joshi: catering aan huis, voor die hectische dagen dat de bedienden vrij zijn. Een enorme foto van een knipogende Joshi staarde ons aan van de zijkant van de wagen. Uit zijn mond kwam een tekstballon met: GEEN ROMMEL, GEEN GEDOE. LAAT HET MAAR AAN ONS OVER.

De portier hield de deur open toen de bezorger, gekleed in een wit jasje, met tinnen schalen bedekt met folie uit de achterkant van de wagen sprong. En ik herinner me het diepe gegrom van papa's stem: 'Wat voert Joshi nu weer in zijn schild?'

Vader had al lang geleden de oude Amerikaanse legertent weggedaan en er was een stenen gebouw met plastic tafeltjes voor in de plaats gekomen. Het was één enorme, galmende, kale hal. Toen ik twaalf was besloot papa zich echter te richten op een hoger marktsegment, dat meer in de buurt kwam van Hyderabad, het restaurant van Joshi. Hij verbouwde de hal tot het aan 365 gasten plaats biedende Bollywood Nights.

Er werd een stenen fontein geplaatst. Midden in de eetzaal hing papa een discobal met spiegeltjes, die ronddraaide boven een piepklein dansvloertje. Hij liet de muren goud verven waarna hij ze volhing met gesigneerde foto's van Bollywoodsterren, zoals hij op afbeeldingen van een restaurant in

Hollywood had gezien. Toen stopte hij een paar sterretjes met hun echtgenoten wat geld toe in ruil waarvoor ze een paar keer per maand in het restaurant kwamen eten, en heel toevallig was er altijd precies op het juiste moment een fotograaf van het boulevardtijdschrift *Hello Bombay!* aanwezig. In de weekenden huurde papa zangers in die als twee druppels water leken op de immens populaire Alka Yagnik en Udit Narayan.

Het werd zo'n succes dat papa een paar jaar na de opening van Bollywood Nights een Chinees restaurant aan het complex toevoegde, en een echte discotheek met rookmachines die – tot mijn grote frustratie – alleen door mijn oudste broer Umar mocht worden bediend. We hadden de volledige anderhalve hectare in gebruik genomen met ons Chinese restaurant en Bollywood Nights, die gezamenlijk plaats boden aan 568 gasten. Het waren bruisende uitgaansgelegenheden gericht op de yuppen van Bombay.

De restaurants vulden zich met gelach en de dreun van de disco, en in de vochtige lucht hing de geur van chili, gebakken vis en gemorst Kingfisher-bier. Papa – die door iedereen Big Abbas werd genoemd – was geboren voor dit werk en hij liep de hele dag als een soort Bollywood-producer door zijn bedrijven om bevelen te roepen, slordige obers een tik te geven en gasten te begroeten. Zijn voet drukte altijd op het gaspedaal. 'Kom op, kom op,' riep hij voortdurend. 'Waarom zo langzaam, je lijkt wel een oud wijf!'

Mijn moeder was daarentegen de broodnodige rem. Ze stond altijd klaar om papa weer met beide benen op de grond te krijgen met een flinke dosis gezond verstand en ik herinner me hoe ze rustig het geld zat te tellen in een kooi boven de hoofdingang van Bollywood Nights, waar het geld veilig was voor overvallers en zij toch de obers in de gaten kon houden.

Maar boven ons cirkelden de gieren die zich voedden met de lichamen in de Stille Toren, de Parsi-begraafplaats op Malabar Hill.

Die gieren herinner ik me ook nog.

Altijd maar cirkelend, cirkelend, cirkelend.

2

Laat me vrolijke gedachten denken. Als ik mijn ogen sluit, zie ik onze oude keuken voor me, ruik ik de kruidnagelen en de laurierbladeren, hoor ik het gespetter van de kadai. Bappu's gaspitten en tawa's waren links als je binnenkwam, en hij stond vaak zijn melkthee te drinken terwijl hij de vier standaardmasala's van de Indiase keuken, die op het vuur stonden te pruttelen, in de gaten hield. Op zijn hoofd stond de toque, de hoge koksmuts waar hij zo trots op was. Energieke kakkerlakken met wuivende voelsprieten renden over de schalen met rauwe schelpdieren en zeebrasem bij zijn elleboog en bij zijn vingertoppen stonden de kleine kommetjes met onmisbare ingrediënten: knoflookwater, doperwten, romige kokos-cashewnotensaus, chili- en gemberpuree.

Toen Bappu me bij de deur zag staan, gebaarde hij me bij hem te komen zodat ik de lamshersenen kon zien die hij in de kadai liet glijden. De roze massa belandde tussen de uien en het woest spetterende citroengras. Naast Bappu stond een stalen ketel met tweehonderd liter *panir* met fenegriek te sudderen, terwijl twee jongens in een gelijkmatig ritme met houten pollepels in de melkachtige soep roerden. Helemaal rechts stonden onze koks uit Uttar Pradesh in een groepje bijeen. Alleen deze noorderlingen, zo had mijn grootmoeder besloten, hadden een goed gevoel voor de tandoori, de diepe houtskooloven waaruit geroosterde spiesen met gemarineerde aubergine en kip en groene pepers met garnalen tevoorschijn kwamen. En op de bovenverdieping waren de leerlingen, die net iets ouder waren dan ik, aan het werk onder een gele slinger van bloemen en smeulende wierook.

Zij hadden de taak om de botjes van de tandoorikip te ontdoen van vleesresten, bonen te doppen boven een ton, gember te schaven tot hij vloeibaar werd. Als deze tieners vrij waren, rookten ze sigaretten in de stegen en floten ze naar de meisjes. Het waren mijn idolen. Een groot deel van mijn jeugd bracht ik bij hen door, zittend op een voetenbankje. We spraken over van alles en nog wat terwijl een van de leerlingen met een mes keurig de okra's spleet, waarna hij met zijn vinger een felrode chilipasta op de witte binnendijen van de groente smeerde. Er zijn in deze wereld weinig dingen eleganter dan een pikzwarte tiener uit Kerala die koriander fijnhakt; een flitsend mes, een paar razendsnelle hakbewegingen en de sensatie van weerbarstige bladeren en stelen die in een mum van tijd worden gereduceerd tot een fijne groene mist. Wat een onvergelijkbare gratie.

Een van mijn favoriete vrijetijdsbestedingen waren echter de uitstapjes in de ochtend naar de Crawford Market met Bappu. Ik ging mee omdat hij altijd *jalebi* voor me kocht, een sliert van gefermenteerde dahl en meel die wordt gefrituurd en dan in suikersiroop wordt gedoopt. Daardoor pikte ik onbewust een vaardigheid op die essentieel is voor een kok: de kunst om verse producten te herkennen.

We begonnen bij de groente- en fruitstalletjes van de markt, waar de manden hoog stonden opgetast langs smalle paadjes. De fruitverkopers bouwden met veel precisie torens van granaatappelen, op een bed van paarse velletjes papier die in de vorm van een lotusbloem waren uitgespreid. Manden vol kokosnoten en stervruchten en gele sperziebonen, stonden boven op elkaar, enkele etages hoog, en vormden een zoet geurende tombe. De markt was altijd schoon en netjes, de vloer geveegd, het dure fruit met de hand opgepoetst tot het glom.

Een jongen van mijn leeftijd zat op zijn hurken op een plank boven mijn hoofd en toen Bappu stopte om een nieuw ras pitloze druiven te proberen, schoof de jongen naar een bronzen waterkruik, waste snel drie of vier druiven en reikte ze ons aan om te proeven. 'Zonder pitten, weet je,' riep de marktkoopman vanaf zijn krukje in de schaduw. 'Helemaal nieuw. Voor jou, Bappu, goedkope kiloprijs.'

Soms kocht Bappu, en soms niet. Altijd speelde hij de verkopers tegen elkaar uit. We staken door naar de vleesmarkt, langs de stalletjes met huisdieren en de kooien vol hijgende konijnen en krijsende papegaaien. De geur van kippen en kalkoenen sloeg ons in het gezicht als de stank van een dorpslatrine. In de kooien met krioelende, klokkende vogels zag je kale achterwerken waarvan de veren met plukken tegelijk waren uitgevallen. De poelier zong wat voor zich uit terwijl de klappen bloedrood neerdaalden op het hakblok. Een mand met bebloede koppen en lellen stond aan zijn voeten.

Hier leerde Bappu me dat ik bij kippen het vel moest inspecteren, dat ik moest kijken of het glad was, dat ik aan de buigzaamheid van de vleugels en bek kon vaststellen hoe oud de kip was. En hij vertelde me wat het duidelijkste kenmerk van een smakelijke kip was: dikke knieën.

Als ik de koele hal van de vleesmarkt binnenkwam, kreeg ik altijd kippenvel, terwijl mijn ogen zich langzamerhand

aanpasten aan het zwakke licht. Het eerste beeld dat op-
doemde uit de stinkende lucht was een slager die met een
enorm mes pezig vlees fijnsneed. We liepen langs ritmische
hakbewegingen, door de lucht die doortrokken was van de
weeïg zoete geur van dood, langs de rode afvoergeul.

Schapen met pas doorgesneden kelen hingen bij de halal-
slager Akbar aan een ketting met haken en Bappu manoeu-
vreerde tussen deze vreemde bomen door en sloeg op de
vlezige huiden. Als hij een schaap vond dat hem aanstond,
begonnen Akbar en Bappu te onderhandelen, schreeuwen
en spugen tot hun vingertoppen elkaar raakten. Als Akbar
zijn hand ophief, sloeg een assistent een bijl in het dier dat
we hadden gekocht en plotseling stonden onze sandalen in
een bloedrode vloedgolf en gleden de blauwgrijze ingewanden sidderend op de vloer.

Ik herinner me dat ik – terwijl de slager het schaap vakkundig in stukken sneed, het vet verwijderde en de poten in
waspapier wikkelde – mijn hoofd ophief naar de blauw-
zwarte raven die ons scherp opnamen vanaf de daksparren.
Ze krasten schor en schudden hun vleugels uit, terwijl witte
spetters vogelpoep langs de pilaren naar beneden gleden en
op het vlees terechtkwamen. En tot op de dag van vandaag
hoor ik, als ik weer eens bezig ben met een belachelijk 'artistiek' hoogstandje in mijn Parijse keuken, nog die schorre
kreten van de raven van Crawford, die me waarschuwen dat
ik met beide benen op de grond moet blijven staan.

Maar mijn favoriete halte op de markt was de vishal. Bappu en ik gingen altijd als laatste naar de visafdeling. Bepakt
en bezakt met onze aankopen van die ochtend, sprongen we
over de door visseningewanden verstopte afvoerputjes, die
schuil gingen onder een olieachtige, grijze zee. Onze bestemming was visboer Anwar wiens stalletje achter in het over-
dekte gedeelte stond.

Hindoes hadden gele slingers opgehangen en brandden wierook onder de afbeeldingen van Shirdi Sai Baba op de betonnen pilaren die de vismarkt ondersteunden. Bakken vol vis werden met veel kabaal naar binnen gereden, een zilveren waas van grootogige braam en karimeen en zeebrasem, en hier en daar stonden zwavelachtige bergen Bombay-eend, de gezouten vis die onmisbaar is in de Indiase keuken. Rond negen uur 's ochtends zat de werkdag voor de vroege ploeg erop en ze kleedden zich preuts om onder een gewaad, wasten zich in een roestige emmer en schrobden hun met schubben besmeurde lendendoeken met Rin-zeep. In de donkere nissen van de markt flakkerde de gloed van de houtskoolvuren die voorzichtig werden aangewakkerd om een eenvoudig maal van rijst en linzen te bereiden. En na de maaltijd gingen de rijen mannen, immuun voor het kabaal, een voor een op de juten zakken en platte kartonnen dozen liggen om een tukje te doen.

Wat een prachtige vissen. We liepen langs vette bonito's, met hun zilveren lijven en platte, gelig glimmende koppen. Ik genoot van de schalen met inktvissen, met hun paarse vel, glinsterend als het topje van een penis, en de rieten manden met zee-egels die waren opengebroken om de zachte oranje eitjes eruit te halen. En overal op de betonnen vloer van de markt zag je vissenkoppen en vinnen die in rare hoeken uit manshoge hopen ijs staken. En het rumoer van Crawford was oorverdovend: ratelende kettingen en ijsmolens en krassende raven bij het dak en de zangerige stemmen van de veilingmeesters. Hoe kon ik ongevoelig blijven voor deze wereld?

En daar, eindelijk, achter aan de markt, was de wereld van Anwar. De visboer zat geheel in het wit gekleed in kleermakerszit op een verhoogde metalen tafel tussen een tiental bergen ijs en vis die tot borsthoogte reikten. Naast hem op de tafel stonden drie telefoons – een witte, een rode en een zwarte. De eerste keer dat ik hem zag kneep ik mijn ogen toe om scherper te kunnen zien, want hij aaide iets op zijn schoot en het duurde even voordat ik doorhad dat zijn hele tafelblad vol lag met tevreden katten, die lui met hun staart sloegen, hun poten likten en hooghartig hun kop oprichtten om onze komst gade te slaan.

Maar laat me dit zeggen, Anwar en zijn katten, dat waren echte viskenners, en gezamenlijk hielden ze scherp toezicht op het werk en de kratten die onder aan hun voeten heen en weer werden geschoven. Aangespoord door een knikje van Anwar of een zacht tongklakken, spoedden zijn werknemers zich naar een nieuw roze bestelbriefje of naar de binnenkomende vangst van een *koli*. Anwars werknemers kwamen uit de Mohammed Ali Road. Ze waren hem trouw door dik en dun en zaten de hele dag gebukt aan zijn voeten om kreeften en krabben te sorteren, vlezige tonijn te snijden en met woeste bewegingen karpers van hun schubben te ontdoen.

Anwar bad vijf keer per dag op een kleed dat hij uitrolde achter een pilaar, maar de rest van de tijd zat hij steevast in kleermakerszit op zijn gebutste metalen tafel achter in de markthal. Zijn voeten liepen uit in lange, gekrulde, gele teennagels en hij had de gewoonte de hele dag zijn blote voeten te masseren.

'Hassan,' zei hij altijd terwijl hij aan zijn grote teen rukte. 'Je bent nog te klein. Zeg Big Abbas dat hij je meer vis moet voeren. Ik heb hier mooie tonijn uit Goa, vriend.'

'Die is oneetbaar, vriend. Kattenvoer.'

En dan begon hij raspend te kuchen en te sissen, wat betekende dat hij lachte om mijn brutaliteit. Op dagen dat de telefoons rinkelden – hotels en restaurants in de stad die hun bestellingen plaatsten – bood Anwar Bappu en mij hoffelijk thee met melk aan, maar ondertussen vulde hij roze briefjes in en keek hij met een ernstig, geconcentreerd gezicht naar zijn werknemers die de kratten aan het vullen waren. Op rustige dagen nam hij me mee naar een nieuwe mand met vis en liet hij me zien hoe ik de kwaliteit kon vaststellen.

'Het oog moet helder zijn, vriend, niet zoals hier,' zei hij, terwijl hij met een zwarte nagel tegen het troebele oog van een braam tikte. 'Kijk, hier, deze is vers. Zie je het verschil. De ogen zijn helder en wijd open.'

Hij draaide zich om naar een andere mand. 'Hier, dit is een oude truc. Bovenste laag is heel vers. Zie je? Maar kijk.' Hij stak zijn hand diep in de mand en trok een geplette vis aan zijn kieuwen omhoog. 'Voel maar. Zacht vlees. En de kieuwen, kijk, niet rood zoals bij deze verse, maar vaal, bijna grijs.' Anwar maakte een handgebaar en de jonge visser pakte zijn mand weer op. 'En kijk hier. Zie je dat? Zie je deze tonijn? Slecht, vriend. Heel slecht.'

'Beurs, alsof hij flink is toegetakeld, *yaar*. Een domme wallah heeft hem uit de vrachtwagen laten vallen.'

'*Haar*,' zei hij, wiebelend met zijn hoofd, verrukt dat ik blijkbaar iets had opgestoken.

Op een middag tijdens de moesson zat ik met papa en Ammi aan een tafel achter in het restaurant. Ze zaten gebogen over de prikkers vol bonnen die tussen hen in stonden, om uit de doorgekraste bestellingen op te maken welke gerechten in de afgelopen week goed liepen en welke niet. Bappu zat op een rechte stoel tegenover ons, als in een rechtszaal, en streek nerveus over zijn militaire snor. Dit was een wekelijks ritueel in het restaurant, onderdeel van de voortdurende drang van Bappu om de oude recepten te verbeteren. Dat was zijn stijl. Het kan altijd beter; het móét beter.

Het gewraakte gerecht stond tussen hen in, een koperen schaal met kip. Ik stak mijn hand uit, doopte mijn vingers in de schaal en zoog een stukje van het vuurrode vlees naar binnen. De masala droop omlaag door mijn keel, een olieachtige pasta van fijne rode chili, verzacht door snufjes kardamom en kaneel.

'Maar drie keer besteld afgelopen week,' zei papa, wiens blik heen en weer schoot van Bappu naar grootmoeder. Hij nam een slokje van zijn favoriete drank, thee met een lepel garam masala. 'We doen er nu iets aan of ik haal het van het menu.'

Ammi pakte de opscheplepel, goot een beetje saus in haar hand en likte het aandachtig op, smakkend met haar lippen. Ze zwaaide met haar vinger naar Bappu, waarbij haar gouden armbanden dreigend rinkelden.

'Wat is dit? Zo heb ik het je niet geleerd.'

'Hè?' zei Bappu. 'De vorige keer zei je dat ik het moest veranderen. Meer steranijs erin doen. Meer vanillestokjes. Doe dit, doe dat. En nu zeg je dat ik niet doe wat je me hebt geleerd? Hoe kan ik hier nou koken als jij iedere keer van gedachten verandert? Ik word gek van dat gedraai. Misschien ga ik wel voor Joshi werken.'

'Aii,' krijste mijn grootmoeder woedend. 'Ga je dreigen? Ik heb je gemaakt tot wat je bent en nu zeg je dat je voor die man gaat werken? Ik gooi je hele familie op straat...'

'Rustig, Ammi,' riep papa. 'En Bappu. Hou op. Klets niet zo'n onzin. Het is niemands schuld. Ik wil alleen het gerecht verbeteren. Misschien helpt dat. Mee eens?'

Bappu zette zijn koksmuts recht, als om zijn waardigheid te hervinden, en nam een slokje thee. '*Yaar*,' zei hij.

'*Haar*,' voegde grootmoeder eraan toe.

Ze staarden allemaal naar het gerecht met al zijn tekortkomingen.

'Maak het droger,' zei ik.

'Wat? Wat? Moet ik nu al opdrachten aannemen van een jongen?'

'Laat hem uitpraten.'

'Er zit te veel olie in, papa. Bappu haalt het bovenste laagje boter en olie weg. Maar het is beter als hij het zonder vet bakt. Om het een beetje knapperig te maken.'

'Dus ik haal het vet er niet goed van af. Hoor ik dat goed? Dat joch weet het beter...'

'Stil, Bappu,' riep papa. 'Je blijft maar door ratelen. Waarom praat je toch altijd zoveel? Ben je soms een oude vrouw?'

Afijn, toen papa klaar was met zijn verbale bombardement, volgde Bappu mijn advies op, en dat was het enige wat erop wees dat mijn toekomst in de keuken lag, want de kipschotel groeide uit tot een van de favoriete gerechten en werd door mijn vader omgedoopt tot Hassans Droge Kip.

'Kom, Hassan.'

Mama pakte mijn hand en we glipten de achterdeur uit, op weg naar bus 37.

'Waar gaan we naartoe?'

Natuurlijk wisten we dat allebei, maar we deden alsof. Zo ging het altijd.

'O, ik weet het niet. Misschien naar de winkels, even de sleur doorbreken.'

Mijn moeder was verlegen, goed met getallen op een onopvallende manier, maar altijd paraat om mijn vader in te tomen als zijn extravagantie met hem aan de haal ging. Op haar kalme manier was zij het echte anker van de familie, meer dan mijn vader, ondanks alle herrie die hij maakte. Zij zorgde ervoor dat wij kinderen altijd goed gekleed waren en dat we ons huiswerk maakten.

Maar dat betekende niet dat mammie niet haar eigen geheime verlangens had.

Sjaals. Mijn mammie was dol op *dupatta's*.

Om de een of andere reden, die mij niet helemaal duidelijk was, nam mammie me af en toe mee op een clandestiene strooptocht door de stad, alsof ik de enige was die haar wilde koopbuien kon begrijpen. Eigenlijk bleef het allemaal tamelijk onschuldig; een of twee sjaals, misschien een paar schoenen daar, een doodenkele keer een dure sari. En voor mij een kleurboek of een stripverhaal, waarna ons winkelavontuur steevast werd afgesloten met een heerlijke maaltijd.

Het was ons geheime verbond, een avontuur helemaal alleen voor ons tweetjes, en zij zag het denk ik ook als een manier om te voorkomen dat ik zou worden vermorzeld door de drukte van het restaurant, de veeleisendheid van papa en de rest van haar luidruchtige kinderen. (En misschien was ik niet zo bijzonder als ik graag dacht. Mehtab vertelde me later dat mammie haar stiekem meenam naar de bioscoop en Umar naar de skelterbaan.)

Soms ging het helemaal niet om de kick van het winkelen, maar om een ander soort hunkering, iets wat dieper zat. Want soms bleef ze staan voor de winkels, smakte peinzend met haar lippen en liep dan opeens een hele andere richting uit, misschien naar het Prince of Wales-museum, om de beeldjes uit Mughal te bekijken, of naar het Nehru Planetarium, dat ik er vanbuiten altijd uit vond zien als een gigantisch filter uit een fabrieksturbine die op zijn kant in de grond vast was komen te zitten.

Ik herinner me nog die keer dat mammie net twee weken keihard had gewerkt om voor de belasting de jaarbalans te maken van het restaurant, en nu het werk af was en er weer een winstgevend jaar was afgesloten, beloonde ze ons met een kleine excursie. We namen bus 37 maar dit keer stapten we over, reden verder de drukte van de stad in en kwamen uit in een deel van Mumbai waar de boulevards net zo breed waren als de Ganges en de straten waren omzoomd met grote etalages, portiers en glimmend gepoetste, teakhouten planken vol kleding.

De sariwinkel heette Hite of Fashion. Mijn moeder staarde naar de rollen stof die tot aan het plafond waren opgestapeld, een toren van elektrisch blauw en molgrijs. Ze hield haar handen samengevouwen onder haar kin en keek vol verwondering naar de winkelier, een Parsi, die op de ladder stond en bundels felgekleurd zijde aan de assistent gaf die aan zijn voeten stond. Haar ogen stonden vol tranen, alsof alleen al de schoonheid van het materiaal te veel voor haar was – net als wanneer je recht in de zon kijkt. Voor mij kochten we die dag een stoer jasje van blauw katoen, met op de borst om de een of andere reden het gouden embleem van de Hongkong Yacht Club.

De schappen van de nabijgelegen parfumwinkel stonden vol met blauwe en amberkleurige glazen flesjes, met lange, sierlijke zwanenhalzen. Een vrouw in een witte laboratoriumjas druppelde oliën met sandelhout-, koffie-, ylang-ylang-, honing-, jasmijn- en rozenblaadjesaroma op onze polsen, tot we bedwelmd waren, of eerlijk gezegd, een beetje misselijk, en erge behoefte hadden aan frisse lucht. Daarna gingen we op zoek naar schoenen in een overdreven chic winkelpaleis, waar we gingen zitten op gouden sofa's met vergulde armleuningen die uitliepen in leeuwenpoten, waar een met diamanten bezette omega het etalageraam omlijstte en waarin op glazen planken schoenen met hoge hakken, krokodillenleren pumps en fel paars gekleurde sandalen als zeldzame juwelen tentoon waren gesteld. En ik herinner me dat de schoenverkoper aan mammies voeten knielde, alsof ze de koningin van Sheba was, en dat mijn moeder meisjesachtig haar enkel draaide zodat ik de gouden sandaal van de zijkant kon zien, en zei: 'Nou? Wat vind je ervan, Hassan?'

Maar ik herinner me vooral dat we op de terugweg naar

bus 37 een kantoortoren passeerden waar de winkels op de begane grond in beslag waren genomen door een kleermaker en een kantoorboekhandel en een vreemd restaurant dat La Fourchette heette en onder een betonnen rand zat waaruit een vermoeide Franse vlag hing.

'Kom, Hassan,' zei mammie. 'Kom. Laten we het eens proberen.'

Giechelend renden we met onze tassen de trap op. We duwden de zware deur open en werden onmiddellijk stil. In het restaurant was het net zo donker en somber als in een moskee en we roken de bekende, zure geur van in wijn gedrenkt rundvlees en buitenlandse sigaretten. Het enige licht was afkomstig van gloeilampen met weinig watt in laaghangende bollen boven de tafels. In een van de compartimentjes, gehuld in duisternis, zat een stelletje en ergens anders genoten een paar keurig verzorgde kantoormedewerkers in witte overhemden met opgerolde mouwen van een zakenlunch, waarbij ze rode wijn dronken – in die tijd nog een exotische zeldzaamheid. Mammie en ik waren geen van beiden ooit in een Frans restaurant geweest, dus in onze ogen zag de eetzaal er ontzettend deftig uit en nederig gingen we aan een tafeltje achterin zitten. We fluisterden tegen elkaar onder de koperen lamp, alsof we in een bibliotheek waren. Een kanten gordijn, grijs van het stof, blokkeerde het weinige licht dat door de bruingetinte ramen van het gebouw scheen, waardoor het restaurant als geheel de ambiance had van een louche nachtclub. We vonden het prachtig.

Een oudere, pijnlijk magere vrouw in een kaftan en met een arm vol armbanden, kwam schuifelend naar ons tafeltje toe, onmiddellijk herkenbaar als een van die oudere Europese hippies die een ashram hadden bezocht en nooit naar huis waren teruggegaan. Maar de Indiase parasieten en de tijd hadden haar aangetast en ze zag eruit als een uitgedroogd insect. Ik herinner me dat de diepliggende ogen van de vrouw dik waren omlijnd met kohl, maar dat de make-up door de hitte was uitgelopen en zich had opgehoopt in de rimpels van haar gezicht. Eerder op de dag had ze met trillende hand rode lippenstift aangebracht en in het slechte licht was het algehele effect tamelijk angstaanjagend, alsof we werden bediend door een kadaver.

Maar het Hindi dat de vrouw met haar korrelige stem sprak, klonk opgewekt en ze gaf ons twee menukaarten waarna ze weg schuifelde om mangolassi voor ons te maken. De vreemde sfeer van het restaurant overweldigde me. Ik wist niet waar ik moest beginnen met deze stijve menukaart, waarop exotisch klinkende gerechten stonden als bouillabaisse en coq au vin – en ik keek in paniek naar mijn moeder. Maar zij glimlachte vriendelijk en zei: 'Je moet nooit bang zijn om iets nieuws te proberen, Hassan. Heel belangrijk. Dat is het kruid van het leven.' Ze wees naar een velletje papier. 'Waarom nemen we de dagspecialiteit niet? Mee eens? Het toetje is inbegrepen. En het is heel goedkoop – niet zo'n slecht idee na al dat winkelen.'

Ik herinner me nog goed dat het *menu complet* begon met een friséesalade met mosterdvinaigrette. Vervolgens kregen we frites en een piepklein biefstukje met een klontje Café de Paris (knoflook-kruidenboter) en tot slot kwam er eindelijk een natte, drillende crème brûlée. Ik weet zeker dat het een matige lunch was, maar vanwege de algehele magie van die dag werd hij onmiddellijk verheven tot mijn Pantheon van Onvergetelijke Maaltijden.

Want de zoete karamelpudding die smolt op mijn tong is in mijn geheugen voor eeuwig verbonden met de blik op mammies gezicht, de vriendelijkheid opgeluisterd door het innerlijk plezier om ons zorgeloze uitstapje. En ik zie nog steeds de twinkeling in haar ogen toen ze zich naar me toe boog en fluisterde: 'Laten we je vader vertellen dat Frans eten tegenwoordig favoriet is. Nou? Veel beter dan Indiaas, zeggen we dan. Dat zal hem op de kast jagen. Wat vind je ervan, Hassan?'

Ik was veertien

Ik liep naar huis van St. Xavier, gebukt onder de last van mijn wiskunde- en Franse boeken, en nam hapjes van een portie bhelpuri in een papieren puntzak. Ik keek op en zag een jongen van mijn leeftijd met zwarte ogen die me aanstaarde vanuit een van de smerige hutjes langs de weg. Hij waste zich met water uit een gebarsten emmer, en zijn natte, bruine huid leek op sommige plaatsen wit door de verblindende zon. Aan zijn voeten lag een koe. Zijn zus zat gehurkt in een greppel met water en een vrouw met onverzorgd haar achter hen legde haar armzalige boeltje langs een betonnen waterleiding.

De jongen en ik keken elkaar even aan tot hij grijnsde, zijn hand omlaag bracht en met zijn geslachtsdelen naar me zwaaide. Het was een van die momenten uit je jeugd waarop je je realiseert dat de wereld anders is dan je dacht. Opeens begreep ik dat er mensen waren die me haatten ook al kenden ze me niet.

Plotseling zoefde een zilveren Toyota tussen ons door in de richting van Malabar Hill waardoor de bezwering van zijn gemene blik werd verbroken. Ik draaide dankbaar mijn hoofd om de dieselwalmen van de glimmende auto na te kijken. Toen ik weer terug keek was de jongen weg. Ik zag alleen de koe in de modder, zwiepend met haar staart, en het meisje dat in de wormvormige poep prikte die ze net uit haar achterwerk had geperst.

Uit de waterbuis klonk schaduwachtig geruis.

Bapaji genoot veel aanzien in de sloppenwijk. Hij was een van degenen die het hadden gemaakt en de armen legden hun handpalmen tegen elkaar als hij vol hoogmoed tussen de hutjes door liep en de sterkste jongens een tikje op hun hoofd gaf. De uitverkorenen renden door de luidruchtige massa en sprongen achter op zijn gemotoriseerde driewieler die langs de weg stond. Bapaji selecteerde zijn dabba-bezorgers altijd uit de jongens van de sloppenwijk en dat leverde hem veel status op. 'Goedkoopste personeel dat ik kan vinden,' zei hij met schorre stem tegen mij.

Toen mijn vader echter besloot zich te richten op de restaurants in het hogere segment, huurde hij geen jongens uit de krottenwijken meer in. Papa zei dat onze klanten uit de middenklasse schone obers wilden, niet het smerige gepeupel uit de barakken. En dat was dat. Maar ze bleven komen, smekend om werk, hun uitgemergelde gezichten tegen de achterdeur gedrukt. Papa joeg ze weg met een schreeuw en een schop.

Papa was een gecompliceerde man die niet gemakkelijk in een hokje was te stoppen. Hij kon niet echt een vrome moslim worden genoemd, maar hij lette goed op dat hij altijd aan de rechterzijde van Allah bleef. Iedere vrijdag voor de oproep tot het gebed gaven papa en mama persoonlijk dezelfde vijftig sloppenbewoners te eten uit ketels bij de achterdeur van het restaurant. Dit was een verzekering voor het hiernamaals. Als het ging om het inhuren van personeel voor zijn bedrijf, was papa meedogenloos. 'Niets dan rommel,' zei hij altijd, 'menselijke rommel.'

Op een dag kwam een hindoeïstische nationalist op een rode motorfiets brullend ons leven binnen, en in één klap werd de kloof tussen de Napean Sea Road en Malabar Hill, tussen rijk en arm, verbreed. De Shiv Sena probeerde zich in die tijd actief te 'reformeren' – enkele jaren later zou de Bharatiya Janata Party aan de macht komen – maar niet alle extremisten gingen geruisloos op in de duisternis en op een warme middag kwam papa thuis met een handvol pamfletten. Met een grimmige uitdrukking en opeengeperste lippen ging hij naar zijn kamer om met mammie te praten.

Mijn broer Umar en ik bestudeerden de verfrommelde, gele papiertjes die hij op de rotanstoel had achtergelaten en trilden in de luchtstroom van de ventilator boven ons hoofd. Op het pamflet stond dat onze familie – een moslimfamilie – de oorzaak was van de armoede en het leed van het volk. In een spotprent was een monsterlijk dikke papa te zien die koeienbloed dronk uit een kom.

Ik zie de beelden nog voor me als ansichtkaarten, zoals die keer dat mijn grootmoeder en ik noten kraakten onder het portiek van de binnenplaats en we achter ons de nationalisten leuzen hoorden roepen door een megafoon. Ik keek omhoog naar Malabar Hill en zag twee meisjes in witte tenniskleding die op een terras hun sapjes dronken. Het was een heel vreemd moment, want op de een of andere manier wist ik hoe het zou aflopen. Wij hoorden niet bij de sloppenwijk, noch bij de hogere klassen van Malabar Hill; we woonden onbeschermd op de breuklijn tussen deze twee werelden.

Ik kan nog steeds zoete smaken naar boven halen van die laatste zomer van mijn jeugd. Op een namiddag nam papa ons allemaal mee naar Juhu Beach. Met onze strandtassen en ballen en dekens baanden we ons een weg door een steegje vol koeienpoep en frangipani en liepen we het kokendhete zand op, tussen de versierde paardenwagens en de dampende strontballen die ze achterlieten door. Papa spreidde drie geruite dekens uit op het zand en wij kinderen renden naar het platinablauwe water en terug.

Mammie was mooier dan ooit. Ze droeg een roze sari, haar in gouden sandalen gestoken voeten krulden onder haar bovenbenen uit en op haar gezicht lag een zoete glimlach, zacht en zoet als ghee. Vliegers in de vorm van vissen klapperden luid boven ons hoofd en mammies met kohl omlijnde ogen traanden in de harde wind. Ik kroop tegen de zachte warmte van haar been aan terwijl zij in haar touwtas naar een zakdoekje zocht en in het zakspiegeltje haar gezicht schoon depte.

Papa zei dat hij naar de waterrand ging om bij een venter een veren boa te kopen voor mijn jongste zusje Zainab. Mukhtar, Zainab, Arash en ik renden met z'n vieren achter hem aan. Buikige oude mannetjes probeerden hun jeugd terug te halen met een spelletje cricket; mijn oudste broer Umar maakte salto's op het zand en sloofde zich uit met zijn tienervrienden. Verkopers zeulden koelboxen en houtskoolgrills over het strand en prezen met zangerige stem hun koopwaar aan – zoete broodjes en cashewnoten en Fanta en ballonnen in de vorm van een aap.

'Waarom krijgt alleen Zainab iets?' dreinde Mukhtar. 'Waarom, papa?'

'Eén ding,' riep papa. 'Iedereen krijgt één ding. En verder niets. Hoor je me?'

De gespannen vliegertouwen jammerden in de wind.

Mammie zat op de deken, om zichzelf gekruld als een roze granaatappel. Blijkbaar had mijn tante iets gezegd wat haar aan het lachen maakte, want ze draaide zich vrolijk om, haar witte tanden ontbloot, haar handen uitgestrekt om mijn zus Mehtab te helpen een slinger van witte bloemen in haar haar te weven. Zo herinner ik mij mammie graag.

Het was een hete en vochtige middag in augustus. Ik speelde op de binnenplaats backgammon met Bapaji. Een chilirode zon was net verdwenen achter de vijgenboom in de achtertuin en de muskieten zoemden vol razernij. Ik wilde net tegen Bapaji zeggen dat we naar binnen moesten toen hij met een ruk zijn hoofd ophief. 'Ik wil niet dood,' raspte hij en plotseling viel hij voorover op de tafel. Hij schudde en schokte. De tafel zakte door zijn dunne poten.

De dood van Bapaji betekende ook de dood van het laatste greintje respect dat we in de sloppenwijk nog genoten en twee weken nadat hij was begraven kwamen ze 's nachts naar ons toe en drukten hun verwrongen, rubberachtige gezichten tegen het raam van Bollywood Nights. Het enige wat ik me herinner was het geschreeuw, het afschuwelijke geschreeuw. De menigte met zijn fakkels trok mijn moeder uit haar kooi terwijl mijn vader ons kinderen en een grote, angstige groep restaurantgasten via de achterdeur naar buiten en omhoog naar de Hangende Tuinen van Malabar Hill dreef. Papa rende terug om mammie te halen, maar toen sloegen de vlammen en de bittere rook al uit de ramen.

Moeder lag bloedend en bewusteloos onder een tafel in het restaurant en het vuur sloot zich om haar heen. Papa probeerde binnen te komen, maar zijn koerta vloog in brand en hij deinsde terug, terwijl hij met zijn zwartgeblakerde handen de vlammen probeerde uit te slaan. We hoorden zijn afschuwelijke hulpgeroep terwijl hij voor het restaurant heen en weer rende en machteloos moest toezien hoe mammies vlecht als een kaarsenpit vlam vatte. Ik heb het nooit aan iemand verteld omdat er een kans is dat het mijn overactieve verbeelding was, maar ik zweer dat ik op onze veilige schuilplaats boven op de heuvel haar brandende vlees kon ruiken.

Het enige gevoel dat ik me van daarna herinner is een razende honger. Normaal ben ik een matige eter, maar na de moord op mammie schrokte ik dagen achter elkaar schapenmasala en deegpakketjes met verse melk, *biryani* en ei naar binnen.

Ik weigerde afstand te doen van haar sjaal. Dagenlang

boog ik verdoofd, met de favoriete zijden sjaal van mammie strak om mijn schouders gewikkeld, keer op keer mijn hoofd over een lamspotensoep. Natuurlijk was dat een wanhopige poging van een jongen om de aanwezigheid van zijn moeder vast te houden, die snel vervagende geur van rozenwater en gebakken brood die de doorschijnende doek om mijn hoofd uitwasemde.

Mammie werd volgens de moslimtraditie enkele uren na haar dood begraven. Er was stof, een verstikkende wolk rode aarde die zich diep in mijn neusholten nestelde zodat ik moest niezen, en ik staarde naar de rode papaver en ambrosia naast het gat dat haar opslokte. Geen gevoel. Niets. Papa sloeg op zijn borst tot zijn huid rood was, zijn koerta doorweekt van zweet en tranen, en vulde de lucht met zijn hartverscheurende kreten.

De nacht dat mijn moeder werd begraven, staarden mijn broer en ik vanuit ons bed de duisternis in. We luisterden naar papa die achter de muur van de slaapkamer liep te ijsberen, verbitterd en alles en iedereen vervloekend. De ventilatoren piepten, giftige duizendpoten trippelden over het gebarsten plafond. We wachtten vol spanning af en dan... pets – de afschuwelijke klap die steeds weer klonk als hij zijn omzwachtelde handen hard tegen elkaar sloeg. En die nacht hoorden we papa fluisteren, door de deur van zijn kamer heen. In een mengeling van gekreun en geneurie herhaalde hij steeds maar weer, terwijl hij op het randje van zijn bed heen en weer wiegde: 'Tahira, ik zweer op je graf dat ik onze kinderen weghaal uit dit land dat jou heeft vermoord.'

En overdag waren de hevige emoties op ons terrein onverdraaglijk; het was als een vat dat kookte, kookte, kookte maar nooit opdroogde. Mijn zusje Zainab en ik verborgen ons achter de stalen Storwel-kast, opgekruld tot een bal en tegen elkaar aan gedrukt om troost te zoeken. Van beneden klonk een afschuwelijk gejammer en om aan het geluid te ontsnappen, klommen we samen in de kast en begroeven ons tussen de honderd sjaals die de eenvoudige ijdelheid van moeder belichaamden.

Als aasgieren kwamen de rouwers naar ons huis om zich met ons te bemoeien. De kamers vulden zich met de dodelijke damp van zure lichaamsgeur, goedkope sigaretten, brandende muggenspiralen. Er werd constant op hoge toon gepraat en de rouwers aten met marsepein gevulde dadels terwijl ze zaten te kakelen over ons leed.

Mammies snobistische familieleden uit Delhi stonden in hun dure zijden gewaden in een hoekje, met hun rug naar de kamer, knabbelend aan knapperige papadums en gegrilde aubergine. De Pakistaanse familieleden van papa zwierven luidruchtig door de kamer, op zoek naar ruzie. Een religieuze oom omklemde mijn arm met zijn benige vingers en trok me terzijde. 'De straf van Allah,' siste hij. Zijn bleke hoofd trilde door een halfzijdige verlamming. 'Allah straft je familie omdat jullie hier zijn gebleven tijdens de Afscheiding.'

Uiteindelijk was mijn oudtante voor mijn vader de druppel die de emmer deed overlopen. Hij sleepte de krijsende vrouw naar buiten door de hor en duwde haar ruw de binnenplaats op. De honden spitsten hun oren en jankten. Hij ging weer naar binnen om haar tas met haar spullen achter haar aan te schoppen. 'Als je hier nog één keer binnenkomt, ouwe aasgier, schop ik je helemaal terug naar Karachi,' schreeuwde hij vanaf de veranda.

'Aii,' gilde de oude vrouw. Ze drukte haar handpalmen tegen haar slapen en liep heen en weer voor de verkoolde resten van het restaurant. De zon was nog steeds fel. 'Wat moet ik doen?' jammerde ze. 'Wat moet ik doen?'

'Wat je moet doen? Je komt mijn huis binnen, eet mijn

voedsel en drinkt, en fluistert dan beledigende opmerkingen over mijn vrouw? Denk je dat je kunt zeggen wat je wilt omdat je oud bent?' Hij spoog voor haar voeten. 'Armzalige boerin. Mijn huis uit! Ga naar je eigen huis. Ik wil je ezelskop niet meer zien.'

Ammi's kreet sneed plotseling door de lucht. In haar handen had ze plukken van haar eigen witte haar – het zag eruit als de haarwortels van bieslook – en ze krabde haar gezicht open met haar nagels. Er volgde nog meer gebrul en verwarring toen mijn tante en oom Mayur boven op haar sprongen en haar armen vasthielden zodat ze zichzelf niet nog meer zou toetakelen. Er was een wirwar van gewaden, een worstelpartij, veel gehijg, gevolgd door een verdoofde stilte toen ze de krijsende Ammi uit de kamer sleepten. Papa kon er niet meer tegen en stormde het terrein af, een spoor van fladderende kippen achterlatend.

Tijdens dit hele incident zat ik naast de kok Bappu op de sofa en hij sloeg beschermend zijn arm om me heen toen ik me in zijn vlezige plooien drukte. Ik herinner me dat de hele menigte plotseling tot stilstand kwam tijdens de uitbarsting van papa en Ammi. Samosa's bleven op weg naar verstijfde monden in de lucht hangen. Het leek wel of er een soort gezelschapsspel aan de gang was. Want zodra papa vertrok, keken onze gasten schichtig om zich heen uit hun ooghoeken om zich ervan te verzekeren dat er niet nog een doorgedraaide Haji was, die ze ieder moment kon bespringen. Vervolgens kauwden ze rustig verder met hun gouden tanden, slurpten ze hun thee en babbelden door alsof er niets was gebeurd. Ik dacht dat ik gek werd.

Een paar dagen later verscheen een buikige man met geolied, naar achteren gekamd haar en een bril met zwart montuur aan de deur. Hij rook naar hyacint en was projectontwikkelaar. Na hem kwamen er nog meer, als sirihspugende insecten, vaak tegelijk, proberend elkaar de loef af te steken op onze veranda, allemaal hunkerend naar die anderhalve hectare van grootvader om nog een toren met woonappartementen te kunnen bouwen.

Het lot had beschikt dat ons verlies samenviel met een korte periode waarin het vastgoed van Bombay plotseling het duurste ter wereld werd. Het bracht meer op dan in New York, Tokio of Hongkong. En wij bezaten anderhalve hectare, vrij van obstakels.

Vader werd ijskoud. Een paar dagen achtereen zat hij de hele middag vadsig op de vochtige sofa onder het portiek. Soms boog hij zich naar voren om glaasjes thee te vragen voor het handjevol projectontwikkelaars. Hij zei heel weinig, hij keek alleen heel ernstig en liet zijn antistressketting klakken. Hoe minder hij zei, hoe harder er op tafel werd geslagen en hoe harder de straaltjes sirih tegen de muur spatten. Maar uiteindelijk raakten de bieders uitgeput en stond papa op. Hij knikte naar de man met het met hyacintwater ingewreven haar en ging naar binnen.

Van de ene dag op de andere was moeder verdwenen, voorgoed, en waren wij miljonairs.

Het leven kan raar lopen, vind je niet?

We stapten 's nachts in het vliegtuig van Air India met de geur van vochtige benzine en riolen in ons haar, terwijl de zwoele lucht van Bombay ons in de ruggen duwde. Bappu en zijn neven huilden openlijk met hun handen tegen het glas van de luchthaven gedrukt. Ze deden me denken aan gekko's. Ik kon niet weten dat dat het laatste was wat we van Bappu zouden zien of horen. En de vlucht is één waas, hoewel ik me herinner dat het hoofd van Mukhtar de hele nacht in het kotszakje zat en dat onze rij zich vulde met zijn braakgeluiden.

RICHARD C. MORAIS

De schok van mijn moeders dood trilde nog lang door, dus mijn herinneringen aan de periode die volgde zijn fragmentarisch: wat blijft zijn vreemde, levendige flarden, maar geen overkoepelend beeld. Maar over één ding bestaat geen enkele twijfel: mijn vader hield zich aan de belofte die hij moeder aan het graf had gedaan, en in één klap verloren we niet alleen onze geliefde mammie, maar ook ons thuis.

Wij – zes kinderen, tussen de vijf en negentien jaar, mijn grootmoeder die weduwe was geworden, tante en haar man, oom Mayur – zaten urenlang in het schelle licht op de plastic stoeltjes van Heathrow Airport, terwijl papa tierend en met zijn bankafschriften naar de schriele immigratiebeambte zwaaide die over ons lot moest beschikken. En op deze stoeltjes proefde ik voor het eerst de smaken van Engeland: een gekoeld, klam broodje eiersalade verpakt in een driehoek van plastic. Ik herinner me vooral het brood, de manier waarop het wegsmolt op mijn tong.

Nooit eerder had ik zoiets smakeloos, nats en wits geproefd.

Londen

3

Ons vertrek uit Bombay had veel weg van een bepaalde techniek om octopussen te vangen die wordt toegepast in de Portugese dorpjes waar men leeft van het ruwe water van de Atlantische oceaan. Jonge vissers binden stukjes kabeljauw aan grote, driepuntige haken, die zijn bevestigd aan drie meter lange bamboestokken. Als het eb is, varen ze langs de ruige kustlijn en porren ze de kabeljauw onder de half onder water staande rotsen die gewoonlijk niet bereikbaar zijn vanwege de beukende golven. Van onder de rotsen komen dan octopussen tevoorschijn die de kabeljauwen grijpen en wat volgt is een episch gevecht, waarbij de kreunende visser probeert de octopus met de grijphaak aan het einde van de stok op de rotsen te trekken. Meestal verliest de visser de strijd in een fontein van inkt, maar als hij succesvol is, belandt de verdwaasde octopus boven op de rotsen. De visser springt erbovenop, grijpt de kieuwachtige opening aan de zijkant van de kop van de octopus en keert de hele kop binnenstebuiten, zodat de organen van het dier worden blootgesteld aan de lucht. De dood treedt dan tamelijk snel in.

Zo voelde het in Engeland. We waren weggesleurd uit de veiligheid van onze grot en nu werden plotseling onze hoofden binnenstebuiten gekeerd. Natuurlijk waren onze twee jaren in Londen van groot belang, want deze periode gaf ons de tijd en de ruimte die we nodig hadden om echt afscheid te nemen van mammie en de Napean Sea Road, zodat we verder konden met ons leven. Mehtab noemt het terecht onze rouwperiode. En Southall – geen India maar ook nog niet helemaal Europa – was waarschijnlijk de ideale opslagtank waarin we ons geleidelijk konden aanpassen aan onze nieuwe omstandigheden. Maar achteraf is het gemakkelijk praten. Op dat moment leek het alsof we in de hel terecht waren gekomen. We voelden ons verloren. Misschien waren we zelfs een beetje gek geworden.

Oom Sami, de jongste broer van mijn moeder, haalde ons op van Heathrow Airport. Ik zat op de achterbank van de auto, ingeklemd tussen tante en mijn pas ontdekte, in Londen geboren nicht Aziza. Ze was net zo oud als ik, maar keek me niet aan, zei niets, zette gewoon de koptelefoon van haar walkman op, keek uit het raam en tikte op haar dijbeen op het ritme van keiharde muziek.

'Southall is een heel goede buurt,' riep oom Sami vanaf de voorstoel. 'Alle Indiase winkels binnen handbereik. Beste Aziatische producten van heel Engeland. En ik heb een huis voor jullie gevonden, vlak bij ons om de hoek. Heel groot. Zes kamers. Moet wel wat aan worden gedaan. Maar geen zorgen. De huisbaas zei dat hij alles piekfijn in orde zou maken.'

Aziza was heel anders dan de meisjes in Bombay. Ze was helemaal niet verwaand of koket, en ik keek stiekem naar haar vanuit mijn ooghoek. Onder haar leren jack droeg ze sexy kleren, gescheurd kant en een strakke zwarte body. Ze wasemde ook warmte uit – een doordringende mengeling van tienerlichaamsgeur en patchouli-olie – en maakte ons iedere keer aan het schrikken als ze haar kauwgum als een pistoolschot liet knallen.

'Nog maar twee,' zei oom Sami, toen we over de zoveelste rotonde van Hayes Road reden. En toen de auto een beetje overhelde in de bocht, voelde ik de warme knie van mijn nichtje tegen mijn dijbeen drukken en onmiddellijk richtte zich een cricketslaghout op in mijn broek. Maar mijn tante met haar haviksogen leek mijn gedachten te lezen, want ze trok een gezicht alsof ze haar mond vol had met citroenen en leunde aan de andere kant tegen me aan.

'Was Sami maar in India gebleven,' siste ze in mijn oor. 'Dat meisje. Zo jong en nu al een vieze wc-bril.'

'Sst, tante.'

'Niks "sst"! Je blijft bij haar uit de buurt, hoor je? Ze zorgt alleen maar voor problemen.'

Southall was het onofficiële hoofdkwartier van de Indiase, Pakistaanse en Bengaalse gemeenschappen in Groot-Brittannië. Een plat gebied in de oksel van Heathrow Airport, met een fonkelende sliert juweliers, Calcutta-supermarkten en balticurryrestaurantjes in Broadway High Street. Het was heel verwarrend, dit vertrouwde tumult onder de grijze hemel van Engeland. In de omringende straten stonden rommelige, half losstaande huizen, die waren verdeeld in appartementen, en aan de groezelige lakens voor de lekkende ramen kon je zien wie er net waren aangekomen uit Moeder India. Als het donker was, gloeiden de zwavelkleurige bollen in de straatlantaarns van Southall spookachtig in de avondmist; een permanente vochtigheid die optrok vanuit de moerassen rond Heathrow Airport, zwanger van de geur van curry en diesel.

Toen wij aankwamen, werden een paar straten van Southall net opgeknapt; een initiatief van ambitieuze tweedegeneratie-immigranten, die papa 'Engelse pauwen' noemde. Door de enorme uitbreidingen aan voor- en achterkant, opgeluisterd met tudorvensters, satellietschotels en glazen serres zagen hun gerenoveerde witgekalkte huizen eruit alsof ze volgepompt waren met steroïden. Op de halfronde opritten stonden meestal uitsloverige tweedehands Jaguars of Range Rovers.

Een paar familieleden van mammie woonden al dertig jaar in Southall en zij hadden voor ons een groot huis met pleisterwerk geregeld, twee straten van Broadway High Street vandaan. Het huis was eigendom van een Pakistaanse generaal, een toevluchtsoord voor de huisbaas, dat hij verhuurde tot de dag dat hij halsoverkop zijn moederland zou moeten ontvluchten. Het huis – dat wij al snel de bijnaam Generaalshol gaven – wilde graag bij de allerstatigste villa's van de Engelse pauwen horen, maar kon die ambitie niet waarmaken. Het was een log en lelijk gebouw, smal aan de voorkant, dat zich bijna over een heel blok uitstrekte naar een kleine tuin waar een verroeste barbecue en een kapot hek het terrein afbakenden. In de hobbelige straat voor het huis stond een zieke kastanjeboom en toen we erin trokken, lag er afval in de voor- en achtertuin. Ik herinner me ook dat het in het huis altijd vrij donker was, doordat het in de schaduw stond van een watertoren. De vloeren van de kamers waren bedekt met aftands linoleum en tot op de draad versleten kleden. De weinige meubels van glas-en-chroom en de gammele lampen konden de boel ook niet opvrolijken.

Dat huis is nooit ons thuis geworden. Ik associeer het voorgoed met het voortdurende kabaal van een gevangenis: de tikkende radiatoren, het angstaanjagende getril van de leidingen in het hele huis als er een kraan werd aangezet, het voortdurende gekraak en gepiep van vloerplanken en glas. En iedere kamer was doortrokken van een kille, vochtige lucht.

Papa was obsessief op zoek naar een nieuw bedrijf dat hij in Engeland kon opbouwen, maar een paar weken later liet hij het plan varen omdat hij in de ban raakte van een nieuw dwaas idee. Hij zag zichzelf als importeur-exporteur van rotjes en kleine gastencadeautjes, vervolgens als groothandelaar in koperen keukenartikelen uit Uttar Pradesh en daarna moest en zou hij bevroren bhelpuri verkopen aan de supermarktketen Sainsbury's.

Papa's laatste wilde ondernemersplan kwam in hem op toen hij in bad zat, met de douchemuts van tante op zijn hoofd, zijn torso als een behaarde ijsberg oprijzend uit het melkachtig witte water. Een mok met zijn favoriete thee, gekruid met een lepeltje garam masala, stond bij zijn elleboog en het zweet gutste van zijn gezicht.

'We moeten onderzoek doen, Hassan. Onderzoek.'

Ik zat boven op de wasmand en sloeg papa gade terwijl hij als een bezetene zijn voeten waste.

'Waarnaar, papa?'

'Waarnaar? Naar een nieuw bedrijf... Mehtab! Kom hier! Kom. Mijn rug.'

Mehtab kwam binnen vanuit de slaapkamer en ging plichtsgetrouw op de rand van het bad zitten, terwijl papa zich vooroverboog en over zijn schouder keek.

'Links,' zei hij. 'Onder het schouderblad. Nee. Nee. Yaar. Die, ja.'

Papa werd sinds zijn tienertijd geplaagd door een onsmakelijke uitslag van meeëters, puisten en ontstekingen over de hele breedte van zijn behaarde rug en toen mammie nog leefde was zij belast met de taak om de grootste boosdoeners uit te drukken.

'Drukken,' riep hij tegen Mehtab. 'Drukken.'

Hij vertrok zijn gezicht terwijl Mehtab met haar gelakte nagels hard kneep. Ze slaakten allebei een kreet van verrassing toen de boosdoener plotseling uitbarstte en papa draaide zijn hoofd om om naar het hem aangereikte weefsel te kijken.

'Kwam er veel uit, yaar?'

'Maar wat voor bedrijf, papa?'

'Sauzen, hete sauzen.'

Vanaf dat moment gingen de gesprekken over niets anders dan madras-sauzen. 'Kijk goed hoe ik dit aanpak, Hassan,' riep papa boven het verkeer van Broadway High Street uit. 'Voordat je een bedrijf opzet moet je altijd kijken hoe het zit met de concurrentie, hè. Marktonderzoek.'

De Shahee-supermarkt was de koning van alle winkels in Southall. Hij was eigendom van een rijke Hindoestaanse familie uit Oost-Afrika en nam de hele begane grond van een kantoortoren van rond 1970 aan het einde van de Broadway High Street in beslag. Op sommige plaatsen daalde de winkel een halve verdieping, naar de bevroren doperwten met munt en de chapati's in de kelder, en op andere plaatsen steeg hij drie treden naar een verstevigd platform dat helemaal vol lag met vijf-kilozakken gebroken basmatirijst. Stellingkasten vol blikken, zakken en dozen met van alles en nog wat reikten van de vloer tot het plafond. Dit was de plek waar ontheemde Indiërs zoals wij aromatische souvenirs van thuis kochten. Zakken vol boterbonen en flesjes Thums Up-cola, blikjes kokosmelk en granaatappelsiroop en kleurrijke pakjes sandelhoutwierook voor 'uw genot en gebed'.

'En wat is dit?' vroeg papa ongeduldig terwijl hij naar een pot wees.

'Madras-currypasta van Patak, meneer.'

'En dit?'

'Limoen- en chilipickle van Rajah, meneer.'

En papa ging alle schappen langs, terwijl hij zijn verstopte neus snoot en de arme winkelassistent bleef kwellen met zijn vragen.

'En dit is Shardees, yaar?'

'Nee, meneer, dit is Sherwood. En het is geen pickle. Het is een balticurrypasta.'

'Is dat zo? Maak eens een pot open. Ik wil even proeven.'

De winkelassistent keek om zich heen op zoek naar de bedrijfsleider, maar de sikh stond voor de winkel op straat, waar hij een met krimpfolie ingepakte stapel roze toiletpapier bewaakte. Toen de assistent besefte dat er niemand in de buurt was die kon helpen, zocht hij een veilig heenkomen achter een stapel dozen met gedeukte blikjes kikkererwten voordat hij zijn mond weer opendeed. 'Het spijt me, meneer,' zei hij beleefd. 'We laten niemand proeven. U moet de hele pot kopen.'

'Wij willen goede service,' zei papa tegen oom Sami.

Aziza keek me aan en gebaarde dat we de achterdeur uit moesten glippen om een sigaret te roken.

'Niet die domme kerels uit Oost-Afrika,' ging papa verder, terwijl hij tegen de elleboog van oom Sami tikte zodat de arme man wel moest opkijken uit zijn krant.

'Mijn god. Die sukkel bij Shahee, alsof hij een bot door zijn neus had.'

'Ja, ja, heel goed,' zei oom Sami. 'Liverpool staat voor met twee tegen een.'

Maar papa was als een hond die achter een rat aan zat en 'goede service' werd ons excuus om naar die mysterieuze plek te gaan waar papa al zo veel over had gehoord, de delicatessenafdeling van Harrods. Het was een gedenkwaardige gebeurtenis, die keer dat de hele familie naar West End toog en we even warm werden van de drukte op Knightsbridge, omdat die ons deed denken aan het getoeter en de vitaliteit van Bombay. Een paar minuten lang stonden we sprakeloos voor het rode, stenen warenhuis, starend naar het koninklijke wapen aan de zijgevel. 'Heel belangrijk,' zei papa eerbiedig. 'Betekent dat de koninklijke familie hier chutney koopt.'

En toen gingen we naar binnen. We liepen langs de leren handtassen en het porselein, langs sfinxen van papiermaché, ons hoofd zo ver mogelijk in onze nek om vol ontzag het vergulde, met sterren versierde plafond te bewonderen.

De delicatessenafdeling rook naar gebraden parelhoen en zure augurken. Onder een plafond dat niet zou misstaan in een moskee, vonden we een afdeling ter grootte van een voetbalveld volledig gewijd aan voedsel waar het een drukte van belang was en zeer seculier werd gehandeld. We werden omringd door victoriaanse nimfen op jacobsschelpen, beren van keramiek, een pauw van paarse tegeltjes. Naast hangende stukken plastic vlees stond een oesterbar, en er was een schier eindeloze rij toonbanken van marmer en glas. Eén hele toonbank was gevuld met niets anders dan spek – gestreepte bacon, rugspek en zoete, gerookte bacon uit Suffolk.

'Kijk,' riep papa terwijl hij met een mengeling van verrukking en afkeer naar de schalen vol varkensvlees onder het glas keek. 'Buikspek, *haar*. En hier, kijk.'

Papa barstte in lachen uit om de dwaasheid van de Engelsen, om de glimmende wortels die artistiek tentoon waren gespreid met hun felgroene bossen er nog aan. 'Kijk. Vier wortels, £1,39 per bosje. Ha ha. Je betaalt voor het groen. Ze eten alles. Net konijnen.'

We liepen onder de victoriaanse kroonluchters door van de ene afdeling naar de andere en verkenden producten uit uithoeken van de wereld waar we zelfs nog nooit van hadden gehoord. Papa's bulderende lach klonk steeds vaker en ik herinner me nog de verwonderde uitdrukking op zijn gezicht toen hij tegen de vitrine tikkend zevenendertig soorten geitenkaas telde, allemaal met hun eigen exotische naam, zoals 'Pouligny-Saint-Pierre' en 'Sainte-Maure de Touraine'.

De wereld was akelig groot, beseften we plotseling, en het bewijs lag hier voor onze neus: zacht gerookt struisvogelvlees uit Australië en Italiaanse gnocchi en zwarte aardappelen uit de Andes en Finse haring en Cajun-worstjes. En misschien wel het allervreemdst, maar zeer prominent aanwezig, het rijke culinaire aanbod van Engeland zelf. Creaties met prachtige namen als '*pie* met eendenkuiken, appel & calvados' of 'in bier gemarineerde konijnenlende' of 'reeworst met paddenstoelen & vossenbessen'.

Het was overweldigend. Een beveiligingsmedewerker van Harrods met een kogelvrij vest en een oortelefoontje liep om ons heen.

'Waar zijn de Indiase sauzen, alstublieft?' vroeg papa gedwee.

'Beneden in de Pantry, meneer, voorbij de specerijen.'

Langs de torens met Jelly Belly's op de afdeling zoetwaren, omlaag met de roltrap en via de wijnen naar de specerijen. En daar op de afdeling specerijen een sprankje hoop. Papa hief zijn hand op, maar de hoop werd meteen de bodem in geslagen toen hij alleen maar nog meer kosmopolitische etiketten zag: Franse tijm, Italiaanse majoraan, Hollandse jeneverbessen, Egyptische laurier, Engels zwart mosterdzaad en zelfs – de genadeslag – Duitse bieslook.

Papa blies met kracht zijn adem uit en het geluid sneed door mijn ziel.

Weggepropt in een klein hoekje, bijna verstopt achter pakken Japans zeewier en roze gember, lagen een paar symbolische artikelen uit culinair India. Een paar flessen Curry

Club. Een paar zakjes chapati's. Papa's hele wereld terugge-
bracht tot vrijwel niets.

'We gaan,' zei hij lusteloos.

En dat was dat. De Engelse plannen. Voorbij.

Harrods ontnam papa alle levenskracht en kort daarop
belandde hij in de depressie die al die tijd op de loer moet
hebben gelegen tijdens zijn manische zoektocht naar een
nieuw beroep. Want vanaf dat moment, tot ons vertrek uit
Engeland, zat papa de hele dag als een knolraap op de bank
van Southall zwijgend naar de Urdu-kabelzender te kijken.

4

Als de laaghangende luchten van Southall te grijs en te beklemmend werden, en we naar de kleuren en het leven van Mumbai verlangden, namen Umar en ik de metro naar Central London, waar we overstapten richting de Camden Lock Market in Noord-Londen. De reis was erg lang en oncomfortabel, maar als we vanuit de spelonkachtige tunnels van de Northern Line de drukke straten van Camden in liepen, voelden we ons als herboren.

Hier waren de gebouwen felroze en -blauw geschilderd en onder de slaphangende luifels zaten tatoeage- en piercingsalons, winkels met Dr. Martens-laarzen of hippiesieraden en piepkleine, sombere, muf ruikende winkeltjes waaruit keiharde headbangmuziek van de Clash of Oasis schalde. Als we door High Street liepen, nu weer met een licht verende tred, probeerden verkopers met vette haren ons naar binnen te lokken, naar hun tweedehands-cd's en aromatherapie-olie, minirokjes van vinyl, skateboards en batikshirts. En de vreemde mensen die tegen elkaar op botsten op de stoep – de met ringen versierde Goths in zwart leer en met groene hanenkammen, de deftige meisjes van de privéscholen in Hampstead, die een beetje door de stad slenterden, de dronkenlappen die van afvalbak naar pub strompelden – deze hele zee van mensen gaf me het geruststellende gevoel dat er, hoe misplaatst ik me ook voelde, altijd anderen in de wereld waren die veel vreemder waren dan ik.

Op deze dag gingen Umar en ik, zodra we het grote kanaal waren overgestoken, linksaf de markt op om te lunchen. In de met kinderkopjes geplaveide straatjes die tussen de voormalige bakstenen pakhuizen langs de sluizen doorliepen, wemelde het van de kraampjes met goedkoop voedsel van over de hele wereld. Aziatische meisjes met dikke brillen en papieren hoedjes riepen: 'Kom hier, jongens, kom' en gebaarden ons naar hun tofoe en sperziebonen te komen, naar hun spiezen met Thaise kip in satésaus, naar de wokken waar een nors kijkende kok aan één stuk door dampende porties zoetzuur varkensvlees op rijst schepte. We staarden vol verwondering, alsof we in de dierentuin waren, naar de kraampjes met Iraans barbecuevlees, visstoofpot uit Brazilië, pannen Caribische banaan en geitenvlees en dikke punten Italiaanse pizza.

Maar mijn oudere broer Umar, die ik op deze uitstapjes gedwee volgde, leidde ons rechtstreeks naar de Mumbai Grill, een kraam die was opgeluisterd met geplastificeerde posters van Bollywood-klassiekers uit de jaren vijftig van de vorige eeuw, zoals *Awara* of *Mother India*. En uit de hergebruikte lamsmadras- of kipcurry-emmers op de toonbank kregen we voor £ 2,80 een heerlijk bolletje rijst met okra en kip-vindaloo, allemaal zonder veel ceremonieel bij elkaar gesmakt in een bakje van piepschuim.

En zo liepen we met plastic vorkjes en vindaloo in onze warme handen, ons eten naar binnen schrokkend, verder de markt op, waar we tegen onze wil afdwaalden naar de kraampjes waar mammie haar oog op zou hebben laten vallen. Aan de haken hingen daar, als transparante wijnranken, kettingen van gekleurde glazen kralen, zwarte en rode satijnen cocktailjurkjes van Suzie Wong, gebedssjaals, zijden pasjmina's, jamawars; een wirwar van fonkelende kleuren die ons aan mammie en Mumbai deed denken. Bij een kraampje in een hoek, onder een van de luifels, bestudeerde ik de vele rekken met katoenen tassen uit India, die allemaal maar 99 pence per stuk kostten, en de kastanjebruine, roestbruine of aquamarijnkleurige tassen met vrolijk geborduurde bloemetjes of bezet met kralen en stukjes glas. Ze zogen me naar zich toe, onder de luifel, onder de rijkversierde katoenen lampenkapjes met zijden kwastjes en gloeilampen die een gedempt, geel licht gaven. En daar waren de sjaals, de dupatta's, over rekken gedrapeerd of geknoopt als dikke touwen, roze, met bloemetjes, psychedelisch, gestreept. Aan de muur hing een schitterende lappendeken van aan elkaar genaaide, gekleurde sjaals, die zich over de hele winkel uitstrekte en het universum van de dupatta tentoonspreidde.

'Ja, kan ik je helpen?'

En daar stond ze, Abhidha, een naam die letterlijk 'verlangen' betekent. Ze droeg een strakke spijkerbroek en een simpele, zwarte, wollen trui met een V-hals en vroeg mij met haar eigenaardige glimlach of ze me kon helpen.

Ik wilde uitroepen: 'Ja, help me! Help me mijn mammie te vinden. Help me mezelf te vinden!'

Maar wat ik zei was: 'Eh.. iets voor mijn tante alsjeblieft.'

Ik herinner met niet precies wat er werd gezegd, want ze liet me met mijn hand een zijden pasjmina voelen en sprak ernstig tegen me met die zachte stem. Mijn hart bonsde. Ik vroeg haar steeds om me nog iets te laten zien, zodat ik met haar kon blijven praten, tot haar vader achterin snauwde dat ze bij de kassa moest helpen. Ze keek me aan met een spijtige blik en ik volgde haar naar de kassa, waar ik mijn zakken leegde om een karmozijnrode sjaal voor mijn moeder te kopen. En uiteindelijk zei ik stotterend dat ik met haar wilde afspreken, om iets te gaan eten of naar de film te gaan, en ze zei 'ja' en dat ze het leuk zou vinden. En zo vond ik dus mijn eerste liefde, Abhidha, tussen de sjaals, op mijn zeventiende.

Abhidha was absoluut geen klassieke schoonheid. Ze had, dat moet ik toegeven, een nogal rond gezicht met hier en daar een oud litteken van acné. Toen we die dag thuiskwamen, vertelde Umar aan mijn zus Mehtab dat ik verliefd was en hij voegde er onaardig aan toe: 'Goed figuur, maar dat gezicht... net een uienbhaji.' Maar wat Umar blijkbaar niet zag, en ik wel, was dat Abhidha's gezicht constant werd verlicht door een intrigerende glimlach. Ik wist niet waar die glimlach vandaan kwam bij een vrouw van drieëntwintig, maar het was alsof Allah ooit een kosmische grap in haar oor had gefluisterd en ze vanaf dat moment de hele wereld filterde door deze humoristische kijk op de gebeurtenissen. Het interesseerde me ook niet echt wat Umar of wie dan ook vond. Vanaf dat moment stelde ik alles in het werk om Abhidha op te zoeken zodra de agenda's van onze families het toelieten, want iets in mij wist dat ze een zielsverwant was en dat zij die dwingende ambitie naar boven kon halen die ergens diep in mij verborgen lag – het deel van mij dat ernaar hunkerde om te proeven van de smaken van het leven die ver buiten het vertrouwde terrein van mijn erfgoed lagen.

Abhidha's familie kwam oorspronkelijk uit Uttar Pradesh, woonde in Golder's Green en bestierde een import-exportbedrijfje in Camden. Ze was Brits van geboorte, zat in het laatste jaar van de Queen Mary University of London en was verontrustend slim en ambitieus; het enige wat ze wilde was zich ontwikkelen. Dus ze wilde best met me afspreken – haar handtas over haar schouder, bonkend tegen haar heup, altijd met een notitieblok en een pen in de hand – maar alleen maar om iets te doen waar ze wat van kon leren, zoals een expositie in het British Museum of het Victoria Albert. En als we 's avonds afspraken, was dat om *Oresteia* van Aeschylus te zien in het National Theatre, of een onbegrijpelijk toneelstuk – meestal van een of andere gestoorde Ier – in een warm, plakkerig kamertje boven een pub.

Natuurlijk bood ik eerst weerstand, al die hoge cultuur, waarvan ik dacht dat het niks voor mij zou zijn, tot die avond dat we een muntje opgooiden over wie er mocht beslissen wat we die zaterdag zouden doen. Ik wilde per se naar een film met Bruce Willis met een bijzonder groot aantal helikopterachtervolgingen en exploderende kantoorgebouwen, en zij – ik viel bijna om van schrik – wilde een toneelstuk zien uit het ondergrondse circuit uit het sovjettijdperk, over drie homoseksuelen die gevangen zitten in Siberië.

Als zaterdagavondvermaak was dat net zo aantrekkelijk als het laten trekken van mijn tanden, maar zij had de tos gewonnen en ik wilde bij haar zijn, dus namen we de metro naar het Almeida Theatre in Islington, waar we drie uur in het donker op een harde bank achter een pilaar zaten, voortdurend heen en weer schuivend op onze pijnlijk tintelende billen.

Ergens halverwege het toneelstuk begonnen de tranen over mijn wangen te stromen. Ik weet niet precies wat er gebeurde, maar het toneelstuk ging helemaal niet over homoseksuelen, zo realiseerde ik me, maar over de menselijke ziel die een bestemming heeft die niet past in de samenleving, en hoe die bestemming in dit geval leidde tot de verbanning van de Russische personages. Het ging over mannen met heimwee, die hun moeders en het vertrouwde voedsel van thuis verschrikkelijk misten en over hoe deze verbanning in Siberië hen naar de afgrond van de waanzin dreef. Maar het ging ook over de triomf van hun bestemming als homoseksuelen, een op zichzelf staande kracht die niet te negeren was, en over het feit dat geen van hen uiteindelijk, hoe erg ze ook leden, zijn bestemming had willen ruilen voor het comfortabele leven dat ze in Moskou hadden achtergelaten. En toen stierven ze allemaal. Op een afschuwelijke manier.

Lieve hemel, wat was ik er aan toe toen we eindelijk de donkere en natte nacht van Islington in liepen. Ik was chagrijnig, geïrriteerd, vervuld van schaamte over het feit dat ik bij dit vreemde toneelstuk had zitten grienen als een meisje. Maar vrouwen – dat zal ik nooit begrijpen – raken ontroerd door de vreemdste dingen en Abhidha belde met haar mobiel een vriendin en voordat ik wist wat er gebeurde, duwde ze me in een taxi en waren we op weg naar het appartement van die vriendin in Maida Vale.

De vriendin was er zelf niet, alleen een kat op de vensterbank die nogal verstoord keek toen we binnenkwamen. Er stond een houten schaal met bananen op de eettafel en het appartement rook naar rot fruit, kattenbak en schimmelig, oud tapijt. Maar daar, in het smalle bed onder het dakraam, trok Abhidha haar V-halstrui uit en mocht ik mijn gezicht in haar kokosnoten duwen terwijl haar handen wat lager aan mijn riem rukten. En die nacht, na een goede beurt, vielen we in slaap met haar billen in mijn kruis, tevreden in elkaar gekruld als twee halvemaanvormige Marokkaanse pasteitjes.

Tijd en zwaartekracht; een paar weken later, op een volmaakte dag in april, wilde Abhidha met me afspreken bij de Royal Academy of Arts op Piccadilly, voor een expositie over Jean-Siméon Chardin, een achttiende-eeuwse Franse schilder over wie ze een werkstuk schreef. We liepen hand in hand door de galerie, onze ogen op de muren gericht, op de dikke verfkorsten die tafels uitbeeldden met een Sevilla-sinaasappel, een fazant, een stuk tarbot aan een haak.

Abhidha liep met een glimlach, die ongelooflijke glimlach, door de lichte galerie, vol bewondering voor het werk van Chardin, en ik liep in verwarring achter haar aan en krabde me achter het oor, tot ik eindelijk uitflapte: 'Waarom vind je deze schilderijen zo mooi? Het zijn alleen maar een heleboel dode konijnen op een tafel.'

Dus nam ze me bij de hand en liet me zien hoe Chardin steeds maar weer hetzelfde dode konijn, dezelfde patrijs en drinkbeker schilderde... in de keuken. Dezelfde vrouw en dezelfde keukenmeid en hetzelfde hulpje van de herbergier... in de keuken. Toen ik het patroon zag begon ze – met een bijna erotische fluisterstem – voor te lezen uit een hoogdravende tekst, geschreven door een fossiele kunsthistoricus. 'Chardin geloofde dat God verscholen zat in het mondaine leven voor zijn ogen, in de huiselijkheid van zijn eigen keuken. Hij zocht nooit ergens anders naar God, maar schilderde gewoon steeds opnieuw dezelfde plank en hetzelfde stilleven in de keuken van zijn huis.'

Abhidha fluisterde: 'Ik vind het geweldig.'

En ik herinner me nog dat ik wilde zeggen – het lag op het puntje van mijn tong: 'En ik vind jou geweldig.'

Maar dat deed ik niet. En na de tentoonstelling gingen we naar Piccadilly, om de verpakte lunch te eten die ze van huis had meegenomen, een soort wrap met gegrilde kip. We lachten en renden de straat over terwijl het licht op rood sprong en de auto's brullend op ons af reden.

St. James' Church op Piccadilly, met de naar het verkeer gerichte, maar iets terugwijkende façade, was een groezelig, grijs, bakstenen gebouw van Christopher Wren. Het betegelde pleintje ervoor werd in beslag genomen door kraampjes die porselein, postzegels en zilveren bestek verkochten. Maar het kleine tuintje van de kerk, verscholen om de hoek, was heerlijk Brits: lavendelbosjes, muur en akelei groeiden rommelig en wild tussen de oude eiken en essen.

Een vrouw, waarschijnlijk Maria, stond in groen brons tussen de bloeiende struiken, handen geheven om de verloren zielen van Londen naar deze oase in de stadsdrukte te leiden, waar aan de rand van het postzegeltuintje een groene camper geparkeerd stond. Toen we naar het bankje liepen, kwamen we langs de open deur van het oude voertuig en wierpen we een steelse blik naar binnen. Een hulpverlener met ongekamd haar bladerde door een tijdschrift en zat, naar wij vermoedden, geduldig te wachten tot de volgende dakloze binnenkwam voor een kop thee en een heleboel adviezen.

In deze idyllische tuin liet Abhidha, terwijl we onze lunch zaten te eten, haar bom vallen. Ze vroeg me om de volgende zaterdag mee te gaan naar een etentje met een poëzielezing in Whitechapel, zodat ik haar vrienden van de universiteit kon ontmoeten. Ik begreep meteen waar het eigenlijk om ging, dat het niet niks was wat ze van me vroeg: ze wilde me laten beoordelen door haar studiegenoten. Dus stamelde ik: 'Natuurlijk. Graag. Ik zal er zijn.'

Maar je moet het volgende weten: de gewelddadige moord op een moeder heeft afschuwelijke gevolgen voor een jongen die de kwetsbare leeftijd heeft waarop hij de meisjes begint te ontdekken. Zoiets vermengt zich met alles wat vrouwelijk is en laat een verkoold laagje achter op de ziel, als de zwarte sporen op de bodem van een verbrande pan. Hoe je ook schrobt en schrobt met staalwol en schoonmaakmiddelen, de sporen verdwijnen niet.

In de periode dat ik Abhidha leerde kennen, ging ik regelmatig langs bij Deepak, een jongen uit Southall die in een kelder woonde. Deepak was een van de Engelse pauwen en zijn ouders, die alleen maar wilden dat hij het huis uitging, hadden hun hele kelder aan hun zoon overgedragen. Onmiddellijk vulde hij de ruimte met de nieuwste snufjes op audiovisueel gebied en zette hij overal zitzakken. En in de hoek... een voetbaltafel.

Tafelvoetbal, geloof me, is een duivelse uitvinding van het Westen. Het maakt dat je de hele wereld vergeet. Het enige wat je bezighoudt, is dat handvat waar je aan moet draaien om dat kleine balletje er flink van langs te geven, zodat je het plezierige geluid hoort van het balletje dat door de lucht suist en met een bevredigende pok! tegen de achterkant van het doel slaat. Ik was steeds vaker te vinden in de kelder van Deepak, waar we eerst een paar jointjes rookten en dan... mijn god, zomaar vier uur voorbij, en nog steeds stonden we aan die handvatten te draaien en lieten we die kleine houten mannetjes levensgevaarlijke salto's maken.

Op de vrijdag voordat ik Abhidha's studievrienden zou ontmoeten in een appartement in East End, ging ik naar de kelder van Deepak, waar twee giechelende Engelse meisje als kleine, logge perziken in de zitzakken hingen. Deepak stelde me voor aan Angie, een mollig propje met een wipneus, haar blonde haar omhooggedraaid in een soort rattennest en op haar hoofd vastgezet met haarspelden. Ze droeg een zwart glimmend minirokje en doordat ze achterover op de zitzak lag, zag ik steeds een glimp van haar blauwe katoenen onderbroek. En dan die mollige, bleke benen, die open en dicht gingen en tegen mijn knie tikten...

We praatten wat, ik had geen idee hoe lang, en toen, op het moment dat ik het jointje aan Angie gaf, legde ze haar hand op mijn been, liet haar nagel met afgebladderde nagellak langs de zoom van mijn spijkerbroek glijden en het begon daarbinnen helemaal stijf te worden. En binnen een paar seconden waren we heftig aan het zoenen. Ach, ik ga er niet te diep op in, maar uiteindelijk gingen zij en ik naar haar huis

– haar ouders waren dat weekend weg – en brachten twee dagen door in bed.

Ik ben niet naar het feest van Abhidha gegaan en heb haar zelfs niet gebeld om te zeggen dat ik niet kwam; ik ging gewoon niet. Een paar dagen later belde ik haar wel, keer op keer, vol berouw. En toen Abhidha eindelijk opnam om naar mijn kruiperige verontschuldigingen te luisteren, was ze net zo lief als altijd.

'Het geeft niet, Hassan,' zei ze. 'Het is niet het einde van de wereld. Ik ben een grote meid. Maar ik denk wel dat het tijd is dat je iemand van je eigen leeftijd zoekt. Vind je niet?'

En dit was het begin van mijn levenslange patroon met vrouwen: zodra het intiem begon te worden, trok ik me terug. Het is moeilijk om toe te geven, maar mijn zus Mehtab – die nu de boekhouding van het restaurant doet en mijn appartement schoonhoudt – is eigenlijk de enige vrouw met wie ik een langdurige relatie in stand heb kunnen houden. En zij zegt steeds dat mijn emotionele klok, het deel dat te maken heeft met vrouwen, stil is blijven staan toen mammie stierf.

Kan zijn, maar vergeet niet dat ik doordat ik niet werd beperkt door de emotionele eisen die een gezin aan je stelt, mijn hele leven kon doorbrengen in de warme omhelzing van de keuken.

Maar nu terug naar de rest van de familie Haji, die het al niet veel beter verging. We hadden niet meteen door dat er iets mis was toen Ammi de oude Gujarati-liederen begon te zingen en onze namen vergat. Maar vervolgens raakte ze geobsedeerd door haar tanden. Ze trok haar lippen breed en dwong ons haar zieke tandvlees te onderzoeken, met de rottende en bloedende stompjes die ons deden kokhalzen. En ik zal me altijd die verschrikkelijke nacht herinneren toen ik thuiskwam, de voordeur opendeed en zag dat Ammi, die de trap op liep, haar plas niet kon inhouden. Een rivier van urine stroomde langs haar been.

Maar het was mijn irritante, in Londen geboren neef die ons er op attent maakte dat Ammi dement werd. Iedere keer dat deze student door het Generaalshol paradeerde – terwijl hij ons onderrichtte over macro-economie zus en geldvoorraad zo – sloop Ammi stilletjes naar hem toe. Hij had niets door, maar dan opeens slaakte hij halverwege een zin een kreet van pijn en draaide hij zich woedend om naar het kleine, in elkaar gedoken figuurtje achter hem. Bij de aanblik van zijn in een Ralph Lauren-broek geperste Indiase achterwerk verloor ze haar zelfbeheersing en onze geschreeuwde bevelen om te stoppen met knijpen, spoorden haar alleen maar aan om de arme jongen te achtervolgen door de kamers. Maar hij zette het haar betaald. Hij was degene die ons, gelardeerd met allerlei medische details, uitlegde dat Ammi's geestelijke gezondheid achteruitging.

Maar zij was niet de enige. Er hing een soort gekte in de lucht.

Mehtab raakte bovenmatig geïnteresseerd in haar haar en dirkte zich constant op voor mannen die nooit kwamen om haar mee uit te nemen. En ikzelf trok me terug in een nevel van hasj en tafelvoetbal in de kelder.

Maar zelfs in de hel zijn er momenten waarop je een lichtpuntje ziet. Op een dag, toen ik naar het filiaal van de Bank of Baroda in Southall sjokte, werd mijn blik getrokken door een glimmend voorwerp. Het bleek een snackkar te zijn, zo een die de Engelsen een *chippie* noemen. Hij stond tussen de Ramesh, de TAX FREE!-juwelier, en een stoffenwinkel met bundels nepzijde. Tegen de voorkant van het karretje was een uit metaal gezaagd silhouet van een trein geschroefd en op een bord tegen de bovenrand stond JALEBI JUNCTION.

Het vreemde wagentje was, zo realiseerde ik me, zo verbouwd dat het geschikt was om jalebi te verkopen, het heerlijke bevroren dessert dat Bappu de kok altijd voor me kocht op de Crawford-markt. Plotseling werd ik getroffen door een steek van heimwee en een hevig verlangen naar die vertrouwde smaak, maar het karretje was onbemand en stond vastgeketend aan een lantaarnpaal. Ik kwam aarzelend dichterbij en las het roze papiertje dat erop was geplakt en eenzaam in de wind wapperde: PARTTIME HULP GEVRAAGD. INLICHTINGEN: BATICA CHIPS.

Die nacht droomde ik dat ik een trein bestuurde waarvan ik vrolijk de fluit liet klinken. De locomotief rolde voort door een schitterend, besneeuwd berglandschap en nam me mee naar een wereld die rijker was dan ik ooit had kunnen dromen. Het was heel opwindend dat ik nooit wist welk uitzicht op me lag te wachten na de volgende bergtunnel.

Ik wist niet wat de droom betekende, maar de voorwaartse beweging van de trein sprak me op de een of andere manier aan en de volgende ochtend was ik in minder dan geen tijd weer in High Street. Batica Chips was een van de twee fabrikanten van 'kwaliteitszoetwaren' en de etalage lag vol met honing- en pistache- en kokoskoekjes. De deurbel klingelde toen ik binnenkwam en de winkel rook naar gedroogde bananenschijfjes. Een grote vrouw voor me bestelde een paar pond *gulab jamun*, gefrituurde, in stroop gedoopte balletjes van melkwrongel. Toen ze vertrok, gaf ik het roze briefje dat ik van de Jalebi Junction had gescheurd aan de bakker en zei ik verlegen dat ik die baan graag wilde.

'Niet sterk genoeg,' zei de ongeschoren man in de witte jas. Hij keek me niet eens aan en ging door met het vullen van een kartonnen doosje met amandelgebakjes.

'Ik zal hard werken. Kijk. Sterke benen.'

Hij schudde zijn hoofd en ik besefte dat mijn sollicitatiegesprek al voorbij was, geen discussie. Maar ik liet het er niet bij zitten. En uiteindelijk kwam de echtgenote van de man naar me toe en ze kneep in mijn magere arm. Ze rook naar bloem en kerrie.

'Ahmed, hij is wel oké,' zei ze. 'Maar minimumloon.'

En dus duwde ik niet lang daarna de Jalebi Junction door Broadway High Street, in mijn Batica Chips-uniform, en verkocht ik kleverige jalebi aan kinderen en hun grootouders.

Ik verdiende £3,10 per uur en het werk hield in dat ik beslag maakte van gecondenseerde melk en bloem, het mengsel in kaasdoek deed en vervolgens lange slierten van het mengsel in de vorm van krakelingen in de kokende olie perste. Als ze klaar waren schepte ik de gouden jalebi's uit de olie, doopte ze in stroop, wikkelde de kleverige krullen zorgvuldig in waspapier, gaf ze aan de uitgestrekte handen en nam tachtig pence in ontvangst.

Ik weet nog goed hoe ik genoot van de pruttelende olie, het geluid van mijn mannelijke stem die over straat schalde, de geur van stroop en het koele waspapier tegen mijn handen die vol zaten met brandwondjes van de spetters hete olie. Soms rolde ik de Junction naar een gunstig punt, bijvoorbeeld voor de Kwik Fit of, als ik de geest had, de Harmonykapsalon. Wat een vrijheid! En ik zal Engeland altijd dankbaar blijven voor het feit dat het me heeft laten zien dat ik in deze wereld nergens anders thuishoor dan staand voor een grote pan kokende olie, met mijn voeten ver uit elkaar.

Ons vertrek uit Groot-Brittannië was net zo abrupt als onze komst twee jaar eerder.

En bewust of onbewust was ik er de veroorzaker van.

Het had te maken met vrouwen. Alweer.

Ik miste de Napean Sea Road en het restaurant en ik miste

mammie. In de greep van dit intense verlangen zat ik op een avond in onze achtertuin stiekem in mijn eentje een sigaret te roken, toen ik een koele hand tegen de achterkant van mijn hoofd voelde.

'Hoe gaat het, Hassan?'

Het was donker en ik kon haar gezicht niet zien. Maar ik kon de patchouli-olie ruiken.

De stem van mijn nicht Aziza was zacht en, ik weet niet waar het aan lag, maar de zoete klank raakte me diep in mijn ziel.

Ik kon het niet helpen; de tranen stroomden over mijn wangen.

'Ik mis mijn oude leven.'

Ik snoof en veegde mijn neus af aan de mouw van mijn T-shirt.

De vingers van Aziza kroelden zachtjes door mijn haar.

'Arme jongen,' fluisterde ze met haar lippen tegen mijn oor. 'Arme jongen.'

En toen kusten we elkaar. Hete tongen in elkaars keel, ge-graai door kleren heen, en de hele tijd dacht ik: fantastisch! Eindelijk weer een meisje voor wie je echt iets voelt, en dan is het verdomme je nicht.

'Aii.'

We keken op.

Tante bonsde tegen de binnenkant van de glazen deuren en om haar omlaag getrokken mondhoeken lag die beroem-de verzuurde uitdrukking.

'Abbas,' krijste tante achter het glas.

'Kom snel! Hassan met de toiletbril!'

'Shit,' zei Aziza.

Twee dagen later zat Aziza in het vliegtuig naar Delhi en werden de banden tussen de familie van oom Sami en de onze verbroken. Papa kreeg een rekening voor werkzaamheden aan het huis die oom Sami beweerde te hebben laten doen. Het was een drama. Er vielen tranen en klappen en de familieleden van papa en mama streden in de straten van Southall om wie het hardst kon schreeuwen. Maar de beroering deed papa eindelijk ontwaken uit zijn diepe slaap. Hij wierp de deken af en keek voor het eerst goed om zich heen. Hij zag wat er van ons was geworden en een paar dagen later stonden er drie tweedehands Mercedesen voor het huis – een rode, een witte en een zwarte. Net als de telefoons van Anwar de visboer.

'Kom,' zei hij, 'tijd om te gaan.'

Mukhtar vierde ons vertrek uit Engeland door direct de boot die ons naar Calais bracht onder te kotsen met pasta met romige garnalen. Maar toen begon de reis pas echt: onze Mercedeskaravaan reed door België en Nederland naar Duitsland en in razend tempo door Oostenrijk, Italië, Zwitserland, waarna kronkelende bergweggetjes ons terugbrachten naar Frankrijk.

De delicatessenafdeling van Harrods had er diep ingehakt bij papa. Hij was zich nu sterk bewust van zijn beperkingen en besloot zijn kennis van de wereld uit te breiden. In zijn manier van denken betekende dat dat hij zich systematisch een weg at door heel Europa. Hij proefde alle lokale specialiteiten die hij niet kende, maar die misschien wel lekker waren. Dus aten we mosselen met bier in Belgische cafés, gebraden gans met rode kool in een donkere Duitse *Stube*, hadden we een zweterig diner met hertenvlees in Oostenrijk, polenta in de Dolomieten, witte wijn en *Felchen*, een graterige zoetwatervis, in Zwitserland.

Na de ellende van Southall waren de eerste weken van die reis door Europa als het eerste hapje van een crème brûlée. Ik herinner me vooral onze tocht in Toscane, waar we als een wervelstorm doorheen reden in het gouden licht van eind augustus. Onze auto's raasden naar Cortona en hielden stil bij een mosterdkleurig *pensione* uitgehakt in de wand van een groene berg.

Kort na onze aankomst in het middeleeuwse bergdorpje ontdekten we dat het jaarlijkse porcinifeest net was begonnen. Toen de zon onderging en de duisternis neerdaalde over de vallei en het Trasimeno-meer, sloten we achter aan de rij bij het hek van het in terrassen aangelegde stadspark. De promenade onder de cipressen was feestelijk versierd met lichtjes en houten tafels en jampotten met wilde bloemen.

Het feest was in volle gang. Een klarinet en een trommel speelden een tarantella en een paar bejaarde stellen op een podium schopten hun hielen in de lucht. Het leek erop dat de hele stad op de been was en grote groepen kinderen verdrongen elkaar bij de suikerspinnen en geroosterde amandelen. Toch slaagden we erin een tafeltje te bemachtigen onder een kastanjeboom. De plaatselijke bewoners liepen langs ons heen, een draaikolk van grootouders en kinderwagens en gelach en woeste gebaren.

Papa bestelde een *menù completo trifolato*.

'Hè?' vroeg tante.

'Stil.'

'Hoezo stil? Ik maak zelf wel uit wanneer ik mijn mond opendoe. Waarom zegt iedereen de hele tijd dat ik stil moet zijn? Ik wil weten wat je hebt besteld.'

'Waarom moet je toch altijd alles weten!' brieste papa tegen zijn zus. 'Paddenstoelen, yaar. Eekhoorntjesbrood uit de regio.'

En hij had gelijk. Op het tafeltje verscheen de ene schaal na de andere met *pasta ai porcini* en *scaloppina ai porcini* en *contorno di porcini*. Plastic borden vol eekhoorntjesbrood verspreidden zich door het hele park vanuit een tent waar vrouwen, gekleed in schorten en besmeurd met meel, paddenstoelen bereidden die schrikbarend veel op zompige stukjes lever leken. En naast de tent stond een gigantisch vat vol sissende olie. Het vat was zo groot als een badkuip, maar had toch iets vertederends omdat het de vorm had van een reusachtige koekenpan, met een ingenieuze steel die de rookwalmen afvoerde. En rondom het vat stonden drie dikke mannen met toques die de met bloem bestoven porcini in de olie dompelden, terwijl ze instructies naar elkaar riepen en rode wijn dronken uit papieren bekertjes.

Drie dagen lang zogen we de Toscaanse hitte op, zwommen we in het meer en dineerden we iedere avond op het dakterras van het pensione, terwijl de zon onderging achter de bergen.

'*Cane*,' zei papa tegen de ober. '*Cane rosto*.'

'Papa! Je bestelt gebraden hond.' .

'Nee hoor, niet waar. Hij begreep het.'

'Je bedoelt *carne*. Carne.'

'O, ja. Ja. *Carne rosto*. En *uno platto di Mussolini*.'

De verbaasde ober liep uiteindelijk weg toen we hadden uitgelegd dat papa mosselen wilde, niet de dictator op een bord. Grote golven Toscaans voedsel sloegen neer op onze tafel terwijl een rij terracotta potten een nachtelijke parfum van lavendel en salie en citrus verspreidde. We aten wilde asperges met *fagioli*, dikke lappen vlees die perfect waren gegrild op houtvuur, walnootbiscotti gedoopt in de Vino Santo van de chef zelf. En we lachten, eindelijk lachten we weer.

De hemel op aarde.

Tien weken nadat we waren begonnen aan onze reis door Europa was de stemming weer flink gedaald. De hele familie was doodmoe van al het rijden, van papa's ongeleide rusteloosheid, van de willekeurige krassen in zijn beduimelde exemplaar van *Le Bottin Gourmand*. En we werden misselijk van al het restauranteten week in week uit. We zouden een moord hebben gepleegd voor een simpele roerbaksschotel met aardappel en bloemkool uit onze eigen keuken. Maar weer zouden we een dag in de auto's moeten zitten, op elkaar gepropt als in een dabba-blikje, schouder aan schouder, de ramen beslagen.

En op die oktoberdag in het laaggebergte van Frankrijk, toen het allemaal stopte, was het nog erger dan anders. Ammi zat zachtjes te huilen op de achterbank terwijl de rest van ons ruziede en vader brulde dat we stil moesten zijn. Na een reeks misselijkmakende bochten omhoog kwamen we bij een pas die vol lag met beijzelde rotsblokken. Er hing een spookachtige, kille mist. De skilift was gesloten, net als het met luiken afgeschermde, betonnen café, en we reden zonder iets te zeggen door naar de volgende afdaling.

Maar na die bergrug, aan de andere kant van de berg, trok de mist abrupt op, opende zich de blauwe hemel en werden we plotseling omringd door zonbeschenen dennenbomen en heldere beekjes die door de bossen en onder de weg door stroomden.

Twintig minuten later ging het bos over in een glooiende weide met zijdezacht gras dat bezaaid was met blauwe en witte wilde bloemen. En toen we door een haarspeldbocht reden, zagen we de vallei en het dorp onder ons, een panorama met ijsblauwe forelriviertjes die fonkelden onder de wolkeloze herfstlucht van de Franse Jura.

Alsof ze bedwelmd waren door de schoonheid slingerden onze auto's over het kronkelweggetje het dal in. De kerkklokken beierden over de omgeploegde velden, een wilde houtsnip schoot door de lucht en verdween tussen de roodbruine en gouden bladeren van een groepje berken. Op de lagere heuvels stonden mannen met manden op hun rug tussen de rijen druivenranken om de laatste druiventrossen te plukken en achter hen verrezen de hagelwitte toppen van de granieten bergen.

En de lucht, o, die lucht. Helder en schoon. Zelfs Ammi hield op met jammeren. Onze auto's reden langs houten boerderijen waar geweien boven de schuurdeuren waren gespijkerd, langs koeherders die hun bel lieten klingelen. Verderop hobbelde een gele postbestelauto over de velden en toen we de bodem van de vallei hadden bereikt, staken we een houten brug over en reden we de stenen stad binnen.

De Mercedes baande zich een weg door de smalle achttiende-eeuwse straatjes van het dorp – langs steegjes met keitjes, langs de schoenenwinkel, langs horlogewinkels. Twee kwebbelende moeders duwden hun kinderwagens over het zebrapad naar een patisserie, een lijvige zakenman besteeg het bordes van een bank op een hoek. Dit stadje had iets elegants, alsof het trots was op zijn geschiedenis, en maakte een prettige indruk met zijn vergulde huizen en glas-in-loodramen, oude kerktorens en groene luiken, en de in steen uitgehakte monumenten ter nagedachtenis aan de Eerste Wereldoorlog.

Maar toen we om het centrale plein heen waren gereden – met in het midden bakken vol gele anjers en een fontein met waterspuwende vissen – reden we via de N7 het stadje weer uit, over een bulderende rivier die neerdaalde uit de Alpen. En ik herinner me nog heel goed dat ik uit het raam keek en een man in het snelstromende water van de rivier zag vissen met sprinkhanen. De oever achter hem was een oogverblindend tapijt van wilde hyacinten.

'Papa, kunnen we hier niet stoppen?' vroeg Mehtab.

'Nee, ik wil lunchen in Auxonne. Volgens de gids hebben ze daar voortreffelijke tong. Met Madeirasaus.'

Maar het was niet de eerste keer in mijn leven dat de buitenwereld leek te reageren op mijn innerlijke behoeften.

'Wat nou? Wat nou?'

De auto spuwde zwarte rook en begon te schudden. Papa sloeg op het stuur, maar het hielp niets en hij zette hem aan de kant van de weg. De jongste kinderen schreeuwden van blijdschap toen we allemaal de frisse plattelandslucht in stapten.

Onze auto stierf in een lommerrijke straat omzoomd door deftige kalkstenen huizen met bakstenen schoorstenen en raamkozijnen die vol stonden met geraniums. Achter de huizen lagen met appelbomen begroeide heuvels en ik zag nog net de grafzerken op het kerkhofje erbovenuit steken.

Mijn jongere broers en zusjes speelden tikkertje op straat – toegeblaft door een terriër achter een oude stenen muur – terwijl ons vanuit een huis in de buurt de heerlijke geuren van brandend hout en warm brood tegemoet dreven.

Vader vloekte en sloeg met zijn vuist op de motorkap. Oom stapte uit de tweede auto en strekte dankbaar zijn rug voordat hij zich naast papa over de kapotte motor boog. Tante en Ammi pakten de zomen van hun sari's bij elkaar en gingen op zoek naar een wc. Mijn oudste broer zat in zijn eentje in de laatste auto, die overbeladen was met onze koffers en bundels bagage, en stak somber een sigaret op.

Papa veegde zijn met olie besmeurde handen af aan een oude doek en keek op. Ik zag dat hij uitgeput was; eindelijk was zijn energie op. Hij haalde diep adem en streek over zijn ogen. Een zuurstofrijk briesje speelde met zijn haar en hij moest het verkwikkende effect ervan hebben gevoeld, want dat was het moment dat hij voor het eerst echt naar de ongerepte schoonheid van het berggebied om zich heen keek. En terwijl hij dat deed – voor het eerst in bijna twee jaar moeiteloos door zijn neus ademend – leunde hij tegen een hek waar een heen en weer wiegend houten bord aan hing.

Het huis waarvoor we autopech hadden gekregen, was heel statig en zelfs vanaf de straat konden we zien dat het van fijne steen was gebouwd. Onder de lindebomen achter het hoofdgebouw, stonden een stal en een portiersloge, en een wirwar van dikke klimop overwoekerde de stenen muur die het terrein omringde. 'Op het bord staat dat het te koop is,' zei ik.

Het lot is machtig.

Uiteindelijk kun je het niet ontlopen.

Lumière, zo ontdekten we later, was in de achttiende eeuw een levendig horlogemakerscentrum geweest, maar de stad was gekrompen tot vijfentwintigduizend inwoners en was nu vooral bekend vanwege een paar bekroonde wijnen. De belangrijkste bedrijven waren een fabriek voor aluminium-platen, gevestigd in een bescheiden industriegebied twintig kilometer verderop in het dal, en drie door families bestierde houtzagerijen die op de uitlopers van de bergen lagen. Op het gebied van zuivel genoot de stad enige roem met een zachte kaas, gerijpt met een laagje houtskool binnenin. En de naam zelf, Lumière, kwam van de manier waarop het vroege ochtendlicht afketste op de rotsen van de Jura en de ene kant van de vallei in een roze gloed zette.

Omdat papa en oom Mayur de auto niet meer aan de praat kregen, liepen ze naar het stadscentrum. Een uur later kwamen ze terug, niet met een automonteur maar met een makelaar die een zijden pochet in het zakje van zijn blazer had. De drie mannen verdwenen in het huis en wij kinderen renden achter hen aan, van kamer naar kamer, onze voeten kletsend op de houten vloeren.

De makelaar sprak een soort razendsnel Frengels. Maar we begrepen dat ene monsieur Jacques Dufour, een onbe-kende achttiende-eeuwse uitvinder van horlogeradertjes, het huis had laten bouwen. We bewonderden de oude keuken, die groot en licht was en voorzien van handbeschilderde kastjes en een stenen open haard. Papa bracht het idee van een restaurant ter sprake en de makelaar dacht dat een Indiaas restaurant het zeker goed zou doen in deze buurt. 'U hebt het rijk alleen,' zei hij, enthousiast gebarend met zijn hand. 'Er is in deze hele regio geen enkel Indiaas restaurant.'

Bovendien, voegde de man er ernstig aan toe, was het huis een uitstekende investering. De vraag naar vastgoed zou binnenkort toenemen waardoor de prijzen zouden stijgen. Hij had zelf in het stadhuis gehoord dat de warenhuisketen Printemps op het punt stond aan te kondigen dat ze een filiaal van 750.000 vierkante meter zouden openen in het industriegebied van Lumière.

We liepen weer terug naar het voorpleintje. De lucht was roze en de toppen van het Juragebergte staken spierwit af tegen het leien dak van het huis.

'Wat vind je ervan, Mayur?'

Oom krabde in zijn kruis en keek vreemd genoeg met een neutrale blik naar de bergen in de verte, maar dat deed hij altijd als hij een beslissing moest nemen.

'Goed, yaar?' ging papa verder. 'Voor mij is het zo klaar als een klontje... we hebben een nieuw huis.'

Onze rouwperiode was officieel voorbij. Het was tijd dat de familie Haji verderging met haar leven, dat we een nieuw hoofdstuk opensloegen en onze verloren jaren eindelijk achter ons lieten. En eindelijk waren we weer op de plek waar we thuishoorden: in een restaurant. Lumière was de plaats op deze aarde waar wij ons zouden vestigen, op hoop van zegen.

Maar natuurlijk is een familie geen eiland op zichzelf. Iedere familie maakt deel uit van een grotere cultuur, een ge-

meenschap, en wij hadden onze Napean Sea Road en zelfs de
Aziatische vertrouwdheid van Southall ingeruild voor een
wereld waar we helemaal niets van wisten. Ik denk dat dat
ook de bedoeling was. Papa wilde altijd al helemaal opnieuw
beginnen, zo ver mogelijk van Mumbai en de tragedie. Lumière was daar bij uitstek geschikt voor. Dit was tenslotte *la
France profonde* – het diepe Frankrijk.

Staand op de overloop van de tweede verdieping, met om
me heen mijn schel schreeuwende en met deuren slaande
broertjes en zusjes, merkte ik voor het eerst het gebouw tegenover het landhuis van Dufour op.

Het was een even stijlvolle villa, opgetrokken uit hetzelfde
zilvergrijze steen. Een oude wilg domineerde de voortuin en
boog zijn takken, als een hoveling van Lodewijk xiv die een
reverence maakte, sierlijk over het houten hek en de betegelde stoep. Schone donzen dekbedden hingen te luchten in de
twee bovenste ramen en boven die witte bobbels zag ik een
groenfluwelen bedlampje, een koperen kroonluchter, gedroogde takjes sering in een doorschijnende vaas. Een gedeukte zwarte Citroën stond beneden op het grind, voor de
oude stal die dienstdeed als garage, en verweerde stenen treden leidden door de rotstuin langs de zijkant van het huis
naar een geboende eikenhouten deur. Daar hing een discreet
uithangbordje, zachtjes wiegend in de wind: Le Saule Pleureur, de treurwilg – een meermaals bekroonde herberg.

Ik herinner me nog steeds die wonderbaarlijke eerste blik
op Le Saule Pleureur. Het maakte meer indruk op me dan de
Taj Mahal in Mumbai. Dat kwam niet door het formaat,
maar door de volmaaktheid: de met mos bedekte rotstuin,
de dikke witte dekbedden, de oude stallen met de glas-in-
loodramen. Alles paste perfect bij elkaar. Dit was de essentie
van de discrete Europese elegantie die zo heel anders was
dan waarmee ik was opgegroeid.

Maar hoe meer ik mijn best doe om me dat moment waarop mijn blik voor het eerst op Le Saule Pleureur viel weer voor de geest te halen, hoe zekerder ik weet dat ik ook een bleek gezicht zag dat somber op me neerkeek vanuit een van de zolderramen.

Lumière

5

Die oude vrouw die al die jaren geleden, op de dag dat we in het huis van Dufour trokken, door het raam aan de overkant van de straat naar me staarde, dat was madame Gertrude Mallory. Het verhaal dat ik vertel is de waarheid en niets dan de waarheid, ook al heb ik niet alle gebeurtenissen zelf meegemaakt. Feit is dat veel details van mijn eigen verhaal pas jaren later aan mij werden geopenbaard, toen Mallory en de anderen me eindelijk hun versie van de gebeurtenissen vertelden.

Maar je moet het volgende weten: madame Mallory, die tegenover het huis van Dufour woonde, was een telg uit een oude familie van gedistingeerde hoteliers die oorspronkelijk uit de Loire kwam. Zoals de familie Bach klassieke musici had voortgebracht, zo hadden de Mallory's vele generaties grote Franse hoteliers opgeleverd, en Gertrude Mallory was geen uitzondering.

Op zeventienjarige leeftijd werd Mallory naar de beste hotelschool in Genève gestuurd om haar opleiding voort te zetten en daar werd ze verliefd op de ruige bergketen langs de

Frans-Zwitserse grens. Ze was een eigenaardige vrouw met een scherpe tong en weinig talent voor vriendschap. In haar vrije tijd wandelde ze altijd in haar eentje door de Alpen en de Jura en zo ontdekte ze Lumière. Kort na haar afstuderen kreeg Mallory een erfenis van een pas overleden tante en de jonge kokkin zette haar fortuin snel om in een groot huis in dit afgelegen bergstadje. Lumière paste uitstekend bij haar voorliefde voor het harde leven in de keuken.

En ze ging aan het werk. In de volgende decennia wijdde Mallory haar eerteklasopleiding en doorzettingsvermogen volledig aan de creatie van wat de kenners al snel als een van de beste kleine, landelijke hotels in Frankrijk beschouwden: Le Saule Pleureur.

Ze was van nature en door haar opleiding een classicus. Het zolderappartement dat ze bewoonde, was tot de nok gevuld met zeldzame kookboeken. Het was een archief dat zich als een schimmel uitbreidde boven en rondom haar stijlmeubels – waaronder een zeventiende-eeuwse guéridon en een Louis xiv-fauteuil van walnoothout. De boekenverzameling genoot, het moet gezegd, internationaal aanzien, en ze had hem in de afgelopen dertig jaar gestaag opgebouwd door met een bescheiden hoeveelheid geld en een kennersblik de tweedehands boekhandels en veilingen op het platteland af te schuimen.

Haar kostbaarste boek was een vroege uitgave van *De Re Coquinaria* van Apicius, het enige bewaard gebleven kookboek uit het oude Rome. Op haar vrije dagen zat Mallory vaak alleen in haar zolderappartement kamillethee te drinken met dit bijzondere document op haar schoot, ondergedompeld in de geschiedenis, vol bewondering over de diversiteit van de Romeinse keuken. Ze had een diep ontzag voor de veelzijdigheid van Apicius, voor het feit dat hij met evenveel gemak hazelmuizen en flamingo's en stekelvarken bereidde als varkensvlees en vis.

De meeste recepten van Apicius waren uiteraard niet te verenigen met de moderne smaak – ze moesten het vooral hebben van misselijkmakende hoeveelheden honing – maar Mallory had een nieuwsgierige geest. En aangezien ze ook van testikels hield, vooral de op Baskische wijze bereide *criadillas* van vechtstieren, kon ze het niet laten om voor haar gasten Apicius' gedenkwaardige recept voor *lumbuli* te bereiden – 'lumbuli' is het Latijnse woord voor de testikels van een jonge stier. De Romeinse kok vulde ze met pijnboompitten en gemalen venkelzaad, schroeide ze vervolgens dicht in olijfolie met vispekel en roosterde ze tot slot in de oven. Zo'n kok was Mallory: klassiek maar altijd op zoek naar uitdagingen – en daarmee daagde ze ook haar gasten uit.

De Re Coquinaria was het oudste kookboek in haar bibliotheek, die in feite een reis door de tijd was en getuigde van de veranderingen in smaak en mode in de loop van de eeuwen. Het recentste boek was de handgeschreven versie uit 1907 van *Margaridou: Journal et recettes d'une cuisinière au pays d'Auvergne*, een verslag van een eenvoudige plattelandsvrouw, dat ook haar recept voor klassieke Franse uiensoep bevatte.

Maar het was juist deze rigoureuze intellectuele benadering van het koken die madame Mallory tot een 'kokskok' maakte, een technisch genie dat veel bewondering oogstte bij andere vooraanstaande koks in Frankrijk. En op grond van haar reputatie onder de kenners besloot een landelijke televisiezender op een dag haar te vragen naar Parijs te komen voor een studiogesprek.

Lumière was een provinciestadje, dus het was niet verwonderlijk dat het televisiedebuut van Mallory veel belangstelling trok in de omgeving. De bewoners van de vallei stemden massaal af op FR3 om hun eigen madame Mallory op televisie te zien praten over fascinerende culinaire weetjes. En terwijl de dorpelingen in de kroegen of in de knusse woonkamers van hun eigèn boerderij rauwe marc dronken, legde een flakkerende Mallory op de buis uit hoe de uitgehongerde Parijzenaars tijdens de Frans-Pruisische oorlog in de negentiende eeuw de lange bezetting van hun stad overleefden door honden, katten en ratten te eten. Er ging een verbaasd gegrom op toen ze vertelde dat de uitgave van *Larousse Gastronomique* uit 1871 – het absolute handboek van de klassieke Franse keuken – aanbeval om de ratten die in wijnkelders rondkropen te villen en van hun ingewanden te ontdoen. Smakelijk, niet? Verder adviseerde de gids, zo vertelde de kokkin hooghartig aan het televisiepubliek, om de rat in te wrijven met olijfolie en geplette sjalotjes, hem te roosteren boven een houtvuur van kapotgeslagen wijnvaten en op te dienen met een bordelaisesaus, naar het recept van Curnonsky uiteraard. Je kunt je voorstellen dat madame Mallory direct een soort beroemdheid werd in heel Frankrijk, niet alleen in het kleine Lumière.

Wat ik hiermee wil zeggen, is dat Mallory nooit afhankelijk was van haar familiebanden, maar op eigen kracht haar plaats had veroverd in de culinaire gevestigde orde van Frankrijk. En ze nam de verantwoordelijkheid die bij deze verheven positie hoorde heel serieus. Ze schreef onvermoeibaar brieven naar de kranten als de Franse culinaire tradities beschermd moesten worden tegen de bemoeizucht van de EU-bureaucraten in Brussel, die maar al te graag aan iedereen hun idiote normen wilden opleggen. Vooral haar *cri du coeur* ter verdediging van de Franse slachtmethoden, opgetekend in het radicale boekje *Vive la charcuterie française*, werd alom bewonderd door de opinievormers van het land.

En zo kwam het dat de ruimte rondom Mallory's onschatbare collectie antieke kookboeken volgepropt was met ingelijste prijzen en schriftelijke steunbetuigingen van Valéry Giscard d'Estaing en Baron de Rothschild en Bernard Arnault. Haar appartement was een afspiegeling van een leven vol belangrijke prestaties, met onder meer een brief van het Palais de l'Élysée ter gelegenheid van haar benoeming tot Chevalier de l'Ordre des Arts et des Lettres.

Maar er was nog één leeg stukje muur in haar volle zolderkamer, een kale plek recht boven haar favoriete roodleren leunstoel. In deze hoek van haar woonverblijf had Mallory haar dierbaarste bezittingen opgehangen: twee artikelen in een vergulde lijst, beide afkomstig uit *Le Monde*. Het linkerartikel ging over haar eerste Michelinster, verkregen in mei 1979, het rechterartikel, gedateerd maart 1986, over haar tweede ster. De afgelopen twintig jaar had Mallory een plaats op de muur vrijgehouden voor het derde artikel. Dat was nooit gekomen.

En dat was haar verhaal. Madame Mallory werd vijfenzestig op de dag voor onze aankomst in Lumière en die avond verzamelden monsieur Henri Leblanc, haar trouwe bedrijfsleider, en de rest van haar personeel zich na sluitingstijd in de keuken om haar een taart aan te reiken en haar toe te zingen.

Mallory was woedend. Ze zei bits dat er niets te vieren viel en dat ze haar tijd niet moesten verdoen. En voordat ze begrepen wat er gebeurde, stormde Mallory de donkere, houten trap van Le Saule Pleureur op naar haar privévertrek op zolder.

Die nacht, toen ze op weg naar bed door de woonkamer kwam, zag ze opnieuw de lege ruimte op de muur en in haar hart opende zich een parallelle leegte. Ze nam deze pijn mee naar haar slaapkamer, ging op het bed zitten en hapte onbewust naar adem bij de gedachte die plotseling in haar hoofd opkwam: ze zou nooit haar derde ster krijgen.

Lange tijd zat ze als verlamd op het bed, maar uiteindelijk

kleedde ze zich stilletjes uit in het donker, waarbij ze het stijve korset van haar lichaam pelde, als de schil van een avocado. Ze trok haar nachtjapon aan en liep naar de badkamer voor het gebruikelijke avondritueel. Met wilde bewegingen poetste ze haar tanden, ze gorgelde en smeerde haar gezicht in met antirimpelcrème.

Het bleke gezicht van een oudere vrouw staarde terug. De digitale wekker in haar slaapkamer sloeg luidruchtig een plaatje om.

En toen kwam het besef, zo groot en akelig en monsterlijk dat ze haar ogen sloot en haar hand naar haar mond bracht. Maar het was daar, onontkoombaar.

Ze was een mislukking.

Ze zou nooit boven haar huidige status uitstijgen. Nooit zou ze zich bij het pantheon van driesterrenkoks voegen. Alleen de dood wachtte haar.

Die nacht kon madame Mallory niet slapen. Ze ijsbeerde door de zolder, wrong zich in de handen, mompelde verbitterd in zichzelf over de onrechtvaardigheid van het leven. Voor haar raam schoten vleermuizen door de nacht, op jacht naar insecten, terwijl aan de andere kant van het kerkhof een eenzame hond treurig jankte, en samen verbeeldden deze dieren perfect haar eenzame gekweldheid. Maar uiteindelijk, in de vroege ochtend, toen ze de pijn niet meer kon verdragen, deed madame Mallory iets wat ze in geen jaren had gedaan. Ze ging op haar knieën zitten en begon te bidden.

'Wat...' fluisterde ze in haar samengevouwen handen, 'wat is de zin van mijn leven?'

Ze hoorde niets dan het geluid van de leegte.

Niet veel later kroop de uitgeputte vrouw in haar bed waar ze tussen de losgewoelde lakens eindelijk weggleed in een toestand van bewusteloosheid.

De volgende dag bleef Le Saule Pleureur gesloten rond

lunchtijd, dus gaf Mallory, die doodop was, zichzelf tegen haar gewoonte in toestemming om uit te slapen. Ze dacht dat ze was gewekt door de koerende duif op haar vensterbank, maar toen hij wegfladderde, hoorde ze het geschreeuw, de onbekende stemmen, de commotie op straat. Ze stond verkrampt op uit bed en liep naar het kleine zolderraampje.

En daar stonden wij: onverzorgde Indiase kinderen die uit de ramen en torentjes van het landhuis van Dufour hingen.

Ze bevatte niet helemaal wat er aan de hand was. Wat had dit tafereel te betekenen? Diesel spuwende Mercedessen. Gele en roze sari's. Een berg sjofele bagage en dozen opgestapeld op de keien van de binnenplaats, mammies grijze Storwel-kast die nog op het dak van de achterste auto lag.

En midden op het voorpleintje mijn beer van een vader die met opgeheven armen stond te schreeuwen.

6

Wat een gelukzaligheid, die eerste dagen. Lumière was één groot avontuur – van onontdekte kasten en zolders en stallen, van houthandels en banketbakkers en forelriviertjes verderop – en ik herinner het me als een vrolijke periode die ons hielp ons verdriet te verwerken. En ook papa werd eindelijk weer zichzelf, want het restaurantwezen zat hem in het bloed en hij liet onmiddellijk een gammel bureau bij de hoofdingang zetten, waar hij zich stortte op de taak om het landhuis om te vormen naar het beeld uit Bombay dat hij in zijn hoofd had. In een mum van tijd waren alle ruimten gevuld met bouwvakkers uit de buurt – loodgieters en timmerlui – met hun meetlinten en gereedschap en hamergeluiden, en in deze kleine uithoek van Frankrijk laaide de Bombaykoorts eindelijk weer op.

Een week of twee nadat we in het huis waren getrokken, zag ik madame Mallory voor het eerst echt. Ik liep tussen de grafzerken van het kerkhof stiekem een sigaret te roken, toen ik toevallig een blik wierp op Le Saule Pleureur. Ik zag haar meteen. Ze zat neuriënd op haar knieën, bij een rotstuintje, met handschoenen aan en een schepje in de hand. De vochtige stenen links van haar warmden op in de verrassend felle ochtendzon en er kwamen wolkjes stoom van af die oplosten in de lucht.

Achter de kokkin verrezen de glorieuze granieten wanden van het gebergte, met flessengroene dennenbossen onderbroken door weiden waar stevige koeien liepen te grazen. Mallory rukte met duidelijk plezier het onkruid uit, alsof het een vorm van therapie was, en zelfs op de plek waar ik stond kon ik het geluid van de scheurende wortels horen. Maar aan de zachtheid van haar ronde gezicht zag ik dat deze vrouw rustig en vredig haar hoekje van de aarde aan het verzorgen was.

Precies op dat moment sloeg de staldeur aan de overkant van de straat met een enorme knal open. Uit de schaduw van de stal kwam papa tevoorschijn met een dakdekker die een ladder droeg. Ze liepen naar de voorkant van het huis. De dakdekker zekerde zijn ladder tegen de dakgoot terwijl papa in zijn koerta, met zweetplekken in zijn oksels, heen en weer liep over het pleintje en als een stuurman aan wal met zijn geschreeuw de arme dakdekker de ladder op joeg.

'Nee, nee,' riep hij. 'Die dakgoot daar. Daar. Ben je doof? Yaar. Díé.'

De rust van de Jura was aan diggelen. Madame Mallory draaide haar hoofd opzij tot haar blik op papa viel. Ze kneep haar ogen toe onder de strohoed en perste haar leverkleurige lippen stijf op elkaar. Ik zag dat ze vervuld was van afschuw, maar tegelijkertijd op een vreemde manier gehypnotiseerd was door papa's groteske reusachtigheid en vulgariteit. Maar het moment ging voorbij. Mallory sloeg haar ogen neer en trok haar canvas handschoenen uit. Haar rustmoment in de tuin was verpest en met haar mand in haar handen geklemd klom ze vermoeid de stenen trap naar de herberg op.

Ze had de voordeur opengedaan en stond met haar rug naar de straat toen ze aarzelde, net op het moment dat papa uitbarstte in een bijzonder hevige tirade. Van waar ik stond, kon ik de uitdrukking op haar gezicht zien terwijl ze stilstond bij haar deur – de lippen vol afkeer samengeperst, het gezicht een masker van ijskoude verachting. Het was de blik die ik de jaren daarop nog vele malen zou zien tijdens mijn reizen door Frankrijk – de typisch Gallische blik van diepe minachting voor lagere mensen – maar die eerste keer dat ik hem zag, zal ik nooit vergeten.

Toen, boem!, de klap van de deur.

De familie ontdekte het plaatselijke *pain chemin de fer*, en dit grove en knoestige 'spoorwegbrood' werd onmiddellijk de nieuwe favoriet om onze saus mee op te deppen. Papa en tante vroegen me steeds weer om 'nog een paar' broden te halen bij de boulangerie, en op een van die strooptochten, toen ik op de terugweg met het in papier gewikkelde, korstige brood onder mijn arm, afsneed door de steegjes waar de rijke horlogehandelaren ooit hun paarden hielden, wierp ik terloops een blik over een muur van steen en pleisterwerk.

Het was, zo realiseerde ik me al snel, de achterkant van Le Saule Pleureur. De tuin van het kleine hotel was vrij lang en diep, bijna een weide, en helde licht af naar het punt waar ik stond. Het groene stuk grond stond vol rijpe appel- en perenbomen en tegen de verste muur stond een schuurtje voor het drogen van fruit, gemaakt van ruw graniet uit de streek.

De takken van de perenbomen bogen diep onder de last van de grote, bruine vruchten die rijp waren voor de pluk, en de herfstbijen zoemden dronken om de mierzoete vruchten heen. Maar er waren ook keurige rijen kruiden onder glas naast halfronde bedden met wilde bloemen en veldjes met kool en rabarber en wortelen. Tussen de vruchtbare lapjes grond door weefde zich een keurig tegelpad.

Achter in de tuin, in de vochtige linkerhoek, lag een composthoop en rechts, naast een bankje en een tweede majestueuze wilg, was een kraan van ijzer en koper waaruit water in een zware stenen kom stroomde.

Ik stond plotseling stokstijf stil. Madame Mallory was weer in haar tuin, deze keer boven aan het veld, vlak voor het punt waar het terrein begon te dalen. Ze zat rechtop aan een lange houten tafel, naast wat vermoedelijk een van haar souschefs was, want onder hun korte jassen droegen beide vrouwen witte kokskleding.

Eerst kon ik hun gezichten niet zien omdat ze allebei met gebogen hoofd en met kwieke, vakkundige bewegingen aan het werk waren aan de tafel die vol stond met kommen en schalen en keukengerei. Maar ik zag dat er iets in de hand van madame Mallory lag, wat ze snel in een kom liet vallen, waarna ze zonder onderbreking haar andere hand in het ruwhouten krat stak dat tussen hen in op de tegels stond. Ze haalde er iets uit tevoorschijn wat eruitzag als een bizarre, stekelige handgranaat. Later ontdekte ik dat het een artisjok was.

Ik sloeg de beroemde kokkin gade terwijl ze de blaadjes van de groente bijknipte. Met een fonkelende schaar gaf ze de gerafelde bladeren van de artisjok stuk voor stuk een symmetrische vorm zodat ze een esthetische lust voor het oog werden – alsof ze de rommel van de natuur opruimde. Toen pakte ze een van de citroenen op die in tweeën waren gesneden, en besprenkelde ze alle wonden die ze de artisjok met de schaar had toegebracht met een gulle straal citroensap. Artisjokken bevatten een zuur dat cynarine heet en met deze truc, zo vernam ik later, voorkwam ze dat het sap dat uit de wonden druppelde voor verkleuringen zou zorgen.

Vervolgens sneed madame Mallory met één stevige neergaande beweging met een zwaar, scherp mes de bovenkant van de artisjok. Een paar seconden lang hield ze haar hoofd weer gebogen, terwijl ze een paar paarse, onrijpe blaadjes van de kern van de plant plukte. Ze pakte weer een instrument waarmee ze in de artisjok sneed en met een sierlijke beweging de harige massa, die hooi wordt genoemd, verwijderde. Je kon de voldoening op haar gezicht zien toen ze eindelijk met chirurgische precisie de zachte trofee, het hart van de artisjok, lossneed en in een kom marinade legde, die al vol zat met malse en zompige harten.

Het was een openbaring. Nooit eerder had ik een kok met zoveel artistieke precisie aan het werk gezien, zeker niet met iets wat zo lelijk was als deze groente.

De klokken van de Saint-Augustin sloegen twaalf uur. Het krat was bijna leeg, maar de jonge souschef werkte een stuk minder snel dan haar bazin. Madame Mallory observeerde haar souschef, reikte haar plotseling het kleine mesje aan dat ze zelf had gebruikt en zei niet onvriendelijk: 'Margaret, gebruik het grapefruitmes. Dat is een trucje dat *maman* me heeft geleerd. Met het gebogen blad kun je het hooi veel gemakkelijker verwijderen.'

Er was iets in de knarsende stem van madame Mallory... niet echt moederlijk, nee, maar er sprak wel een soort culinaire noblesse oblige uit, het plichtsgevoel om de kooktechnieken door te geven aan de volgende generatie, en het was die toon die meteen mijn aandacht trok.

Het werkte ook bij de jonge kokkin, die haar hoofd ophief en dankbaar het grapefruitmes aanpakte. '*Merci, madame,*' zei ze, met een stem die, toen hij op de wind naar me toe dreef, leek te ruiken naar verse rode bessen en room.

Nu pas kon ik Margaret Bonnier, de zwijgzame souschef van Le Saule Pleureur, goed zien. Ze was maar een paar jaar ouder dan ik en droeg haar blonde haar in een praktisch bobmodel, net lang genoeg om achter haar oren te steken, die heel modieus vol zaten met zilveren oorringetjes. Haar diepliggende, donkere ogen staken af tegen haar blanke huid, als parels in oestervormige wangen, die rood waren van de scherpe wind en van het robuuste Jura-DNA waarmee ze was geboren.

Mijn schaamteloze gestaar werd onderbroken door de buikige leerling-kok van Le Saule Pleureur, Marcel, en Jean-Pierre, de woest aantrekkelijke *chef de cuisine*, die beiden uit de zijkant van het gebouw kwamen met het middagmaal voor het personeel, dat naar binnen moest worden gewerkt voordat het restaurant minder dan een halfuur later openging voor de lunch. De schaal die Jean-Pierre droeg, was volgeladen met kleine biefstukjes en frites die stoomden in de wind. Marcel had het bestek en een glazen kom met botersla en bieslook bij zich.

Mallory gaf de leerling opdracht de artisjokken en de harten naar de keuken te brengen, terwijl Margaret behendig de houten tafel dekte met het bestek, servetten, borden, glazen, een *vin rouge* en een karaf koud Jura-water. Toen Jean-Pierre vooroverboog om de schaal midden op tafel te zetten, schoot Margarets slanke hand, elegant als van een pianist maar met littekens van de hete oven, naar voren en pakte ze met haar lange vingers een dun goudgeel frietje. Ze bracht het naar haar lippen en beet met haar tanden voorzichtig het puntje af, haar gezicht opgelicht door een glimlach als reactie op iets wat Jean-Pierre net had gezegd.

De kerkklok sloeg kwart over twaalf.

Ik draaide me om en liep door naar huis en naar onze lunch met Madras-schapenvlees, maar ik trilde van opwinding. Mijn hart was vol van het tafereel dat ik zojuist had gezien en dat onmiddellijk beelden opriep van mama en biefstuk met frites en Café de Paris. De herinneringen aan Bombay kwamen met volle kracht terug in de straatjes van dat stadje in de bergen.

Maar toen rolde er plotseling een sterke windvlaag van de berg af die in één keer deze herinneringen aan mammie en Moeder India wegvaagde en hun plaats werd ingenomen door een geheel nieuwe sensatie, eerst zwak, maar groeiend bij iedere stap die ik zette. Wat die wind zo lang geleden met zich meebracht was een intens verlangen, aangewakkerd door de aanblik en de geur van Frans eten vermengd met het vochtige, aardeachtige aroma van vrouwen. Misschien was het iets wat zijn wortels had in mijn jeugd, maar op dat moment veranderde het in iets anders, iets volwasseners.

Een paar dagen later riep papa de hele familie bijeen op het voorpleintje. Zelfs de verlegen Franse jongen die papa als ober had ingehuurd moest naar buiten komen – toen hij zich bij de groep had gevoegd, veegde hij nerveus een wijnglas schoon aan zijn schort.

De dakdekker en Umar stonden boven ons op de ladders. Ze trokken aan katrollen en draaiden bouten vast met hun moersleutels. Plotseling, terwijl we met open mond aan hun voeten naar boven stonden te staren, verscheen een groot plakkaat boven de ijzeren toegangspoort van het landhuis.

'Klaar,' riep Umar van boven op de ladder.

De naam MAISON MUMBAI, in dikke, gouden letters tegen een islamitisch groene achtergrond, vulde het hele bord.

Iedereen begon te joelen. Wat een blijdschap!

Klassieke Hindoestaanse muziek schalde krakend uit de provisorische luidsprekers die oom Mayur in de tuin had laten zetten. En dat, zo werd mij later verteld, was de laatste druppel. Het personeel van Le Saule Pleureur, dat zich helemaal beneden in de keuken bevond, hoorde de ontstelde kreten die van de zolder kwamen. Monsieur Leblanc legde snel de telefoon neer toen madame Mallory langs zijn kantoor op de tweede verdieping rende en hij liep naar de overloop waar hij van bovenaf zijn bazin gadesloeg die wild in de *chinoise* paraplustandaard graaide op zoek naar haar paraplu. Het zag er helemaal niet goed uit, vond Leblanc. Een soort Afrikaans krijgsschildje met een speer hield een knot stug haar op zijn plaats op Mallory's achterhoofd.

'Dit gaat te ver, Henri,' zei ze, terwijl ze eindelijk de onwillige paraplu uit de standaard trok. 'Heb je dat uithangbord gezien? Heb je die pling-plongmuziek gehoord? *Quelle horreur. Non. Non.* Dat kan toch niet. Niet in mijn straat. Hij verpest de sfeer. Onze klanten. Wat moeten die wel denken?' Maar voordat Leblanc kon reageren, was chef Mallory al de deur uit.

Madame Mallory koos niet de weg van het fatsoen. Ze stak niet de straat over om papa rechtstreeks aan te spreken, te proberen met hem tot een oplossing te komen. Ze heeft nooit geprobeerd ons op de een of andere manier het gevoel te geven dat we welkom waren. Nee, haar eerste impuls was om ons onder haar hak te vermorzelen. Alsof we insecten waren.

Wat er precies gebeurde was het volgende: madame Mallory liep met ferme pas naar de burgemeester. Natuurlijk was iedereen in Lumière bang voor de kokkin met de scherpe tong, dus het was niet zo vreemd dat ze onmiddellijk werd toegelaten tot de bestuurskamer van het stadhuis.

En daar had onze ondergang beklonken moeten worden. Maar slimme mensen onderschatten papa altijd. Hij was scherp, zo scherp als een fileermes. Papa vermoedde dat de politiek in een klein Frans stadje niet veel verschilde van de politiek in Bombay – alles werd gesmeerd door de olie van de commercie – en het eerste wat hij in Lumière had gedaan, was de broer van de burgemeester, een advocaat, een flink geldbedrag in de hand drukken. Het ging allemaal iets discreter in zijn werk dan op Malabar Hill, maar het was net zo effectief.

'Zeg die man dat hij moet ophouden,' beval Mallory de burgemeester. 'Die Indiër. Hebt u gezien waar hij mee bezig is? Hij heeft dat schitterende landhuis van Dufour veranderd in een eethuis. Een Indiaas eethuis! *Horrible*. De hele straat ruikt naar die olie. En dat uithangbord! *Mais non*. Dat kan gewoon niet.'

De burgemeester haalde zijn schouders op. 'Wat wil je dat ik doe?'

'Zijn restaurant sluiten.'

'Het restaurant van monsieur Haji zit in dezelfde buurt als het jouwe, Gertrude. Als ik het zijne sluit, moet ik het jouwe ook sluiten. En zijn advocaat heeft van de welstandscommissie toestemming gekregen voor het uithangbord. Dus je begrijpt, mijn handen zijn gebonden. Monsieur Haji heeft de juiste procedure gevolgd.'

'*Mais non*. Dat kan niet.'

'Maar het kan wel,' ging de burgemeester verder. 'Ik kan hem niet zomaar dwingen zijn deuren te sluiten. Hij houdt zich volledig aan de wet.'

Haar afscheidsgroet was, zo heb ik begrepen, bijzonder onbeleefd.

Onze eerste echte ontmoeting met *la grande dame* vond drie dagen later plaats. Mallory stond iedere ochtend om zes uur op. Na een licht ontbijt van peren, toast met boter en sterke koffie, bracht monsieur Leblanc haar met de Citroën naar de markt van Lumière. Je kon je klok gelijkzetten op dat ritueel. Precies om kwart voor zeven liep monsieur Leblanc met de krant *Le Jura* Café Bréguet binnen, waar al een paar buurtbewoners aan de bar hun eerste *ballon* wijn zaten te drinken. Ondertussen ging Mallory in haar grijze flanellen poncho en met rieten manden aan haar arm van marktkraam naar marktkraam om verse producten te kopen voor het menu van die dag.

Het was indrukwekkend om te zien: Mallory die over de straten sjouwde als een werkpaard, waarbij haar ademstoten explodeerden in wolken witte stoom. Haar grote bestellingen – vijf konijnen, misschien, of vijftig-kilozakken aardappelen – werden niet later dan halftien die ochtend met een bestelbusje naar Le Saule Pleureur gebracht. Maar de cantharellen en het kwetsbare Brusselse lof en misschien een puntzak met jeneverbessen, die gingen in de manden aan Mallory's vlezige armen.

Op die bewuste ochtend, enkele weken na onze aankomst in de stad, begon Mallory zoals gewoonlijk haar ronde bij Iten et Fils, de visboer die een witbetegelde winkel had op de hoek van Place Prunelle.

'Wat is dat?'

Monsieur Iten beet op het puntje van zijn snor.

'Hè?'

'Achter je. Ga eens opzij. Wat is dat daar?'

Iten deed een stap opzij zodat madame Mallory de kartonnen doos op de werkbank goed kon zien. Het duurde even voordat ze begreep dat de scharen die door de lucht zwaaiden toebehoorden aan rivierkreeftjes die over elkaar heen krioelden.

'Geweldig,' zei Mallory. 'Ik heb al in geen maanden meer rivierkreeftjes gezien. Ze zien er vers en levendig uit. Zijn ze Frans?'

'*Non, madame*. Spaans.'

'Geeft niet. Ik wil ze toch hebben.'

'*Non, madame. Je regrette.*'

'*Pardon?*'

Iten veegde zijn mes af aan een keukendoek.

'Het spijt me, madame Mallory, maar hij was net hier en... hij heeft ze allemaal gekocht.'

'Wie?'

'Monsieur Haji. Met zijn zoon.'

Mallory kneep haar ogen tot spleetjes. Ze kon niet helemaal bevatten wat monsieur Iten zojuist had gezegd. 'Die Indiër? Heeft hij deze gekocht?'

'*Oui, madame.*'

'Begrijp ik het goed, Iten? Al dertig jaar kom ik iedere ochtend bij jou – en daarvoor bij je vader – en koop ik je beste vis. En nu vertel je me dat er op een goddeloos tijdstip een Indiër je winkel binnenkwam die iets kocht waarvan je wist dat ik het zou willen hebben? Is dat wat u me probeert te vertellen?'

Monsieur Iten keek naar de grond. 'Het spijt me. Maar zijn manier van doen, weet u. Hij is heel... charmant.'

'Ik begrijp het. En wat biedt u me dan aan? De *moules* van gisteren?'

'*Ah, non, madame*, alstublieft. Doe nou niet zo. U weet dat u mijn hoogst gewaardeerde klant bent. Ik... ik heb hier heerlijke baars.'

Iten haastte zich naar de koelkast en haalde er een zilveren schaal gestreepte baars uit, allemaal ter grootte van de handpalm van een kind.

'Heel vers, ziet u? Vanmorgen gevangen in Lac Vissey. Uw baars *almondine* is zo verrukkelijk, madame Mallory. Ik dacht dat deze u wel zouden bevallen.'

Mallory besloot de arme monsieur Iten een lesje te leren en als een winterstorm spoot ze de winkel uit. Nog steeds woedend marcheerde ze naar de markt op het plein, waarbij haar hakken het rubberachtige tapijt van weggegooide koolbladeren vermaalden.

Eerst rende ze, loerend als een roofvogel, langs de twee rijen groentekraampjes, waarbij haar blik wild in het rond schoot, over de schouders van de huisvrouwen heen. De verkopers zagen haar, maar wisten dat het niet verstandig was om iets te zeggen tijdens haar eerste ronde over de markt, als ze tenminste geen snauw wilden krijgen. Maar op haar tweede ronde mocht men haar aanspreken en alle boeren deden hun best om de aandacht van de beroemde chef-kok op hun producten te vestigen.

'*Bonjour, madame Mallory*. Lekker weertje, hè? Hebt u mijn Williams-peren gezien?'

'Jazeker, madame Picard. Die zijn niet best.'

De verkoper naast madame Picard lachte ruw.

'U vergist zich,' riep madame Picard, terwijl ze koffie met melk dronk uit een thermoskan.

Mallory keerde terug naar haar stalletje en de verkopers rekten hun halzen om te zien wat er nu ging gebeuren.

'Wat is dit, madame Picard?' snauwde de kokkin. Ze pakte de bovenste peer van de piramide en trok het etiketje met WILLIAMS QUALITÉ eraf. Onder het etiketje zat een klein zwart gaatje. Ze deed hetzelfde bij de volgende peer, en de volgende.

'En wat is dit? En dit?'

De andere verkopers lachten terwijl madame Picard haastig en met een rood gezicht haar peren weer opstapelde.

'Wormgaatjes onder kwaliteitsetiketjes verbergen? Schandalig!'

Madame Mallory keerde de weduwe Picard de rug toe en liep naar een kraampje aan het einde van de eerste rij, waar een verschrompeld echtpaar met wit haar achter de toonbank stond. Met hun bij elkaar passende schorten zagen ze eruit als een peper-en-zoutstelletje.

'*Bonjour, madame Mallory.*'

Mallory mompelde goedemorgen en wees naar een mandje wasachtige paarse bollen op de grond achterin.

'Geef mij die aubergines, maar, allemaal.'

'Het spijt me, madame, maar die zijn niet te koop.'

'Zijn ze al verkocht?'

'*Oui, madame.*'

Mallory voelde een klemmende druk op haar borst. 'Aan de Indiër?'

'*Oui, madame.* Een halfuur geleden.'

'Dan neem ik de courgettes wel.'

De bejaarde man keek gekweld. 'Het spijt me.'

Even was Mallory niet in staat om te bewegen of zelfs maar te spreken. Maar vanaf de andere kant van de markt klonk plotseling, boven alle andere geluiden uit, een dreunende stem die Engels sprak met een accent.

Mallory draaide haar hoofd met een ruk in de richting van het geluid, en voordat het bejaarde boerenpaar van de schrik was bekomen, stormde ze door de ochtenddrukte naar voren, haar manden als een sneeuwschuiver voor zich uit gestoken om de andere marktbezoekers opzij te duwen.

Papa en ik stonden aan de rand van de markt te onderhandelen over de prijs van twintig rode en groene tupperwarebakken. De verkoper – een stoere Pool – gaf geen duimbreed toe en papa's reactie op zijn stijfkoppigheid was dat hij bij ieder bod harder ging schreeuwen. De laatste truc was het dreigende heen en weer lopen voor de kraam, waardoor andere potentiële klanten niet meer naar voren durfden te komen; een tactiek die ik hem met desastreuze gevolgen heb zien toepassen op de markten van Bombay.

Maar in Lumière hadden we een klein obstakel: de taal. De enige buitenlandse taal die papa sprak was Engels en het was mijn taak om zijn getier te vertalen in mijn middelbareschool-Frans. Dat vond ik niet erg; op deze manier leerde ik uiteindelijk een aantal meisjes van mijn leeftijd kennen; zoals Chantal, de paddenstoelenplukster van de andere kant van het dal, die altijd vieze nagels had van de humus. Maar in dit geval sprak de Pool aan de andere kant van de tafel geen Engels en maar een klein beetje Frans, en dat behoedde hem voor een volle, frontale aanval van papa. Dus er was sprake van een patstelling. De Pool kruiste simpelweg zijn armen over zijn borst en schudde zijn hoofd.

'Wat is dit?' zei papa, terwijl hij in een groen tupperware-deksel prikte. 'Gewoon een beetje plastic. Iedereen kan dit maken.'

Madame Mallory ging midden in papa's pad staan en hij kwam vlak voor haar tot stilstand. Zijn enorme lichaam torende boven het kleine vrouwtje uit. Ik zag dat dit het laatste was wat hij had verwacht, dat hij tot staan werd gebracht door een vrouw, en hij keek met een verdwaasde blik op haar neer.

'Hè?'

'Ik ben uw buurvrouw, madame Mallory, van de overkant van de straat,' zei ze in perfect Engels.

Papa schonk de vrouw een oogverblindende glimlach en was de Pool en de felle onderhandelingen over de tupperware op slag vergeten. 'Hallo,' bulderde hij. 'Le Saule Pleureur, hè? Ik weet het. U moet echt een keer langskomen om de familie te ontmoeten. Een kopje thee te drinken.'

'Wat u aan het doen bent staat me niet aan.'

'Hè?'

'Met onze straat. De muziek staat me niet aan, het uithangbord. Het is lelijk. Zo ordinair.'

Ik heb mijn vader zelden sprakeloos gezien, maar na deze opmerking keek hij alsof iemand hem een harde klap in zijn maag had gegeven.

'Het getuigt van slechte smaak,' ging Mallory verder, terwijl ze een niet-bestaand draadje van haar mouw veegde. 'U moet het weghalen. Dat soort dingen kan best in India, maar niet hier.'

Ze keek hem recht aan en tikte met haar vinger tegen zijn borst. 'En nog iets. Hier in Lumière is het traditie dat madame Mallory de eerste keus heeft op de markt. Dat is al tientallen jaren zo. Ik begrijp dat u dat niet kon weten, maar nu weet u het wel.'

Ze glimlachte koeltjes naar papa.

'Het is voor nieuwkomers heel belangrijk dat ze een goede start maken, vindt u niet?'

Papa fronste zijn voorhoofd en zijn gezicht was bijna paars, maar ik kende hem als geen ander en aan zijn hangende ooghoeken zag ik dat hij niet boos was maar diep gekwetst. Ik ging naast hem staan.

'Wie denkt u wel dat u bent?'

'Dat heb ik al gezegd. Ik ben madame Mallory.'

'En ik,' zei papa, terwijl hij zijn hoofd ophief en op zijn borst sloeg. 'Ik ben Abbas Haji, de grootste restaurateur van Bombay.'

'Pff. Dit is Frankrijk. Wij zijn niet geïnteresseerd in jullie curry's.'

Inmiddels had zich rondom madame Mallory en papa een groepje verzameld. Monsieur Leblanc baande zich een weg naar het midden van de cirkel. 'Gertrude,' zei hij streng. 'Laten we gaan.' Hij trok aan haar elleboog. 'Kom. Genoeg.'

'Wie denkt u wel dat u bent?' herhaalde papa, terwijl hij een stap naar voren deed. 'Waarom praat u over uzelf in de derde persoon, als een *maharani*? Wie bent u dan eigenlijk helemaal? God heeft u het recht gegeven op de beste stukken vlees en vis in de Jura, hè? O, dan bent u misschien de eigenaar van deze stad. Yaar? Is dat de reden waarom u iedere ochtend de eerste keus hebt bij de verse producten? Of misschien bent u een grote, belangrijke *memsahib* die de baas is van alle boeren?'

Papa duwde zijn enorme buik naar voren en madame Mallory moest een stap naar achteren zetten. Een blik van ongeloof verscheen op haar gezicht.

'Hoe durft u zo tegen me te praten?'

'Vertel me eens,' brulde hij tegen de toeschouwers, 'is deze vrouw de baas van uw boerderijen en uw vee en groenten, of verkoopt u aan de hoogste bieder?' Hij sloeg met zijn ene hand in de andere. 'Ik betaal contant. Meteen.'

De groep om ons heen hapte als één man naar adem. Dit begrepen ze.

Mallory keerde papa snel de rug toe en trok met schokkerige bewegingen een paar zwartleren handschoenen aan.

'*Un chien méchant*,' zei ze droog. Het groepje lachte.

'Wat zei ze?' brulde papa tegen mij. 'Wat?'

'Ik geloof dat ze je een valse hond noemde.'

Wat er toen gebeurde staat voor altijd in mijn geheugen gegrift. De menigte week uiteen om madame Mallory en monsieur Leblanc door te laten, maar papa, die opvallend lichtvoetig was voor een man van zijn formaat, rende snel naar voren en bracht zijn gezicht dicht bij het oor van de weglopende chef-kok.

'Woef, woef. Rrroef. Rrroef.'

Mallory trok haar hoofd weg. 'Hou daarmee op.'

'Rrroef. Rrroef.'

'Hou op. Hou op... afschuwelijke man.'

'Grrr. Rrroef.'

Mallory legde haar handen over haar oren.

En toen begon ze te rennen.

De dorpelingen, die madame Mallory nog nooit belachelijk gemaakt hadden zien worden, waren stomverbaasd en brulden van het lachen en papa keerde zich naar ze toe en deed vrolijk mee, terwijl de bejaarde vrouw en monsieur Leblanc bij de Banque National de Paris de hoek om liepen.

Op dat moment hadden we kunnen weten dat we nog niet van haar af waren. 'Ze brabbelde als een gekkin,' zei tante toen we thuiskwamen. 'Sloeg met de autodeur. Boem.' En als ik in de dagen die volgden naar de overkant keek, zag ik af en toe een spitse neus tegen het beslagen raam gedrukt.

De openingsdag van Maison Mumbai naderde. Vrachtwagens reden achteruit het pleintje van Dufour op met tafels uit Lyon, servies uit Chamonix, plastic menumappen uit Parijs. Op een dag werd ik toen ik naar binnen liep, begroet door het getrompetter van een houten olifant die tot mijn heup reikte. In de hoek van de hal werd een waterpijp neergezet en op kleine tafeltjes werden koperen schaaltjes geplaatst met plastic rozen die bij de plaatselijke supermarkt waren aangeschaft.

Inmiddels hadden de timmerlieden de drie ontvangstkamers omgebouwd tot de eetzaal van het restaurant en aan de met teakhouten panelen beklede muur hing papa posters op van de Ganges, de Taj Mahal, de theeplantages van Kerala. Op één van de muren liet hij een plaatselijke kunstenaar een muurschildering maken van het Indiase leven – een dorpsvrouw die water haalde uit een put. En terwijl wij aan het werk waren, schalden uit de speakers aan de muren *geets* en *ghazals*, de traditionele, met veel vibraties gezongen ballades en liefdesgedichten in het Urdu.

Papa was weer Big Abbas. Dagen achtereen was hij met mijn oudste broer bezig om een advertentie te ontwerpen voor de plaatselijke kranten. Ze tekenden de ene versie na de andere, maakten uiteindelijk samen een keuze boven een opschrijfboek vol inktschetsen en stuurden hun ontwerp op naar het kantoor van *Le Jura* in Clairvaux-les-Lacs. Drie weken achter elkaar vulde een silhouet van een trompetterende olifant een hele pagina in *Le Jura*, meestal tussen de sport en de televisiegids. De ballon die uit de bek van de olifant kwam, verkondigde dat iedereen die op de openingsavond naar Maison Mumbai kwam, een gratis karaf wijn kreeg. De leus van het restaurant was: 'Maison Mumbai – la culture indienne en Lumière.'

En toen ik achttien was, gaf ik eindelijk gehoor aan mijn roeping. Het was papa's idee om mij in de keuken aan het werk te zetten. Ammi was gewoonweg niet in staat om honderd mensen tegelijk van een maaltijd te voorzien en mijn tante was de enige Indiase vrouw die niet kon koken. Zelfs geen uienbhaji. Maar ik verstijfde, plotseling bang voor mijn lotsbestemming. 'Ik ben te jong,' riep ik. 'Laat Mehtab het maar doen.'

Papa gaf me een tik tegen het achterhoofd. 'Zij heeft andere dingen te doen,' bulderde hij. 'Jij brengt meer tijd door in de keuken met Ammi en Bappu dan wie ook. Maak je geen zorgen. Je bent alleen maar zenuwachtig, yaar. Wij helpen je wel.'

En dus vergleden mijn dagen tussen de dikke rookwolken en het gerammel van stomende pannen. Heel langzaam, gesteund door de veelvuldige raadgevingen van mijn zus en mijn vader, ontstond er een globaal beeld van mijn menukaart. Ik oefende en oefende tot ik het zeker wist: lamshersenen gevuld met groene chutney, bestreken met ei en gegrild in de tawa; kip met kaneelmasala en rundvlees bereid met azijnkruiden. Als bijgerecht koos ik voor gestoomde rijstbroodjes en panir gesmoord met fenegriek. En als voorgerecht mijn persoonlijke favoriet: heldere soep van schapenpoten.

Het rad van het leven draaide door. Ammi verloor geleidelijk aan de macht over zichzelf terwijl ik juist steeds meer macht kreeg. De dementie had haar nu volledig in zijn greep en het vreemde gedrag dat ze in Londen slechts sporadisch had vertoond, was nu normaal geworden. Ze gleed steeds vaker weg in deze verwarde geestestoestand en beleefde nog maar zelden heldere momenten waarop ze terugkeerde in onze wereld. Ik herinner me nog dat ze over mijn schouder keek en nuttige adviezen gaf over hoe ik de rijke smaak uit de kardamompeul kon halen, net zoals vroeger in de Napean Sea Road, maar een paar seconden later stond te schuimbekken en tegen me te vloeken alsof ik haar grootste vijand was. Het sneed door mijn ziel, maar met de opening van het restaurant die nu heel dichtbij kwam, had ik geen tijd om mijn handen te wringen en dus concentreerde ik me volledig op de kadais.

Maar er deden zich regelmatig incidenten voor. Ammi's obsessies waren vaak gericht op de dahl, een vast bestanddeel van de Indiase keuken, en we maakten vaak ruzie over de manier waarop ik deze bereidde. Op een dag vlak voor de opening liet ik een aromatisch mengsel van uien, knoflook en dahl op het vuur pruttelen. Ammi kwam naar me toe en sloeg me met een lepel op de arm.

'Zo doen wij Haji's dat niet,' zei ze, terwijl ze een grimas trok op de Indiase manier. 'Bereid het zoals ik je heb geleerd.'

'Nee,' zei ik kordaat. 'Ik doe er aan het einde een tomaat bij. Als die openbarst, geeft hij wat beet aan de dahl, en nog een mooie kleur bovendien.'

Ammi vertrok haar gezicht van afkeer en gaf me nu een tik op mijn hoofd met de lepel. Maar papa knikte me toe van achter haar rug en zijn steun gaf me meer zelfvertrouwen. Ik wreef over de achterkant van mijn schedel, die nog pijn deed van de klap en duwde haar vervolgens met zachte hand de keuken uit.

'Ga weg, Ammi, alsjeblieft! Blijf weg tot je je weer kunt

beheersen. Ik moet alles voorbereiden voor de opening, snap je?'

In deze hectische tijd deed ik op een dag mijn schort af en liep ik met oom Mayur naar de stad, gewoon als jongeman die ernaar hunkerde zich even los te maken van alle spanningen. Het was tegen het einde van de ochtend en Mehtab had ons opdracht gegeven boodschappen te doen – onder andere wasmiddel en staalsponzen om de potten en pannen te schuren.

Toen we terugkeerden uit de stad, onze armen vol met zakken van de supermarkt, vertrok oom Mayur zijn gezicht en klakte hij met zijn tong terwijl hij met zijn kin in de richting van Le Saule Pleureur wees.

Een jonge boer liep met een gigantisch varken aan een touw, dat vastzat aan een ring door zijn neus, naar de achterkant van het restaurant. Het dier moet minstens tweehonderdvijftig kilo hebben gewogen. Mallory, Leblanc en de rest van het personeel waren erg gewichtig in de weer met emmers water en messen. Ze legden grote houten platen op de grond en schrobden de tuintafel die boven aan het veldje stond schoon. Het knorrende varken liep kletterend de planken op toen hij een schaal met netels en aardappels zag die op een strategische plaats onder een robuuste kastanjeboom was geplaatst. Ik zag dat er een ingewikkeld systeem van katrollen aan de takken van de boom hing.

De parochiepriester van de Saint-Augustin las voor uit de Bijbel en sprenkelde heilig water op het varken, op de grond, op de houten platen, terwijl zijn lippen onophoudelijk bewogen in gefluisterd gebed. De burgemeester was er ook en stond naast de slager die zijn messen scherpte aan een wetsteen.

Ik herinner me nog dat de burgemeester van Lumière eerbiedig zijn hoed afnam en dat de harde wind zijn over de kale schedel gekamde haar door de war blies waardoor het om zijn hoofd wapperde, wat een komisch gezicht was. En ik herinner me ook nog hoe bevreemdend dat beeld van de burgemeester met zijn dansende haar was op het moment dat de slager een revolver uit zijn schort haalde, naar het varken liep en het doodde met een kogel door de kop.

Gekreun, wat ontlasting, en een zware plof toen het varken door zijn poten zakte en op de vloer viel. Leblanc en drie van de andere mannen trokken onmiddellijk aan de katrol en hesen het plankier op tot het op gelijke hoogte was met de geschrobde tafel. Het varken lag nog te stuiptrekken met schrapende en schoppende hoeven.

'Christenen.' Oom Mayur snoof minachtend. 'Kom, we gaan.'

Maar we konden ons niet verroeren, toen de keel van het varken werd doorgesneden en het bloed met liters tegelijk uit de wond spoot en in een grote plastic emmer stroomde. En ik zal nooit meer het beeld van madame Mallory vergeten die haar armen waste onder de buitenkraan en vervolgens het warme bloed met haar onderarmen begon om te roeren terwijl haar souschef azijn in de emmer goot om te voorkomen dat het zou stollen. Later zouden ze er gekookte prei, appels, peterselie en verse room aan toevoegen, en vervolgens zouden ze met de dikke brij darmen vullen om bloedworst te maken. En ik herinner me de geuren die op de wind naar ons toe dreven, de geur van bloed en poep en dood, en de manieren waarop ze de hoeven van het varken schoon schraapten en stro om het dier verspreidden en in brand staken om de haartjes weg te branden. En dat de slager, Mallory en haar souschef met z'n drieën de rest van de dag bezig waren het dier in stukken te snijden. Ze dronken af en toe slokjes uit kroezen witte wijn terwijl ze inhakten op het warme bloederige vlees, dat nog steeds lag te stomen. En dat deze openbare slachtpartij doorging tot de volgende dag, zelfs bijna het hele weekend duurde. Hoe ze het vlees van de schouder bestrooiden met zout en peper en het gemalen vlees in darmen lepelden om *saucissons* te maken die ze te drogen hingen in het schuurtje van Mallory, waar peren en appels en pruimen op houten planken waren opgeslagen, gerangschikt naar grootte.

'Walgelijk,' siste oom Mayur. 'Varkenseters.'

En ik durfde niet te vertellen wat ik eigenlijk dacht. Dat ik zelden zoiets moois had gezien. Dat weinig dingen me zo beeldend vertelden over de aarde en over waar we vandaan komen en waar we naartoe gaan. Hoe kon ik hem dat vertellen... en hoe kon ik hem vertellen dat ik heimelijk maar met heel mijn hart deel wilde uitmaken van deze schimmige wereld van de varkensslacht.

7

'Aii, Abbas. Raad eens wie net een tafel reserveert? Die vrouw van de overkant, tafel voor twee.'

Tante zat achter het antieke bureau bij de hoofdingang, waar ze reserveringen aannam en de tafelindeling zorgvuldig in een zwart boek noteerde. Papa riep: 'Wat? Hoor je dat, Hassan? Die oude vrouw van de overkant komt onze verrukkelijke gerechten proeven.'

En daar daalde Ammi de trap af, zich vastklampend aan de leuning, volkomen in de war. Tante deed het boek dicht en bestudeerde nu zichzelf in haar handspiegeltje. 'Hou op met jezelf bewonderen, ijdeltuit,' kraste Ammi. 'Wanneer gaat Hassan trouwen? Wat moet ik aan? Wie heeft mijn spullen?'

Ze brachten haar naar de keuken en gaven haar een simpel klusje – soms hielp dat. Natuurlijk was Ammi de laatste die ik kon gebruiken in de keuken; het was er op deze openingsdag toch al een chaos. Ik was verschrikkelijk zenuwachtig en had zojuist een paar handen in blokjes gesneden lamsvlees en okra in de pannen gegooid, er een citroen boven uitgeknepen, wat steranijs, kaneel, in stukjes gehakte grapefruit en kardamom erbij gedaan. En ook doperwten. Het was één waas van borrelende pannen, kruidige stoomwolken, nerveus geschreeuw.

Mehtab hielp natuurlijk. Ze stond in een hoek uien te hakken, maar ze laveerde voortdurend tussen huilbuien en onbedwingbaar gegiechel. En ik werd gek van papa, die zenuwachtig heen en weer liep langs de oven, waar de sauzen zo hard pruttelden dat er spetters op de vloer vielen.

'Hè?' zei grootmoeder. 'Waarom ben ik hier? Wat ik doen?'

'Rustig maar, Ammi. Jij wast...'

'Moet ik de was doen?'

'Nee. Nee. Peren. Ik wil dat je de peren wast.'

En toen verschenen de krullenbossen van Arash en Mukhtar tussen de klapdeuren. De kleine rotzakken. 'Hassan is een meisje,' zongen ze in koor. 'Hassan is een meisje.'

'Als jullie deugnieten je broer nog één keer lastigvallen,' riep papa, 'slapen jullie vannacht in de garage!'

Tante stormde de keuken binnen.

'Het is vol! Het is vol! Alle tafels gereserveerd!'

Papa greep me met zijn grote handen bij de schouders, draaide me om en keek me aan met een hevig geëmotioneerde blik.

'Zorg dat we trots op je kunnen zijn, Hassan,' zei hij met bevende stem. 'Vergeet niet dat je een Haji bent.'

'Ja, papa.'

Natuurlijk dachten we allemaal aan moeder. Maar er was geen tijd om sentimenteel te doen, dus ik draaide me al snel weer om naar mijn pannen om vanillestokjes met cantharellen te sauteren.

In Le Saule Pleureur, aan de overkant van de straat, inspecteerde madame Mallory ondertussen de hors d'oeuvres van snoekcarpaccio en fricassee van zoetwateroesters die op haar smetteloze, roestvrijstalen werkbank stonden. Achter haar bereidde haar personeel zwijgend en efficiënt de gerechten voor die avond, met veel gekletter van messen, gesis van vlees dat onder een grill werd geroosterd, geschraap van stalen keukengerei en constant geklepper van houten klompen die heen en weer liepen over de tegelvloer.

Mallory liet niets de eetzaal in gaan zonder haar expliciete toestemming. Met de buitenkant van haar knokkel controleerde ze of de oesters die voor haar stonden heet genoeg waren en met een lepel proefde ze de truffel-aspergevinaigrette voor de carpaccio. Niet te zout, niet te zuur. Ze knikte goedkeurend en doopte een theedoek in een kom water naast haar om de vingerafdrukken en de sausdruppels zorgvuldig van de randen van de borden te vegen.

'Neem mee,' riep ze, 'tafel zes.'

Voor Mallory moest alles helder zijn, transparant, onder controle. Bij het bord aan de muur waarop een miniatuurplattegrond van de tafels in de zaal was getekend, stond een ober die met een blauwe stift een vinkje in het vakje 'voorgerecht' zette bij tafel zes. Door dit bord kon ze in één oogopslag zien wie zich in welk stadium van het diner bevond.

'Schiet op. De oesters worden koud.'

'*Oui, madame.*'

De ober liep naar de andere kant van Mallory's werkbank en schoof de borden op een met een linnen doek bedekt dienblad. Hij plaatste een zilveren stolp over de stomende oesters, boog zijn knieën, maakte een sierlijke beweging en plots verdween alles op zijn arm door de klapdeuren.

Madame Mallory deed de bestelling voor tafel zes op de prikker en keek op haar gouden horloge. 'Jean-Pierre,' riep ze over het kabaal in de keuken. 'Neem het even van me over. Twee eendenkuikens. Tafel elf.'

Mallory deed haar schort af, keek in de spiegel of haar

haar goed zat en liep door de klapdeuren. Le Comte de Nancy Selière zat aan zijn gebruikelijke tafeltje bij het raam. De bankier, een echte fijnproever, woonde in Parijs en kwam ieder jaar twee weken naar Lumière. Hij was een goede klant – altijd suite 9 en een diner met alles erop en eraan – en toen hij opkeek van zijn menukaart zette madame Mallory haar verlegenheid overboord om hem hartelijk en oprecht te begroeten.

Mallory kreeg meteen de indruk dat de aristocraat weemoediger was dan anders. Somber geworden door de problemen van de middelbare leeftijd? Of misschien kwam het doordat hij gewoonlijk naar Le Saule Pleureur kwam met een veel jongere vrouw en hij dit jaar alleen was.

Het lievelingsschilderij van Mallory, een negentiende-eeuwse afbeelding in olieverf van de vismarkt in Marseille, hing naast de graaf. Het lampje van het schilderij stond een beetje scheef doordat een andere gast ertegenaan was gelopen op weg naar zijn tafeltje, en ze zette het discreet recht. Als bij toverslag verscheen een jongen met een mand zelfgemaakte broodjes op zijn schouder naast haar. Hij was gekleed in een jasje met gouden knopen en droeg katoenen handschoenen.

'We hebben zojuist deze griesmeelbroodjes met spinazie en wortel gemaakt,' zei madame Mallory tegen de graaf, terwijl ze met een zilveren tang naar een tweekleurig broodje wees. 'Lichtzoet. Past heel goed bij de gekoelde *terrine de foie gra*s, die wordt geserveerd met een witte truffel en portgelei.'

'Ah, madame,' zei Le Comte de Nancy, met een speelse glimlach om zijn lippen. 'Wat een pijnlijke keuze dwingt u mij te maken.'

Ze wenste hem *bon appétit* en vervolgde haar weg door de zaal. Ze knikte naar bekenden, zette een scheef hangende orchidee van het boeket midden in de zaal recht en stopte even om woedend in het oor van de sommelier te fluisteren. Op zijn mouw zat een wijnvlek en ze beval hem een schone tuniek aan te trekken.

'*Immédiatement*,' siste ze. 'Dat zou ik je niet moeten hoeven vertellen.' Bij de receptie namen monsieur Leblanc en zijn assistente Sophie de jassen van nieuwe gasten aan, weekendtoeristen uit Parijs, en Mallory wachtte discreet op een afstandje tot Leblanc vrij was. 'Laten we maar gaan,' zei ze. 'En jij, Sophie. Die muziek van Satie staat een fractie te luid. Zet het volume wat lager. Je moet het heel vaag horen, op de achtergrond.'

De nacht was zo zwart als *boudin noir* en de sterren, zo herinner ik me, zagen eruit als de vetklompjes in de bloedworst. Diep in de takken van de lindes en kastanjes riepen de uilen en de berkenstammen glansden in het maanlicht als zilveren staven.

Maar bij ons was het minder stil. De felverlichte ramen van Dufour, het vrolijke geroezemoes van de arriverende gasten, de geruststellende geur van berkenrook die door de nacht dreef.

Ons restaurant was al halfvol en auto's uit de hele regio blokkeerden de straat toen madame Mallory en monsieur Leblanc wadend door de inktzwarte nacht de korte afstand tussen onze restaurants aflegden en bij de deur van Maison Mumbai op hun beurt wachtten, vlak achter monsieur Iten en zijn zes gezinsleden.

Papa's enorme gestalte verscheen in de felverlichte deuropening, zijn lijf in een koerta van rauwe zijde geperst, die zo nauw zat dat zijn borsten en harige tepels onsmakelijk tegen de glanzende stof drukten. 'Goedenavond,' bulderde hij. 'Welkom, monsieur Iten. En uw prachtige familie. Tjonge, wat een mooie zoontjes hebt u, madame Iten. Kom maar binnen met die donderstenen. We hebben een mooie tafel voor u, dicht bij de tuin. Mijn zuster zal u ernaartoe brengen.'

Papa zette weer een stap naar voren toen ze langs hem waren gelopen en tuurde naar de vaag omlijnde gedaanten in het donker onder aan de trap. 'Ah,' zei papa toen hij eindelijk Mallory en Leblanc herkende. 'Onze buren. Goedenavond. Goedenavond. Kom binnen.'

Zonder verder een woord te zeggen, draaide papa zich om en schommelde langzaam op zijn witte muiltjes door het restaurant. 'We zitten helemaal vol,' riep hij over de geluiden van het drukke restaurant heen. Ze liepen langs de plastic rozen, de posters van Air India, de trompetterende olifant. Mallory trok beschermend haar sjaal strakker om haar schouders.

Papa legde twee plastic menukaarten op een tafel voor twee. Uit de luidsprekers klonken kwelende Urdu-gezangen van Suresh Wadkar en Hariharan en de muur trilde zichtbaar toen de *sarangi* en de *tabla* losbarstten in een bijzonder gepassioneerde passage.

'Heel mooie tafel,' riep papa boven de muziek uit.

Monsieur Leblanc trok snel de stoel voor madame Mallory naar achteren in de hoop een zure opmerking in de kiem te smoren. 'Ja, monsieur Haji, ik zie het,' zei hij. 'Dank u zeer. Gefeliciteerd met de opening. We wensen u veel voorspoed.'

'Dank u. Dank u. U bent hier van harte welkom.'

Madame Mallory sloot vol afschuw haar ogen toen papa zo hard 'Zainab' door de zaal brulde dat een aantal gasten van schrik opwipte op hun stoel. Mijn zusje van zeven liep gedwee met een bosje viooltjes naar haar tafel. Zainab droeg een eenvoudige witte jurk en zelfs Mallory moest toegeven dat haar kaneelkleurige huid in dit licht prachtig afstak tegen het schone katoen. Zainab reikte haar de bloemen aan en keek verlegen naar de grond. 'Welkom in Maison Mumbai,' zei ze zachtjes.

Papa straalde en Mallory boog zich naar voren en klopte Zainab op het hoofd, dat net was ingesmeerd met een van de olieachtige haartincturen van Mehtab. '*Charmant*,' zei ze stijfjes terwijl ze haar hand onder tafel afveegde aan het linnen servet op haar knieën.

Ze richtte haar aandacht weer op papa. 'Help ons, monsieur Haji,' zei ze, terwijl ze naar de menukaart wees. 'Wij weten niet veel over uw voedsel. Bestelt u maar voor ons. Breng ons een van de specialiteiten van het huis.'

Papa gromde en zette met een klap een fles *vin rouge* op tafel. 'Van het huis,' zei hij. Madame Mallory kende het etiket goed. Het was de enige echt slechte wijn uit de vallei. '*Non*,' zei ze. '*Merci*. Niet voor ons. Wat drinkt u gewoonlijk bij de maaltijd?'

'Bier,' zei papa.

'Bier?'

'Kingfisher-bier.'

'Geef ons dan maar twee bier.'

Papa waggelde weer de keuken in terwijl ik gemalen maïs en koriander aan het grillen was op de tawa en riep woedend hun bestelling. Ik zag aan zijn rode wangen dat zijn bloeddruk steeg en hief mijn vinger op om hem te waarschuwen dat hij rustig moest blijven.

'Maak ze in,' zei hij. 'Maak ze helemaal in.'

Het restaurant bruiste nu van activiteit en madame Mallory was vast verbaasd om te zien dat zoveel inwoners van Lumière ons hielpen de opening te vieren. Madame Picard, de fruitverkoopster, die met een vriendin dronken begon te worden van de huiswijn, en de burgemeester met zijn hele familie – zelfs zijn broer de advocaat was erbij – die aan de hoektafel platte grappen naar elkaar zaten te roepen. Terwijl

Mallory zo de zaal rondkeek, schommelde oom Mayur naar haar toe en opende met een sis de bierflesjes.

Mukhtar en Arash, mijn jongere broertjes, begonnen plotseling tussen de tafels door te rennen, tot mijn oom Arash bij de kraag greep en hem een oorvijg gaf. Zijn gegil sneed door het restaurant. En vlak daarna wandelde Ammi de keuken uit, geïrriteerd over al die mensen in haar huis. Ze liep recht op de hoektafel af en kneep de burgemeester hard. De man was nogal verbaasd – hij vloekte zelfs – en papa haastte zich naar hem toe om zijn verontschuldigingen aan te bieden en uit te leggen wat er met Ammi aan de hand was.

Maar het deed er niet toe. De eerste ijzeren schalen kwamen uit de keuken, rammelend in de handen van de onervaren Franse jongen, en overal klonk 'oeh' en 'ah' toen de stomende, pruttelende gerechten door de eetzaal gingen. De burgemeester kreeg zijn goede humeur terug toen er een berg garnalensamosa's en een nieuwe fles wijn – van het huis – op zijn tafel belandden. En dat was het moment waarop madame Mallory opstond en naar de keuken liep.

Daar stond ik, met mijn rug naar de keukendeur, mijn handen en onderarmen verkleurd door een mengsel van chilipoeder en vet. Ik schudde wat garam masala in een bak met schapenvlees. Een kom met geklaarde boter viel om op het werkblad en ik beval Mehtab geïrriteerd om de vloeibare boter – die zich had vermengd met uienschillen, gemorst zout en saffraan – in een koekenpan te scheppen.

'Gooi het niet weg. Het geeft niet, het smaakt nog goed.'

Ik keek naar de deur.

Ik kan niet goed uitleggen wat me ertoe aanzette om me om te draaien. Het was alsof zich achter mij een sterke negatieve energie bevond die me naar voren duwde.

Maar achter het glazen raampje van de deur was niets te zien.

Madame Mallory had gezien wat ze wilde zien en keerde terug naar de eetzaal om haar plaats tegenover Leblanc in te nemen. Ze nam een klein slokje bier en stelde zich tevreden voor hoe het er op dit moment in haar eigen restaurant aan de overkant van de straat aan toe ging.

Orkestwerken van Stravinsky die zachtjes op de achtergrond te horen waren. De zilveren stolpen die verrukkelijke gerechten verborgen en die met een theatraal gebaar allemaal tegelijk werden opgetild. De gasten die beschaafde hapjes namen van de bouillabaisse. Het rijke aroma van orchideeën en gebraden biggenvlees. Verzorgd, volmaakt, voorspelbaar. 'Op Le Saule Pleureur,' zei Mallory, terwijl ze haar glas bier hief naar monsieur Leblanc.

Onze puistige jonge ober kwam met hun eten. Helaas liet hij in zijn onervarenheid de schalen gewoon op tafel kletteren. Er was een schaal met stevige, romige visstoofpot uit Goa. Kip-tikka, gemarineerd in roze specerijen en citroen, gegrild tot de randjes zwart werden en omkrulden. De spies met in yoghurt gemarineerde lamslever, besprenkeld met knapperige pijnboompitten, paste nauwelijks op zijn schaal – waar heel wat scherfjes aan ontbraken. De champignons in masala zagen er onder het laagje tarkaolie uit als ondefinieerbare klonten. Er was een koperen pannetje met okra en tomaten en bloemkoolroosjes in een – ik kan het niet ontkennen – onappetijtelijke bruine saus. In een kom van aardewerk zat luchtige gele basmatirijst, waaronder penetrant geurende laurierbladeren begraven waren. Daarna volgde een verwarrende reeks bijgerechten – ingelegde wortels, koude yoghurt met komkommer, ongerezen brood met zwarte blaren en knoflook.

'Wat een hoop eten,' zei Mallory. 'Ik hoop dat het niet te heet is. De enige keer dat ik Indiaas heb gegeten was in Parijs, en het was afschuwelijk. Het bleef twee dagen branden.'

Maar de geuren van het restaurant hadden haar en monsieur Leblanc hongerig gemaakt, en ze schepten de rijst en de vis en de bloemkool en de krokant gebakken lever op hun bord.

'Je zult niet geloven wat ik net in de keuken heb gezien.'

Mallory slikte een hap yoghurt en rijst en okra en vis door. 'Ze zullen binnenkort de voedsel- en warenautoriteit wel op hun dak krijgen. Die jongen morste...'

Maar Mallory maakte haar zin niet af. Ze keek naar haar bord, haar voorhoofd gefronst. Ze nam nog een hap, kauwde systematisch en liet de smaken sensueel over haar tong rollen. Haar vingers schoten over de tafel heen en klauwden zich vast in de onderarm van monsieur Leblanc.

'Wat is er, Gertrude? Mijn god. Je ziet er verschrikkelijk uit. Wat is er? Te scherp?'

Madame Mallory beefde en schudde vol ongeloof haar hoofd.

Ze nam nog een hap. Maar nu verdween alle onzekerheid, alle sprankjes hoop – alleen de verschrikkelijke waarheid bleef achter.

Het was er.

Madame Mallory liet kletterend haar vork vallen. '*Ah, non, non, non,*' kreunde ze.

'In hemelsnaam, Gertrude, zeg me wat er aan de hand is. Je maakt me aan het schrikken.'

Nooit had monsieur Leblanc zo'n angstaanjagende gezichtsuitdrukking gezien. Het was, zo schoot door zijn hoofd, het beeld van iemand die geen reden meer heeft om te leven.

'Hij heeft het,' siste ze. 'Hij heeft het.'

'Wat? Hij heeft wat? Wie heeft wat?'

'Die jongen,' kreunde ze. 'Die jongen heeft... O, wat is het leven onrechtvaardig.'

Mallory bracht haar servet naar haar lippen om het gepiep

dat ongewild aan haar mond ontsnapte te smoren.

'O, o.'

De eters aan de andere tafels keerden zich om naar madame Mallory en opeens werd ze zich ervan bewust dat iedereen haar zat aan te gapen. Ze verzamelde al haar innerlijke kracht, ging rechtop zitten en klopte een paar keer op haar knotje met een bevroren glimlach op haar gezicht. Langzaam draaiden de hoofden zich weer naar hun eigen eten.

'Proef je het dan niet?' fluisterde Mallory.

Haar ogen gloeiden, alsof haar binnenste brandde van cayennepeper en kerrie. 'Ongepolijst, ja, maar het is er. Onder al het vuur, verborgen, aan de oppervlakte gebracht door de yoghurt. Ja, absoluut, het is er. Het zit in de contrasten en de harmonie van de smaken.'

Monsieur Leblanc gooide zijn servet op tafel. 'Waar heb je het in godsnaam over, Gertrude? Zeg nu eens duidelijk wat er aan de hand is.'

Maar tot zijn stomme verbazing boog madame Mallory het hoofd en begon ze te huilen in haar servet. Nooit eerder – nooit in de vierendertig jaar dat ze samenwerkten – had hij haar zien huilen. Laat staan in het openbaar.

'Talent,' zei ze, haar stem gesmoord door de prop van het servet. 'Talent dat niet kan worden aangeleerd. Die schriele Indiase tiener heeft dat mysterieuze iets dat je maar één keer per generatie in een chef-kok tegenkomt. Begrijp je het niet? Hij is een van die zeldzame koks die gewoon zo worden geboren. Hij is een kunstenaar. Een groot kunstenaar!'

Ze kon zich niet meer inhouden en barstte nu uit in een huilbui waar al haar pijn in naar buiten kwam. Gierende uithalen vulden het restaurant en brachten de hele eetzaal tot stilstand.

Papa rende naar haar toe. 'Wat? Wat is er met haar aan de hand? Te heet?'

Monsieur Leblanc smeekte papa hun te verontschuldigen, betaalde de rekening, trok de radeloze chef aan haar schouders omhoog en sleepte de huilende vrouw min of meer terug naar haar restaurant aan de overkant van de straat.

De hond van de kerk jankte.

'*Non, non*,' jammerde ze. 'Ik kan het niet verdragen als mijn gasten me zo zien.'

Leblanc slaagde erin haar de trap bij de achteringang van Le Saule Pleureur op te krijgen en haar via de wenteltrap van het personeel naar haar zolderkamers te brengen, waar de arme vrouw zich op de bank liet vallen.

'Laat me alleen...'

'Ik ben beneden als je me nodig hebt...'

'Ga! Ga weg! Je begrijpt het niet. Niemand begrijpt het.'

'Zoals je wilt, Gertrude,' zei hij rustig. 'Goedenacht.'

Hij deed zachtjes haar deur dicht. Maar in de donkere kamer miste Mallory opeens de vriendelijke aanwezigheid van Leblanc en ze keerde zich naar de dichte deur, met haar mond wijd open. Maar het was te laat, Leblanc was verdwenen. En helemaal alleen duwde de bejaarde vrouw haar gezicht in de bank en snikte als een tiener.

Mallory sliep slecht, die noodlottige avond van de opening van Maison Mumbai. Ze lag de hele nacht in haar bed te woelen, als een vis in nood. Haar slaap was een aaneenschakeling van gruwelijke visioenen, van reusachtige koperen ketels waarin mysterieus, heerlijk voedsel sudderde. Het was, zo realiseerde ze zich, de levenssoep waarnaar ze zo lang had gezocht, en ze moest en zou het recept in handen krijgen. Maar hoe ze ook om de pot draaide, hoe ze ook probeerde houvast te vinden op de gladde wanden van de ketel, ze kon niet bij de *potage* komen om te proeven. Ze gleed steeds naar beneden en belandde in een hoopje op de vloer, een lilliputter, te klein om het grote mysterie van de ketel te leren.

Mallory schudde zichzelf wakker toen het nog donker was, toen de eerste spreeuwen kwetterden in haar geliefde wilg buiten haar raam, waarvan de zwiepende takken in dit seizoen bedekt waren met *gelée*.

Mallory kwam verstijfd overeind en ijsbeerde met stramme vastberadenheid door de donkere kamer. Ze poetste woest haar tanden in de badkamerspiegel, zonder naar zichzelf te kijken – naar de kwabben die haar leeftijd verrieden, de verbitterde trekken op haar voorhoofd. Ze vouwde haar bleke boezem in een bh met stalen pennen, gooide een marineblauwe, wollen jurk over haar hoofd en haalde met felle bewegingen een stalen borstel door haar haar. In een mum van tijd was ze klaar en stommelde ze de zoldertrap af. Ze bonkte op de deur van monsieur Leblanc.

'Opstaan. Het is tijd om naar de winkels te gaan.'

In zijn donkere kamer, omhuld door de warme cocon van zijn deken, wreef een uitgeputte monsieur Leblanc over zijn gezicht. Hij draaide met veel gekraak zijn hoofd om een blik te werpen op de lichtgevende wekker.

'Ben je gek?' riep hij door de deur. 'Mijn god, het is pas halfvijf. Ik ben pas een paar uur geleden gaan slapen.'

'Pas halfvijf!? Pas halfvijf!? Denk je dat de wereld op ons wacht? Sta op, Henri. Ik wil als eerste bij de winkels zijn.'

8

Met slaperige ogen maar triomfantelijk arriveerden we om halfacht die ochtend in de stad, later dan gewoonlijk omdat de familie tot in de vroege uurtjes de succesvolle opening had gevierd. Onze eerste halte was, zoals altijd, monsieur Iten. De winkel van de visboer rook scherp naar zure haring. Er stonden een paar klanten voor ons en wij namen onze plaats in in de rij. Papa beproefde zijn pidgin-Frans op de vrouw van de directeur van de houtzagerij van Lumière.

'*Maison Mumbai. Bon, hè?*'

'*Pardon?*'

Wij waren aan de beurt. 'Goedemorgen,' brulde papa. 'Wat voor bijzonders kunt u ons vandaag aanbieden, monsieur Iten? Iedereen vond Hassans viscurry van gisteravond heerlijk.'

Monsieur Iten was vuurrood, alsof hij had gedronken, en hij stond wiebelend op zijn benen achter in de winkel.

'Monsieur Haji,' zei hij met dikke tong. 'Geen vis.'

'Ha, ha. Ik hou wel van een grapje.'

Papa keek omlaag naar de schalen met zilveren zalmen,

naar de Bretonse krabben, hun scharen met elastiek samengebonden, naar de aardewerken schaal met gemarineerde Noorse haring.

'Wát? Geen vis?'

'Wel vis. Verkochte vis.'

Papa keek om zich heen en de andere klanten deinsden terug. Ze hielden hun blik op hun schoenen gericht en wriemelden wat aan hun touwtassen.

'Wat is hier aan de hand?'

We verlieten de winkel – met lege handen – en liepen over het plein naar de markt. Dorpelingen die de avond ervoor in ons restaurant hadden gegeten bogen hun hoofd en meden onze blik. Onze begroetingen werden beantwoord met nors gemompel. Bij ieder kraampje kregen we dezelfde koele behandeling. Die bepaalde pompoen of die kool of die tree eieren was 'helaas' al verkocht. We stonden alleen midden op de markt, door iedereen genegeerd, tot onze enkels weggezakt in paarse papiertjes en verwelkte slablaadjes.

'*Haar*,' zuchtte papa toen hij plotseling de grijze loden jas van madame Mallory achter een kraampje op de hoek zag verdwijnen.

Ik trok aan zijn elleboog en wees hem op het door de wind verweerde gezicht van madame Picard, een verwrongen masker van verachting dat tuurde naar de plek waar we net de jaspanden van de beroemde chef-kok hadden gezien.

De weduwe Picard keek naar ons en gebaarde met haar vieze hand dat papa en ik haar moesten volgen. We kropen onder de canvas flap van haar kraampje door. 'Die trut,' siste ze, terwijl ze de flap losliet. 'Mallory. Ze heeft ons verboden onze spullen aan jullie te verkopen.'

'Hoe dan?' vroeg papa. 'Hoe kan ze jullie verbieden om ons spullen te verkopen?'

'Pff.' De weduwe Picard wuifde met haar hand. 'Die vrouw

steekt altijd haar neus in andermans zaken. Ze kent al onze geheimen. Ik hoorde haar zeggen dat ze monsieur en madame Rigault – zo'n lief, oud echtpaar – zou aangeven bij de belastingdienst. Alleen maar omdat ze niet iedere centime die ze binnenkrijgen aangeven. Stel je voor. Wat een nare, nare vrouw.'

'Maar waarom haat zij ons?' vroeg papa.

Madame Picard spoog een dikke klodder slijm in een afvalhoop met afgedankte koolbladeren. 'Wie zal het zeggen?' zei ze, terwijl ze haar schouders ophaalde en haar handen tegen elkaar wreef om ze op te warmen. 'Waarschijnlijk omdat jullie buitenlanders zijn. Omdat jullie hier niet horen.'

Papa stond even stokstijf stil en liep toen plotseling met grote passen weg. Hij zei zelfs geen gedag. Omdat ik zijn onbeleefde gedrag wilde goedmaken, bedankte ik madame Picard uitgebreid voor haar hulp. Ze drukte twee beurse peren in mijn hand. Zei dat ze wel meer voor ons zou willen doen, maar dat ze geen kant op kon. 'Ze heeft mij ook in de tang, weet je.'

Madame Picard spoog nog een keer, wat me deed denken aan de oudjes in Bombay.

'Pas op, jongen. Ze is een slecht mens.'

Ik haalde papa in op het parkeerterrein van de stad. Door zijn enorme gewicht zakte de Mercedes bijna tot op de grond toen hij instapte. Hij boog zich peinzend over het stuur en staarde naar de parkeerplaats en de bergen daarachter. Papa werd niet kwaad, hij zag er alleen intens verdrietig uit.

'Wat, papa?'

'Ik denk aan je moeder. Dit soort mensen, we kunnen ons niet voor ze verbergen. Yaar? Snap je? Deze mensen leefden in de Napean Sea Road en nu komen we ze hier in Lumière weer tegen.'

'O, papa.'

Ik was bang dat de depressie van Southall zou terugkeren, maar mijn trillende stem leek papa wakker te schudden uit zijn verdriet, want hij keek me aan met een glimlach en startte de motor.

'Hassan, maak je geen zorgen. Wij zijn Haji's.'

Hij legde zijn enorme hand op mijn knie en kneep erin tot ik een kreet slaakte.

'Deze keer zullen we niet vluchten.'

Zijn arm lag op de leuning van mijn stoel toen hij de auto met grote vaart achteruit de straat op reed. De auto's achter ons toeterden woedend. En zijn stem had een staalkoude klank toen hij de Mercedes in drive zette en we met brullende motor naar het stoplicht reden. 'Deze keer vechten we terug.'

Papa reed naar Clairvaux-les-Lacs, het provinciestadje zeventig kilometer verderop. We onderhandelden de hele dag met groothandelaren, liepen heen en weer over de met keitjes geplaveide achterafstraatjes en speelden de groente- en fruitverkopers tegen elkaar uit.

Ik had papa nog nooit zo briljant aan het werk gezien – zo charmant, zo meedogenloos vastbesloten om de wil van anderen te breken en toch zo ruimhartig als hij hun het gevoel wilde geven dat ze hadden gewonnen.

We kochten een tweedehands koelwagen en huurden een chauffeur in. Laat in de ochtend belden we Maison Mumbai en droeg mijn vader mijn zus op om het eten voor de lunchgasten klaar te maken. Hij zei dat hij op tijd terug zou zijn om de avondploeg te leiden. Nadat we een gesprek hadden gehad bij het plaatselijke filiaal van Société Générale en geld hadden overgemaakt voor de vrachtwagen, laadden papa en ik de kofferbak van onze krakkemikkige Mercedes vol met schapenbouten, manden met schelpdieren en snoeken, oranje netzakken met aardappelen en bloemkolen en *mange touts*.

We waren precies op tijd terug en geen van de gasten had zelfs maar een vermoeden dat er problemen waren geweest.

De volgende ochtend gooide madame Mallory de deur van haar restaurant open, haalde ze diep adem en voelde ze zich goed. Ze rook de sneeuw die de toppen van het Juragebergte bedekte, en overal glommen de ijskristallen die nog niet waren weggebrand door de ochtendzon haar toe. De Saint-Augustin beëindigde zijn late-ochtendgebeier en een volwassen hert vloog over een zilveren veld naar de veiligheid van de dennenbossen. Jachtseizoen. Het deed haar eraan denken dat ze monsieur Berger moest spreken over de hertenbout die al in zijn schuur hing.

Maar terwijl ze daar zo stond te genieten van de schoonheid van deze koude ochtend denderde een vrachtwagen over de weg. Ze hoorde het geluid van de motor die in een lagere versnelling werd geschakeld en ze draaide haar hoofd in de richting van het kabaal. De vrachtwagen reed door het hek van het huis van Dufour en op de achterkant stond in opzichtige, stralende, gouden letters: MAISON MUMBAI.

'*Ah, non. Non.*'

De zijkanten van de vrachtwagen waren vol gekrabbeld met feloranje en -roze gedichten in het Urdu. Repen zwarte crêpe hingen aan de bumpers. HONK PLEASE, stond er op een Engelse sticker op de achterdeur. BEWARE, stond er op een andere, MOTHER'S PRAYERS ARE WITH US.

De chauffeur sprong vanuit zijn stoel, die was versierd met kwastjes, op de grond. Hij klapte de achterdeuren open en openbaarde aan de wereld een hele koelkist vol eersteklas lamsvlees en gevogelte en uienringen voor in de frituur.

Madame Mallory sloeg met zoveel geweld de deur dicht dat

monsieur Leblanc een schrikbeweging maakte met zijn pen waardoor de inkt op het kasboek spetterde.

'Gertrude...'

'Ach, laat me met rust. Waarom heb je de boekhouding nog niet af? Echt, je hebt er steeds meer tijd voor nodig. Misschien moeten we een jonger iemand zoeken om de administratie te doen.'

De chef-kok wachtte niet op antwoord, keek niet eens of ze met haar opmerking monsieur Leblanc had gekwetst, maar stormde de gang en de eetkamer door en gooide de keukendeur open.

'Waar is de terrine, Margaret? Laat me eens proeven.'

De souschef, die nog maar tweeëntwintig jaar oud was, gaf madame Mallory een vork en schoof het cassata-achtige blok spinazie, langoustine en pompoen voorzichtig naar haar bazin. De oudere vrouw concentreerde zich, smakte met haar lippen en liet de smaken op haar tong uiteen vallen.

'Hoe lang ben je nu bij me, Margaret? Drie jaar?'

'Zes jaar, madame.'

'Zes jaar. En nog steeds weet je niet hoe je een goede terrine moet maken? Onbegrijpelijk. Deze terrine smaakt naar het achterwerk van een baby. Hij is papperig en smerig.' Ze veegde het gerecht van de werkbank de afvalbak in.

'En doe het nu goed.'

Margaret onderdrukte haar tranen en haalde een nieuwe glazen kom onder de werkbank vandaan.

'En jij Jean-Pierre, kijk niet zo geschokt. Jouw *daube* is zo langzamerhand beneden de maat geworden. Beneden de maat. Het vlees moet zo mals zijn dat je het met een vork uit elkaar kunt trekken – jouw daube is bitter en verbrand. En kijk, kijk nou hoe je dat doet. Waar heb je dat geleerd? Niet van mij.'

In haar haast om naar de andere kant van de keuken te lopen, duwde Mallory de jonge Marcel uit de weg. De leerling-kok struikelde en schramde zijn arm pijnlijk aan de scherpe rand van de stalen oven.

Madame Mallory vierde haar woede bot op Jean-Pierre en de grillpan, terwijl ze agressieve knipbewegingen maakte met een grote tang. Dit maakte het personeel nog nerveuzer, want de tang maakte deel uit van haar persoonlijke keukengerei, dat altijd in een afgesloten leren koffertje onder de werkbank lag, en als ze dat opende, betekende het dat het haar ernst was.

'Parelhoen moet iedere zeven minuten worden omgedraaid, zodat de sappen door het vlees stromen. Ik heb gekeken hoe jij te werk gaat. Je mishandelt die vogels gewoon. Je bent zo ruw, je lijkt wel een boer. Je hebt geen gevoel voor wild. Je moet voorzichtig zijn. Zie je? Kijk dan hoe ik het doe. Denk je dat je dat kunt, imbeciel!'

'*Oui, madame.*'

Madame Mallory stond midden in haar keuken, haar zware boezem zwoegde en haar gezicht zat vol rode vlekken van woede. En het personeel stond als versteend in de gloed van haar majestueuze furie.

'Ik wil perfectie. Perfectie. En wie niet levert wat er van hem wordt verwacht, wordt geëlimineerd.' Mallory pakte een terracotta kom en gooide hem kapot op de vloer. 'Zo. Zo. Begrijp je? Marcel, ruim dat op.'

Ze stormde de keuken uit en rende de houten trap op naar haar zolderkamer. De rook trok langzaam op en een paar minuten waren de overlevenden in de keuken niet in staat om te spreken, te verdoofd om echt te begrijpen wat er zojuist was gebeurd.

Maar gelukkig voor hen was er opeens iets anders wat madame Mallory's aandacht trok. Ze stormde de trap weer af en vloog dit keer de voordeur uit. 'Waar denk jij dat je heen gaat?' krijste ze over het plaatsje voor het restaurant.

De burgemeester, die bezig was de straat over te steken, bleef stokstijf staan. Hij draaide zich langzaam om met zijn schouders opgetrokken tot aan zijn oren.

'Gertrude, verdomme, je maakt me aan het schrikken!'

'Waarom sluip je hier rond?'

'Ik sluip niet.'

'Lieg niet tegen me. Je ging daar naar binnen om te lunchen.'

'Nou en?'

'Nou en?' bauwde ze hem na. 'Ben je de burgemeester van deze stad of niet? Is het niet de bedoeling dat je onze manier van leven in stand houdt? Je zou die buitenlanders niet moeten aanmoedigen. Het is een schande. Waarom eet je daar?'

'Omdat, Gertrude, het eten uitstekend is. Een welkome afwisseling.'

Mijn god. Het was alsof hij haar een klap had gegeven. Madame Mallory liet een afschuwelijke kreet horen, draaide zich abrupt om en vluchtte terug naar haar veilige restaurant.

Het was heel vreemd dat juist datgene wat madame Mallory het meest verafschuwde aan Maison Mumbai – de hysterie, het gebrek aan professionaliteit – nu ook in haar eigen onberispelijke restaurant begon door te dringen. Chaos verstoorde de eindeloos ingestudeerde rituelen van het tweesterrenrestaurant en hoewel ze het nooit zou toegeven, wist Mallory dat ze deze wending geheel en al aan zichzelf te danken had.

Margaret, de gevoelige souschef, kuste de hele avond het crucifix om haar hals en beefde bij alles wat ze deed. Jean-Pierre was zich nog aan het opwinden over de bewering van Mallory dat hij 'geen gevoel voor wild' had en hij stond de hele avond te vloeken en te schelden, en schopte hard met zijn houten klompen tegen de stalen zijpanelen van het fornuis. En de jonge Marcel was zo van slag dat hij drie keer de borden liet vallen toen de klapdeuren van de keuken plotseling opengingen.

En in de eetzaal ging het al niet veel beter. De sommelier was doodsbang dat Mallory weer een vlek op zijn tuniek zou vinden en deed die avond nog meer moeite dan anders om schoon te blijven. Hij hield de wijn zo ver mogelijk van zijn lichaam af als hij inschonk in en stak daarbij in een onelegante houding zijn billen naar achteren. En als hij de wijn in een kristallen glas liet walsen, deed hij dat met te veel nerveuze energie, waardoor het kostbare vocht op de vloer belandde, tot grote ergernis van de gasten.

'*Merde*,' zei Le Comte de Nancy terwijl hij zich omdraaide op zijn stoel toen er weer een metalen 'boing' uit de keuken klonk. 'Monsieur Leblanc. Monsieur Leblanc. Wat is er in godsnaam aan de hand in de keuken? Deze herrie is onverdraaglijk. Al die borden die kapotvallen in de keuken. Alsof we op een Griekse bruiloft zijn.'

Die avond stapten de gasten nietsvermoedend over de drempel van Le Saule Pleureur, in de verwachting dat ze, zoals altijd, zouden worden meegevoerd in een soufflé van culinair genot. In plaats daarvan werden ze bij de deur begroet door een verwilderde madame Mallory, die hen bij de elleboog vastpakte. 'Bent u aan de overkant geweest?' vroeg ze dwingend aan madame Corbet, eigenares van een bekroonde wijngaard twee dorpen verderop.

'Aan de overkant?'

'Kom, kom. U weet best waar ik het over heb. De Indiërs.'

'De Indiërs?'

'Ik wil u niet in mijn restaurant als u aan de overkant bent geweest. Dus nogmaals, bent u aan de overkant geweest?'

Madame Corbet zocht zenuwachtig naar haar man, maar ze kon hem niet vinden, want hij en monsieur Leblanc waren al de eetzaal in gelopen.

'Madame Mallory,' zei de elegante wijnbouwster. 'Bent u ziek? U ziet er nogal koortsig uit vanavond...'

'Ach wat.' Mallory uitte met een wegwerpgebaar haar afkeer. 'Neem haar maar mee naar haar tafel, Sophie. De Corbets zijn niet in staat om de waarheid te zeggen.'

Gelukkig voor madame Mallory botste op dat moment een ober tegen het uitstekende achterwerk van de sommelier aan waardoor de wijn over de arm van Le Comte de Nancy golfde. Door het geschreeuw en gevloek van de graaf kon madame Corbet de beledigende en onbeheerste opmerking van Mallory niet horen.

Vlak na halfelf gaf monsieur Leblanc aan zichzelf toe dat de avond verpest was. Twee gasten waren zo zwaar beledigd door het strenge verhoor van madame Mallory bij de deur dat ze onmiddellijk weer vertrokken. Andere eters voelden de elektrische spanning die in de lucht hing en door de werknemers knetterde, en klaagden bitter tegen monsieur Leblanc over de kwaliteit van het eten.

Genoeg, besloot Leblanc. Genoeg.

Hij vond madame Mallory in de keuken. Ze keek over de schouder van Jean-Pierre, die een dessert van venkelijs en geroosterde vijgen met *nougatine* klaarmaakte. Ze had net de verstuiver met poedersuiker uit zijn hand gegrist. 'Dit is een van mijn specialiteiten,' tierde ze. 'Je hebt hem geruïneerd. Kijk, zo. Zo. Niet zo...'

'Kom,' zei Leblanc, terwijl hij Mallory stevig bij de elleboog pakte. 'Kom mee. We moeten praten.'

'*Non.*'

'Jawel. Nu.' En Leblanc duwde haar door de achterdeur naar buiten, de frisse avondlucht in.

'Wat wil je, Henri? Je ziet toch dat ik bezig ben.'

'Wat is er met je aan de hand? Zie je dan niet waar jij mee bezig bent?'

'Waar heb je het over?'

'Wat doe je je werknemers aan? Komt het door die idiote obsessie met de Haji's? Je gaat tekeer als een idioot. Je maakt iedereen zenuwachtig en je hebt zelfs onze gasten beledigd, Gertrude. Mijn god. Je weet heus wel dat dat niet door de beugel kan. Waar ben je mee bezig?'

Mallory legde een hand op haar borst en ergens in het donker blies een kat. In haar ogen was er niets ergers dan het verstoren van het diner van een gast en ze was vervuld van afschuw over haar eigen gedrag. Ze wist dat ze haar zelfbeheersing was verloren. Maar toegeven dat ze iets verkeerd had gedaan was nooit gemakkelijk voor madame Mallory en de twee oude culinaire kameraden stonden elkaar gespannen aan te staren tot Mallory uitademde. Het was een diepe zucht, die Leblanc vertelde dat alles goed zou komen.

Ze stak een pluk grijs haar onder haar zwartfluwelen haarband. 'Jij bent de enige die zoiets kan zeggen,' zei ze uiteindelijk, nog steeds met bitterheid in haar stem.

'Je bedoelt, de enige die je de waarheid zegt.'

'Goed, goed. Het is wel duidelijk wat je bedoelt.'

Mallory nam de aangeboden sigaret aan en de vlam van zijn aansteker flakkerde in de vochtige avondlucht.

'Ik weet dat ik me vreemd gedraag. Maar, mijn god, iedere keer dat ik aan die afstotelijke man en zijn jongen in de keuken denk, zie ik gewoon...'

'Gertrude, je moet jezelf in de hand houden.'

'Ik weet het. Je hebt gelijk, natuurlijk. Oké.'

De twee rookten zwijgend hun sigaret. Een uil riep in het veld; het geluid van een trein aan de andere zijde van de vallei rolde door de avond. Het was zo sereen en rustig dat madame Mallory voor het eerst die dag zichzelf op aarde voelde terugkeren.

Op haar stukje aarde.

Maar precies op dat moment zette oom Mayur de luidsprekers buiten ons restaurant aan en vulde de avondlucht van Lumière zich met het geplingplong van sitars en het hypnotiserende getrommel van een ghazal, gepuncteerd door het getingel van een vingercimbaal. Alle honden in de buurt begonnen mee te janken.

'*Ah, non, non*. Klootzakken.'

Mallory ontweek de handen van Leblanc die haar probeerde tegen te houden, rende door de achterdeur en binnen een paar minuten zat ze aan de telefoon met de politie. Leblanc schudde zijn hoofd.

Wat kon hij doen?

Al snel kwam Mallory erachter dat een telefoontje naar de politie het probleem niet zou oplossen. Blijkbaar had de politie niets meer te zeggen over geluidsoverlast; klachten daarover werden nu afgehandeld door het splinternieuwe departement van Milieu, Verkeer en Skiliftonderhoud.

De volgende dag ging Mallory linea recta naar het stadhuis. Na een heleboel onbegrijpelijk gekuch en gestotter gaf de jongeman die het nieuwe bureau bemande toe dat hij inderdaad, met de juiste bewijzen, een procedure tegen Maison Mumbai kon beginnen. Het probleem was dat hij niet genoeg financiële ruimte had om die bewijzen te verzamelen tijdens een avondpatrouille. Het departement kon alleen tussen negen uur 's ochtends en halfvijf 's middags onderzoek doen naar geluidsoverlast.

Je kunt je voorstellen dat madame Mallory de arme man er zo van langs gaf dat hij haar onmiddellijk geluidmeetapparatuur leende waarmee ze zelf, volgens strikte richtlijnen, de nachtelijke decibellen die uit het restaurant kwamen kon vastleggen.

En dus slopen madame Mallory en Leblanc op een donkere nacht door de achterdeur naar buiten en sleepten ze het logge apparaat de straat over naar een veldje naast ons restaurant. Daar stond monsieur Leblanc tot aan zijn enkels weggezakt in het sponzige mos aan het op batterijen werkende apparaat te frunniken, terwijl Mallory de wacht hield en door de haag gluurde die ons terrein afbakende. Ze hield de felverlichte ramen en de openslaande tuindeuren van Maison Mumbai goed in het oog.

Een slap, met ijzerdraad en metalen pinnen bevestigd zeildoek hing over de betegelde patio. Er zaten eters aan drie terrastafels rondom grote, kegelvormige vuurpotten die vlammen spuwden en deden denken aan het achteruiteinde van een straalmotor. Oom Mayur kwam door de achterdeur naar buiten, stak rechauds aan en schonk wijn in. Zijn huid lichtte blauw en rood op in de gloed van de vuurpotten. De twee zo gehate luidsprekers hingen aan de muur en Kavita Krisnhamurthy zong luid boven het gebrul van de straalmotorvuurpotten uit.

'Zo,' zei monsieur Leblanc. 'Hij doet het.'

De naald vloog wild heen en weer over het witte vel en eindelijk glimlachte Mallory in het donker.

Doordat we zo in beslag werden genomen door het zware werk hadden we geen idee van wat ons te wachten stond. Mallory's intimidatietactiek begon vruchten af te werpen. Na de drukte van de openingsavond, waar we zo opgetogen over waren geweest, daalde het aantal gasten snel en aan het einde van de week waren we blij met vijf tafels. Pestkoppen van het plaatselijke schooltje sloegen Mukhtar in elkaar en achtervolgden hem door de steegjes van het stadje, onder het roepen van 'Currykop, currykop, currykop'.

Een paar families in het dorp waren vriendelijk tegen ons. Marcus, de zoon van de burgemeester, belde op om te vragen of ik met hem wilde zwijnen wilde schieten. Natuurlijk stemde ik graag toe en die zondag, de ochtend van mijn vrije dag, haalde Marcus me bij het restaurant op in zijn jeep met open dak. Hij praatte veel, in tegenstelling tot de meeste dorpelingen.

'We schieten alleen de volwassen zwijnen dood,' riep hij boven de gierende wind uit, 'de dieren die ongeveer honderdvijftig kilo wegen. IJzeren wet. We zijn een coöperatie en we verdelen de grote dieren onder elkaar, zodat we allemaal een paar pond goed vlees overhouden aan een jachtpartij. Het vlees is wat taai en bitter, maar dat is gemakkelijk te verhelpen bij de bereiding.'

Marcus reed eerst zuidwaarts door een paar valleien en toen oostwaarts de bergen in. We reden over houthakkerswegen omhoog en over zandpaden weer omlaag, altijd door een dicht bos, tot we eindelijk bij een rij auto's kwamen die in de greppels langs de bergwand stonden. Marcus zette de jeep achter een gedeukte Renault 5 die slecht geparkeerd stond onder een kastanjeboom.

Je moest uit de buurt komen om te weten waar we waren. Het bos was ruig, donker en onheilspellend, het soort primitieve woud dat je niet zo vaak ziet in Europa. Marcus zwaaide zijn beretta op zijn rug en we liepen het bos in, over een modderig pad vol bladeren.

Ik rook het berkenvuur voordat ik door de bosjes het geknetter hoorde. Ongeveer veertig mannen in waxjassen, ribfluwelen knickerbockers en wollen sokken stonden om een vuur, hun jachtgeweren en buksen rechtop tegen de bomen achter hen. Een Land Rover vol modderspetters was via een oud houthakkerspad naar de open plek gereden en achter de wagen stond een grote aanhangwagen met een kooi erop waarin jachthonden en treurig kijkende bloedhonden uit het zuiden van Frankrijk zaten.

De ongeschoren mannen kwamen voornamelijk uit Lumière en de boerderijen die om de vallei heen lagen, een democratische verzameling van bankiers en winkeliers, die tijdens dit late-herfstritueel even elkaars gelijken waren. Ze keken op toen we aankwamen – een paar riepen een opgewekte groet – en richtten vervolgens hun aandacht weer op de worstjes en kalfskoteletjes die ze roosterden boven het vuur.

Een man met een ruig uiterlijk vertelde een mop over een vrouw met grote borsten en de anderen bulderden van het lachen terwijl ze hun sissende lappen vlees tussen plakken boerenbrood legden. Uit een van de jassen kwam een fles cognac tevoorschijn en het gladde glas fonkelde in de zon toen de fles rondging om bekertjes stomende koffie van een scheutje alcohol te voorzien.

Ik voelde me niet op mijn gemak en besloot even bij de honden in de kooi te gaan kijken, terwijl Marcus bij het vuur neerknielde om onze kleine biefstukjes te bereiden. Monsieur Iten kwam naast me staan en bewerkte kalm een stukje berkenhout met een mes terwijl hij uitlegde dat de beste honden eens per seizoen werden gespiest door de zwijnen en moesten worden gehecht. En terwijl hij vertelde dat de jachtmeester al heel vroeg hier was om op de grond naar verse zwijnensporen te zoeken en een plan te maken voor de jacht, en dat hij zo terug zou komen, merkte ik dat zich nog iemand bij de jagers had gevoegd, want samen met het hete geknetter van het vuur steeg een gebrul van begroetingen op.

Toen we ons omdraaiden stond madame Mallory, met een oud geweer dat in de holte van haar elleboog rustte, recht tegenover me aan de andere kant van het vuur, haar voeten iets uit elkaar, stevig op de grond, met een Tiroler hoedje op haar hoofd. Ik voelde mijn lichaam spannen toen ik haar zag. Haar gezicht had die bekende dominante uitdrukking, maar ze sprak rustig met de man naast haar. En hoewel ze de enige vrouw was in deze kring stoere mannen, leek ze zich uitstekend op haar gemak te voelen en lachte ze met de anderen mee. Ik was degene die me onbehaaglijk voelde, want hoewel ze moet hebben geweten dat ik daar stond, keek ze me niet één keer recht aan en gaf ze op geen enkele manier te kennen dat ze mijn aanwezigheid had opgemerkt.

En ik herinner me dat het licht van het vuur plotseling haar huid leek glad te strijken, als een soort denkbeeldige facelift, en dat ik heel even een blik zag van de madame Mallory die ze had kunnen zijn – luchthartig, hoopvol, met een boterachtige huid. Maar in dat trillende, onzekere licht zag ik ook hoe gemakkelijk ze de andere kant op kon veranderen, en een tel later gebeurde dat ook. Want plotseling wierp de flakkerende gloed van het vuur schaduwen over haar die de groeven rond haar ogen en de hangende delen van haar gezicht grotesk uitvergrootten, evenals de wreedheid die daar loerde; alles bijeengebonden onder dat Tiroler verenhoedje.

De jachtmeester kwam met drie drijvers en een krakende walkietalkie in zijn hand uit het bos tevoorschijn. Ik weet niet precies wat er toen gebeurde – er werd verhit gediscussieerd en gebaard en gezwaaid met kalfskoteletten om meningen kracht bij te zetten – maar plotseling liepen we in optocht door het bos de berg op. Achter ons gleden bladeren en rommel de steile hellingen af.

Een zweterig uur later stelde de meester ons op in een rij langs een hoge bergrug diep in het bos door om de honderd meter een jager aan te tikken, die zich prompt op zijn buik op het knisperende bladertapijt liet zakken. De een na de ander viel af achter mij en het leek wel of de jachtmeester menselijke kiezelstenen op de grond gooide om de weg naar het kamp terug te kunnen vinden.

Wij werden aangetikt op het moment dat het pad een bocht terug maakte en Marcus trok onmiddellijk zijn jack uit en laadde stilletjes zijn beretta met een kogel van kaliber

12. En met zijn blik en een knikje van zijn hoofd zei hij dat ik moest gaan liggen zonder geluid te maken. Dat deed ik en ik keek even om, om de jachtmeester zijn weg te zien vervolgen. Zijn walkietalkie die hem verbond met de drijvers zweeg nu. Ik volgde het komisch op en neer bewegende hoedje met veer van madame Mallory, tot de meester ook haar aantikte en ze net als wij, maar dan hoger op de richel, plotseling in de bladeren verdween.

En daar lagen we een tijdje in een monotone stilte op onze buik over de rand te turen naar de berghelling die onder ons afdaalde.

Plotseling vulde de lucht zich met de kreten van de drijvers beneden en het geblaf van hun honden, die met ze mee de berg op liepen en al het wild uit het bos naar ons dodelijke peloton dreven.

Met zijn beretta op zijn schouder concentreerde Marcus zich intens op een vaag spoor en een plek waar de begroeiing iets lichter was. Toen hoorde ik het zachte getingel van een hondenbel en het getrappel van hondenpoten op de bodem. En daarna een ander geluid, iets wat mij in mijn onwetendheid deed denken aan zware hoeven die in paniek wegrenden.

De rode vos rook het gevaar en stond onmiddellijk stil. De ervaren Marcus liet meteen zijn geweer zakken toen hij zag dat het geen everzwijn was en dat was voor de vos het sein om weg te vluchten van de open plek. En op dat moment klonk uit de helderblauwe lucht boven ons dat waar we op hadden gewacht; het enkele geweerschot rolde als een kleine explosie over de heuvels.

En dat was dat. De jachtmeester liet zijn kreet horen. De jacht was voorbij.

Toen we weer terug waren in het kamp stond madame Mallory trots bij haar prooi, waar ze audiëntie hield. Het

RICHARD C. MORAIS

everzwijn hing aan zijn achterhoeven aan de takken van een eik en zijn bloed drupte met een zekere regelmaat op de grond. En ik herinner me hoe opgewonden Mallory aan iedere terugkerende jager vertelde en nog eens vertelde hoe ze het dier te grazen had genomen toen hij door het bos rende.

Ik kon mijn ogen niet afhouden van de vreemde vrucht die voor me hing met een keurig diep gat ter grootte van een knoedel in de borst. En tot op de dag van vandaag herinner ik me die kleine snuit; de kleine naar voren wijzende slagtanden die de bovenlip dwongen omhoog te krullen, waardoor het leek of het zwijn erg moest lachen om een geestige opmerking die hij op het moment van zijn dood had gehoord. Maar ik herinner me vooral de ogen met de lange wimpers, die zo stijf waren dichtgeknepen tegen de wereld, zo mooi in de dood. En als ik eraan terugdenk, geloof ik dat het vooral de grootte van het dier was die me zo van streek maakte, waar ik, hoe gewend ik ook was aan de bloederige en onsentimentele beëindiging van vele levens in de keuken, misselijk van werd. Want dit zwijn dat hier zo vernederend aan zijn achtereind hing, was een jong van nog geen twintig kilo.

'Hier wil ik niets mee te maken hebben,' hoorde ik een woedende boer tegen de jachtmeester zeggen. 'Het is een schande. Het is heiligschennis.'

'Ik ben het met je eens, maar wat wil je dat ik doe?'

'Je moet iets tegen haar zeggen. Dit kan gewoon niet.'

De jachtmeester nam een flinke slok cognac voordat hij op madame Mallory afstapte om haar te berispen wegens het schenden van de clubregels. 'Ik heb gezien wat er gebeurde,' zei hij, terwijl hij mannelijk zijn broek ophees. 'Wat je hebt gedaan is gewoon ontoelaatbaar. Waarom heb je niet een van de volwassen zwijnen geschoten toen de troep voor je langs liep?'

Mallory nam alle tijd om te antwoorden. Iemand die onze

148

geschiedenis niet kende zou zelfs even kunnen denken dat ze de onschuld zelf was, zoals ze nonchalant een blik over de schouder van de jachtmeester wierp om mij voor het eerst die dag recht aan te kijken, met een vage glimlach om haar mond.

'Omdat, beste vriend, het vlees van de jongen zo zalig smaakt. Dat moet je toch met me eens zijn?'

9

Papa kreeg de aangetekende brief de dinsdag daarop. Hij werd bezorgd toen ik de keuken uit liep om te kijken naar de reserveringen voor die avond. Tante was net haar nagels bloedrood aan het lakken en ze gebruikte haar elleboog om het boek zo te draaien dat ik het kon lezen. Er stond bijna niets in; slechts drie van de zevenendertig tafels waren gereserveerd.

Papa zat aan de bar met zijn ene hand zijn blote voet te masseren en met de andere de post te sorteren.

'Wat staat hier?'

Ik zwaaide de theedoek over mijn schouder en las de brief waarmee hij naar me zwaaide. 'Er staat dat we de geluidsoverlastregels van het dorp overtreden. We moeten ons tuinrestaurant om acht uur 's avonds sluiten.

'Hè?'

'Als we het tuinrestaurant niet sluiten, moeten we voor de rechter verschijnen en een boete van tienduizend frank per dag betalen.'

'Het is dat mens!'

'Arme Mayur,' zei tante terwijl ze haar natte nagels door de lucht liet cirkelen. 'Hij bediende zo graag in de tuin. Ik moet het hem vertellen.'

Ze ging op zoek naar haar man en de gang vulde zich met het geruis van haar geelzijden sari. Toen ik me omkeerde naar papa, zag ik dat hij al van de barkruk was gegleden. Het licht sijpelde door het gekleurde glas van de ramen en er dwarrelden zilveren stofjes door de lucht. Ik kon papa achter in het huis door de telefoon horen schreeuwen. Tegen zijn advocaat. En ik wist al: hier komt alleen maar ellende van.

Ellende.

Papa kwam al een paar dagen later met zijn tegenaanval, toen de beambte van het departement van Milieu, Verkeer en Skiliftonderhoud een Renault-busje voor Le Saule Pleureur parkeerde. Het was een soort poëtische rechtvaardigheid, want dit was precies dezelfde ambtenaar die ons had gedwongen ons tuinrestaurant te sluiten en de luidsprekers op de buitenmuur weg te halen.

'Abbas, kom, kom,' krijste tante en vol verwachting stroomde de hele familie door de voordeur naar buiten en ging op het grind van de oprit staan om de gebeurtenissen aan de overkant gade te slaan.

Uit de Renault kwamen twee mannen tevoorschijn. Ze hadden kettingzagen in hun handen. Uit hun mond hingen filterloze sigaretten en ze ratelden tegen elkaar in het plaatselijke dialect. Papa smakte tevreden met zijn lippen, alsof hij zojuist een samosa in zijn mond had gestoken.

Madame Mallory opende de voordeur van haar restaurant, met een trui om haar schouders. De ambtenaar ging voor haar staan en keek haar door zijn oogharen aan terwijl hij met een witte zakdoek zijn bril schoonmaakte.

'Wat doet u hier? En wie zijn deze mannen?'

De ambtenaar haalde een brief uit het borstzakje van zijn overhemd en gaf het aan madame Mallory. Ze las het zwijgend en schudde ondertussen haar hoofd.

'Dit mag niet. Ik sta het niet toe.' Mallory verscheurde met driftige bewegingen de brief. De jongeman ademde langzaam uit. 'Het spijt me, madame Mallory, maar het is heel duidelijk. U overtreedt artikel 234bh. Hij moet worden omgehakt. Of in ieder geval...'

Maar Mallory was naar haar oude treurwilg gelopen, waarvan de hoge takken zo elegant over het voorhek en de stoep bogen. '*Non*,' zei ze bits. '*Non. Absolument. Non.*'

Mallory sloeg haar armen om de boom en kneep hem wellustig tussen haar knieën. 'Over mijn lijk. Deze boom is een symbool van Lumière, het is het embleem van mijn restaurant, van... alles.'

'Dat doet er niet toe, mevrouw. Gaat u alstublieft naar achteren. Volgens de plaatselijke verordeningen mogen er geen bomen boven de stoep hangen. Dat is gevaarlijk. Het is zo'n oude boom; er kan een tak afbreken en op een kind of een oudere vallen. En er is geklaagd...'

'Dat is belachelijk. Wie heeft er in godsnaam geklaagd?' Maar op het moment dat ze die vraag stelde, wist Mallory het antwoord al. Ze draaide zich om naar de overkant van de straat en keek ons recht aan.

Papa schonk haar een brede glimlach en zwaaide.

Dat was precies waar de twee werkmannen op hadden gewacht. Zodra Mallory haar aandacht van de boom naar ons verlegde, grepen de twee stevige mannen haar polsen en pelden haar behendig van de boom. Ik herinner me de schreeuw nog, die aan het einde van de straat te horen was, als van een woedende aap, en de theatrale manier waarop Mallory op haar knieën viel. Maar haar gehuil werd overstemd door het oorverdovende gebrul van de elektrische zaag.

Inmiddels hadden zich een paar nieuwsgierige bewoners op straat verzameld en we stonden allemaal als aan de grond genageld door de agressieve herrie van de zagen. Ledematen vielen met een klap op de grond. En toen was het voorbij, net zo snel als het was begonnen. In een zware, geschokte stilte liet het groepje mensen het resultaat op zich inwerken. Mallory, die nog steeds op haar knieën zat met haar gezicht in haar handen, kon de stilte uiteindelijk niet meer verdragen en hief haar hoofd op.

Een derde van de sierlijke takken was wreed geamputeerd en lag bloedend en kronkelend op de stoep. Haar ooit zo sierlijke boom – een boom die voor alles stond wat ze in het leven had gepresteerd – was nu een groteske, knobbelige parodie van zijn oude zelf.

'Het is heel spijtig,' zei de ambtenaar, die duidelijk geschrokken was van wat hij had aangericht. 'Maar het kon niet anders. Artikel 234bh...'

Mallory wierp de man zo'n minachtende blik toe dat hij halverwege de zin stopte en snel de veiligheid van zijn bestelwagen opzocht, onderwijl naar de mannen gebarend dat ze snel moesten opruimen.

Monsieur Leblanc kwam over het pad aangerend. 'O, hemel, wat een tragedie,' zei hij, zich in de handen wringend. 'Afschuwelijk. Maar alsjeblieft, Gertrude, sta op. Alsjeblieft. Ik zal een cognacje voor je inschenken. Voor de schrik.'

Madame Mallory luisterde niet naar hem. Ze kwam overeind en staarde naar papa, naar onze familie die op de stenen trap stond aan de overkant van de straat. Papa keek terug met een ijskoude blik en zo bleven ze een paar tellen staan, gevangen door elkaars blikken, totdat papa tegen ons zei dat we naar binnen moesten. Er lag werk te wachten, zei hij.

Madame Mallory trok haar arm los uit de bemoeizuchtige greep van monsieur Leblanc, klopte zich af. Ze stak de straat over en bonsde op de deur. Tante deed de deur op een kiertje om te zien wie het was en werd onmiddellijk met kracht naar achteren geduwd. De chef-kok van Le Saule Pleureur stormde naar binnen en beende door de eetzaal.

'Abbas,' gilde tante. 'Abbas. Zij is hier.'

Papa en ik waren in de keuken en we hoorden de waarschuwing niet. Ik stond aan het fornuis *shahi korma* te bereiden voor de lunch. Papa zat aan de werkbank de *India Times* te lezen, verouderde exemplaren die hem werden toegezonden door een krantenverkoper uit Londen. Ik draaide net het vuur onder de kadai hoog om het lamsvlees dicht te schroeien toen Mallory de keuken binnenkwam.

'Daar ben je. Klootzak!'

Papa keek op van zijn krant maar bleef rustig zitten.

'Je bevindt je op privéterrein,' zei hij.

'Wie denk je wel dat je bent?'

'Abbas Haji,' zei hij kalm, en bij het horen van de dreigende klank in zijn stem gingen de haartjes in mijn nek overeind staan.

'Ik zal je verdrijven,' siste ze. 'Ik zal winnen.'

In een opwelling van woede sprong papa op van zijn kruk en hij torende boven de vrouw uit. 'Ik heb vaker mensen als u meegemaakt,' zei hij. 'Ik ken uw soort. U hebt geen beschaving. Yaar. Onder uw culturele verwaandheid bent u niets anders dan een barbaar.'

Madame Mallory was nog nooit 'onbeschaafd' genoemd. Integendeel, in de meeste kringen werd ze beschouwd als het toonbeeld van de verfijnde Franse cultuur. Dus dat ze nu werd uitgemaakt voor barbaar, zeker door deze Indiër, was onverdraaglijk, en ze sloeg papa met haar vuisten op zijn borst.

'Hoe durf je? HOE – DURF – JE?'

Papa was weliswaar groot, maar in haar woede raakte

madame Mallory hem zo hard, dat hij van verbazing een stap naar achteren zette. Hij probeerde haar polsen te pakken, maar ze zwaaide ze door de lucht als een bokser die zijn woede koelt op een boksbal.

Tante kwam nu ook de keuken in.

'Aii,' riep ze vertwijfeld. 'Aii. Mayur. Mayur, kom snel.'

'U bent een beest,' brieste papa. 'Kijk nou hoe u zich gedraagt. U bent een wilde. Alleen zwakkelingen zijn... madame, wilt u nu ophouden!'

Maar de vuisten en verwensingen van madame Mallory vlogen onverminderd door de lucht.

'Je bent tuig,' schreeuwde ze terug. 'Smerig tuig. Je hebt...'

Papa moest nog een stap naar achteren zetten. Hij kreeg haar armen niet te pakken en hij hijgde van inspanning. 'Mijn huis uit,' brulde hij.

'*Non!*' schreeuwde Mallory terug. 'Jij moet weg. Je moet mijn land uit, jij... jij vieze buitenlander.' En met die woorden gaf ze papa een flinke duw.

Dat was de duw die mijn leven veranderde, want toen papa naar achteren wankelde, botste hij met zijn volle gewicht tegen mij aan waardoor ik op mijn beurt tegen het fornuis knalde. Er klonk een schreeuw en er werd met armen gezwaaid en pas dagen later realiseerde ik me dat het geel dat ik had gezien mijn tuniek was die in vlammen opging.

10

Ik herinner me de blèrende ambulancesirene, het zwaaiende infuus boven mijn hoofd en mijn vaders bezorgde gezicht boven me. De volgende paar dagen waren gehuld in mist – een onduidelijke, wazige reis door verschillende werelden. Het was een vreemde mengeling van gewaarwordingen: de metalige droge mond en gebarsten lippen van de verdoving gecombineerd met de aanval op mijn gehoor van mijn grootmoeder en tante en zusters aan mijn bed. En dan het zoveelste ritje op de piepende brancard naar de operatiekamer voor een huidtransplantatie.

Maar al snel daalde de monotonie van het ziekenhuis op me neer. De pijn ebde een beetje weg en ik was erg blij met de schalen met samosa's uit het kamp dat de Haji's buiten mijn kamer hadden opgeslagen. En altijd was daar mijn vader, in de hoek van de kamer, met zijn zwarte ogen constant op mij gericht. Een dreigende, zwijgende berg van een man met de kleine Zainab op zijn schoot.

En op een dag waren wij de enige twee in de kamer. Hij leunde met zijn volle gewicht tegen het bed en we speelden backgammon op mijn dienblad. Ondertussen dronken we kleine slokjes thee, zoals we eeuwen geleden deden in de Napean Sea Road, in een leven dat nu zo ver weg leek.

'Wie kookt er nu?'

'Maak je daar maar niet druk om. Iedereen helpt. Alles is geregeld.'

'Ik had een idee voor een nieuw gerecht...'

Papa schudde zijn enorme hoofd.

'Wat?'

'We gaan terug naar Londen.'

Ik liet mijn dobbelstenen vallen en keek uit het raam. Het ziekenhuis stond in een dal, één bergrug verder dan Lumière, maar ik zag nu de andere kant van het Juragebergte waar ik op uitkeek vanuit mijn zolderkamer in Maison Mumbai.

Het was winter. De dennenbomen waren bedekt met een dun laagje sneeuw en ijspegels hingen als dolken aan de dakgoot boven het ziekenhuisraam. Het zag er allemaal zo mooi, ongerept en puur uit en er stroomden onverklaarbare tranen over mijn gezicht.

'Wat? Waarom huil je? In Londen zijn we beter af. Hier zal niemand ooit plaats voor ons maken. Het was dom van me om te denken dat ze dat wel zouden doen. Kijk dan. Kijk wat die varkenskop je heeft aangedaan...'

Maar papa's uitbarsting werd onderbroken door geklop op de deur. Ik veegde mijn tranen weg terwijl papa 'Wacht even!' riep tegen degene die klopte. Hij boog zich naar me toe en kuste de onbeschadigde huid op mijn voorhoofd. 'Je bent een dappere jongen,' fluisterde hij. 'Je bent een Haji.'

Toen hij de deur opendeed, vulde zijn reusachtige gestalte de deuropening, maar achter zijn arm zag ik monsieur Leblanc en madame Mallory staan. De chef-kok van Le Saule Pleureur droeg een chocoladebruin, wollen pak en uit de rieten mand aan haar arm stak een bos rozen. In de gang van het ziekenhuis achter haar zaten tante en oom Mayur en Zainab zwijgend voor zich uit te staren. Hun stilte was dodelijk en leek de algemene kakofonie van het ziekenhuis te doen verstommen.

'Hoe durft u hier te komen?' vroeg papa vol ongeloof.

'We wilden weten hoe het met hem gaat.'

'Doe geen moeite,' zei hij, zijn lippen vol afkeer omhooggekruld. 'U hebt gewonnen. We vertrekken uit Lumière. En nu wegwezen. Beledig ons niet met uw aanwezigheid.'

Papa sloeg de deur dicht. Maar hij draaide zich om en begon als een beest in een kooi te ijsberen, waarbij hij zijn handen tegen elkaar sloeg, zoals hij deed toen mama stierf.

'Waar haalt die vrouw het lef vandaan.'

Mallory was even van haar stuk gebracht. Ze probeerde Zainab de rozen en het doosje met gebakjes te geven, maar tante siste iets tegen het kleine meisje op haar schoot, dat meteen dichter tegen haar aan kroop.

'Het spijt ons dat we u nog meer van streek hebben gemaakt,' zei monsieur Leblanc tegen oom Mayur. 'U hebt helemaal gelijk. Het is te laat voor bloemen.'

En zo keerden ze terug naar de Citroën op het parkeerterrein. Ze spraken geen woord toen Leblanc de auto startte en ze de A708 op reden, terug naar Lumière. Beiden waren in gedachten verzonken.

'Nou,' zei madame Mallory uiteindelijk. 'Ik heb mijn best gedaan. Het is niet mijn schuld...'

Maar ze had beter haar mond kunnen houden. Dit was de druppel voor monsieur Leblanc – het was gewoon één ongevoelige opmerking te veel. Hij trapte hard op de rem en de auto kwam slippend tot stilstand aan de zijkant van de weg.

Hij draaide zich met een vuurrood gezicht naar madame Mallory en zij legde een beschermende hand op haar borst, want ze zag dat zelfs de puntjes van zijn oren bloedrood waren.

'Wat, Henri? Rijd door.'

Leblanc boog zich naar haar kant en opende haar portier. 'Eruit. Je gaat maar lopen.'

'Henri! Ben je gek geworden?'

'Kijk nou eens naar wat je van je leven hebt gemaakt,' siste hij kil van woede. 'Je hebt zoveel geluk gehad. En wat heb je aan de wereld teruggegeven behalve egoïsme?'

'Ik denk...'

'Dat is het probleem, Gertrude. Je denkt veel te veel... aan jezelf. Ik schaam me voor je. En nu eruit. Ik wil je gewoon even niet zien.'

Nooit eerder had monsieur Leblanc zo tegen haar gepraat. Nooit. Ze was diep geschokt, herkende hem niet meer.

Maar voordat ze deze ongelooflijke ommekeer had kunnen verwerken, was Leblanc naar de andere kant van de auto gelopen en trok hij haar de berm in. Hij dook de auto weer in, pakte Mallory's rieten mand van de achterbank en duwde hem ruw tegen de stomverbaasde kok aan. 'Je gaat maar lopen,' zei hij kortaf.

En toen spoot de Citroën weg over het landweggetje, in een wolk van blauwe uitlaatgassen.

'Hoe durft hij mij zo achter te laten?' Mallory stampvoette op het ijs. 'Hoe durft hij zo tegen me tekeer te gaan?'

Niets dan besneeuwde stilte.

'Is hij soms gek geworden?'

En zo stond ze daar enige tijd vol ongeloof te tieren. Maar uiteindelijk begon de werkelijkheid tot haar door te dringen en ze bekeek het winterse landschap om haar heen om zich te oriënteren. Mallory stond aan de rand van een bevroren veld en de bevroren bergen met hun in donkere wolken gehulde pieken staarden koel op haar neer. Boven de bodem van de vallei hing een dunne grijze nevel, maar aan het einde ont-waarde ze nog net twee chalets, een paar schuren en rook-pluimen die oprezen van houten daken.

Aha, dacht ze, de boerderij van monsieur Berger. Dat kwam niet zo slecht uit. Ze zou deze gelegenheid aangrijpen om te kijken hoe het met haar hertenbout ging en de oude boer vragen haar terug te brengen naar Lumière.

Madame Mallory begon aan haar wandeling door het dal. Een krassende raaf scharrelde tussen de bevroren stoppels in het veld. En hoe verder ze over de kleine weggetjes liep, hoe meer grip de kille, ijzige omgeving op haar kreeg. Wat als hij bij me weggaat? dacht ze opeens. Wat moet ik zonder Henri?

Mallory strompelde op haar enkellaarsjes verder door het ijs en de sneeuw, zonder dat de twee boerderijen aan het ein-de van het dal dichterbij leken te komen. Ze stak een zwart beekje over dat door de sneeuwjacht sneed, ze kwam langs een oud legerdepot dat ooit was gebruikt voor tankoefenin-gen en langs een bosje bladerloze zilveren berken dat verlo-ren in een dood veld stond.

Het oude pad liep om een heuvel en in de bocht stond een kapel. Hij was klein en de verf bladderde af. Mallory had al bijna veertig minuten stevig doorgelopen en ze stopte even om op adem te komen, waarbij ze met haar hand steun zocht bij het hek. In de kapel, zo dacht ze, zou wel een bankje staan waar ze even op kon zitten.

Niemand weet precies wat er in die kapel is gebeurd en waar-schijnlijk begrijpt zelfs madame Mallory het niet echt. Maar ik heb me jarenlang afgevraagd en me voorgesteld wat zich in dat kapelletje langs de weg heeft afgespeeld en misschien stond het beeld dat ik in mijn hoofd had nog niet zo ver van de werkelijkheid.

In mijn visioen zit madame Mallory enige tijd stijfjes op de enige kerkbank, met de rieten mand op haar schoot, starend naar de vervaagde schildering van het Laatste Avondmaal op de muur tegenover haar. Vale discipelen breken brood. De figuren zijn gehuld in schaduw, niet meer dan vlekken in het donker, maar op de tafel kan ze nog net een schaaltje olijven, een wijnkruik en een brood onderscheiden.

De lucht zelf is doortrokken van een koude, rottende geur. Het houten crucifix staat stijf en mechanisch overeind en de gedoofde olielamp naast het stenen altaar is gehuld in een bedauwd net van spinnenwebben. Geen bloem. Geen gesmolten kaars of zelfs maar een verbrande lucifer. Geen spoor van menselijk leven.

En dan realiseert madame Mallory zich dat de kapel dood is, dat alle religieuze betekenis lang geleden uit dit verwaarloosde gebouwtje is weggeglipt. En terwijl Mallory gespannen op die kerkbank zit, met haar rieten mand stevig vastgeklemd op haar schoot, vult haar ziel zich met een gruwelijke gedachte: wat is deze kapel kil. Mijn god, wat is deze kapel kil.

Dat gevoel is onverdraaglijk en, omdat ze is wie ze is, probeert ze tegen dat onprettige gevoel te vechten. Ze zoekt in haar mand naar een luciferboekje, steekt er een aan, leunt naar voren om de altaarlamp tot leven te wekken. Met dit kleine gebaar verandert alles, want als de brandende lucifer de pit van de olielamp aanraakt, volgt een hevige explosie van licht en schaduwen. Het crucifix springt de ruimte in en de gekwelde, uitgemergelde man met zijn gespreide armen kijkt haar smekend aan. De spinnenwebben rukken en trekken, als een net vol gevangen vissen die in doodsangst alle kanten op schieten, en een muis vlucht weg achter het altaar.

Mallory vraagt zich af of ze gek is geworden, want opeens hoort ze een stem, de boze stem van haar vader, van jaren geleden, die een klein meisje uitfoetert. Op haar voorhoofd staan zweetdruppels, maar ze is te bang om te bewegen. Ze verzamelt al haar kracht en richt haar ogen op het plafond, wanhopig op zoek naar verlossing.

Het Laatste Avondmaal is vervormd door het licht van de lamp. Christus en de discipelen zitten in hun vertrouwde poses en op hun gewaden glimmen nu zilveren en gouden draadjes. Maar haar aandacht wordt niet getrokken door Christus die met zijn weke kinnetje flets naar de horizon staart, maar door de tafel zelf, niet karig gedekt met olijven en brood, zoals ze eerst dacht, maar zuchtend onder een rijk feestmaal.

Vijgen in port. Een wit stuk schapenkaas. Een gebraden schapenbout op een schaal met kruiden. En daar een gepelde ui. De kop van een wild zwijn op een bord.

De ogen van dat zwijn in die afgehakte kop zijn vreemd genoeg vol leven en kijken haar aan en Mallory, dapper als altijd, dwingt zichzelf om resoluut terug te kijken. En in de diepten van die kleine, glinsterende oogjes ziet ze de weegschaal van haar leven, een eindeloze lijst schulden en tegoeden, prestaties en mislukkingen, kleine blijken van vriendelijkheid en daden van pure wreedheid. En als ze haar blik afwendt, niet in staat om tot het einde te blijven kijken, komen eindelijk de tranen, want ze weet al dat de weegschaal ontstellend ver is doorgeslagen naar de ene kant. Ze weet hoe lang geleden de tegoeden zijn opgedroogd terwijl de schulden in de vorm van ijdelheid en egoïsme zich alleen maar opstapelen. En haar onbewuste schreeuw om genade galmt door de kapel, maar wordt alleen gehoord door het geschilderde zwijn met zijn slagtand en zijn boosaardige grijns.

11

Vlak na het avondeten glipte madame Mallory mijn kamer in het ziekenhuis in. Ik rustte met gesloten ogen en ze
bleef een paar minuten onopgemerkt naar mijn pijnlijk omzwachtelde borst, armen en nek kijken. En vooral naar mijn
handen.

Uiteindelijk voelde ik haar krachtige aanwezigheid in de
kamer – net als die keer op de avond van de opening toen ik
in de keuken stond – en ik opende mijn ogen.

'Het spijt me,' zei ze. 'Dit heb ik niet gewild.'

Het begon te regenen.

Mallory stond gedeeltelijk in de schaduw, maar ik zag de
omtrek van haar heupen, de gespierde armen, de rieten
mand van eerder op die dag. Dit was, zo realiseerde ik me, de
eerste keer dat we tegen elkaar spraken.

'Waarom haat u ons?'

Ik hoorde haar scherpe inademing. Maar ze antwoordde
niet. In plaats daarvan liep ze naar het raam en keek ze de
duisternis in. De regen sloeg tegen het zwarte glas.

'Je handen zijn in orde. Ze zijn niet gewond.'

'Nee.'

'Het gevoel in je handen is nog hetzelfde. Je kunt nog koken.'

Ik zei niets. Mijn gevoelens waren te verward en mijn keel zat dicht. Ja, ik was dankbaar dat ik nog kon koken, maar alle problemen van mijn familie waren de schuld van deze vrouw en daarvoor kon ik haar niet vergeven. Nog niet, in ieder geval.

Madame Mallory trok een pakje uit haar mand – amandel-abrikozengebakjes. 'Proef er maar een,' zei ze. Ik ging rechtop zitten en ze boog zich naar voren om de kussens achter mijn rug op te kloppen. 'Vertel eens,' zei ze, terwijl ze me de rug toe keerde en weer uit het raam keek. 'Wat proef je?'

'Abrikozen- en amandelvulling.'

'Nog iets?'

'Ehh... ik proef ook een vleugje nootmuskaat en pistache-pasta. Het glazuur is gemaakt van eidooier en honing. En u hebt... even denken... is het amandel? Nee, ik weet het al, het is vanille. U hebt vanillestokjes vermalen en het poeder in het deeg verwerkt.'

Madame Mallory was sprakeloos. Ze bleef uit het raam kijken, terwijl de regen langs het raam gutste alsof een godin daarboven huilde van liefdesverdriet.

En toen ze zich omdraaide, glommen haar ogen als Spaanse olijven en had ze één wenkbrauw opgetrokken. Zo keek ze me scherp aan in de duisternis tot ik plotseling begreep dat ik het culinaire equivalent van een absoluut gehoor had.

Mallory legde uiteindelijk het waspapier met de gebakjes op het dienblad. 'Goedenavond,' zei ze. 'Ik wens je veel beterschap.'

Een paar seconden later was ze alweer de deur uit en ik slaakte een zucht van verlichting terwijl de rust weer over de kamer neerdaalde. Pas toen ze goed en wel vertrokken was, realiseerde ik me hoe ongelooflijk gespannen en *en garde* ik in haar aanwezigheid was geweest.

Maar ze was weg, een loden last was van me afgevallen en ik zakte terug in bed en sloot mijn ogen.

Mooi, dat is dat, dacht ik.

De eetzaal zat vol toen Mallory laat in de avond terugkeerde bij Le Saule Pleureur. Monsieur Leblanc stond op zijn plaats bij de receptie. Hij begroette de gasten en nam ze mee naar hun tafel. De witte jasjes van de leerling-obers flitsten voorbij met glimmende zilveren stolpen die ze hoog boven hun hoofden door de doolhof van met gesteven linnen bedekte tafels droegen.

Mallory stond tot aan haar enkels in de sneeuw en sloeg dit tafereel gade door de felverlichte ramen boven haar rotstuin. Ze keek naar de sommelier die een cognac opwarmde terwijl Le Comte de Nancy lachte, zijn kronen fonkelend in het licht. En ze keek naar de graaf die een stukje gekruid ananasbrood naar zijn lippen bracht, waarbij zijn oude gezicht plotseling oplichtte van hedonistisch genot.

Mallory bracht een hand naar haar keel van ontroering; dit was haar levenswerk en alles verliep zo stijlvol en moeiteloos. Zo stond ze een poos zwijgend in de koude duisternis naar haar personeel te kijken dat zich wijdde aan het restaurant en de gasten. Uiteindelijk nestelden de vermoeiende gebeurtenissen van die dag zich in haar gewrichten en kort voordat de Saint-Augustin middernacht sloeg, beklom Mallory de trap naar haar zolder waar ze haar lichaam en ziel overgaf aan het ritme van de nacht.

'Ik maakte me zorgen om je,' zei monsieur Leblanc de volgende ochtend verwijtend. 'We konden je nergens vinden. Ik dacht: mijn god, wat heb ik gedaan? Wat heb ik gedaan?'

'*Ah, cher Henri.*' Dat was alle emotie die Mallory kon uiten en opeens was ze heel druk bezig met de knopen van haar vest. 'Je hebt niets verkeerd gedaan,' zei ze luchtig. 'Kom, laten we weer aan het werk gaan. Kerstmis nadert; het is tijd om de foie gras op te halen.'

Madame Degeneret, de foie gras-leverancier van de Treurwilg, woonde op de heuvels boven Clairvaux-les-Lacs. Degeneret was een pittige oude dame van in de tachtig, die haar vervallen boerderij ternauwernood gaande hield met het geld dat ze verdiende met het gedwongen voeren van honderd muskuseenden. En toen Leblanc met de Citroën de slecht onderhouden oprit van de oude boerderij op reed, waggelden bruine eenden met hun koppen hoog opgeheven heen en weer over het terrein.

De oude Degeneret, die gekleed was in een grijze wollen legging en een sjofele trui, was druk in de weer met een zak voer en leek hun komst nauwelijks op te merken. Mallory was opgelucht toen ze zag dat de verweerde oude vrouw nog kerngezond was en achter haar eenden aan rende. Mallory zei in een impuls tegen Leblanc dat hij de foie gras moest uitzoeken terwijl zij buiten bij madame Degeneret zou wachten.

Dat was natuurlijk zeer ongebruikelijk. Mallory stond er altijd op om zelf de levers te keuren omdat niemand anders dat kon. Maar voordat Leblanc kon protesteren, had Mallory een melkkrukje gepakt en was ze naast madame Degeneret gaan zitten. Ze keek naar de artritische, knokige handen die voorzichtig een trechter in de keel van een eend lieten glijden. Dus – wat kon hij nog zeggen? – verdween Leblanc in de schuur, waar het jonge hulpje een tiental eenden plukte en liet leegbloeden, waarna hij de kostbare foie gras en de *magret* verwijderde.

'Gaat het goed met u, madame Degeneret?' vroeg Mallory, terwijl ze een zakdoekje uit haar mouw trok en discreet haar neus afveegde.

'Ik mag niet klagen.'

De oude vrouw trok de trechter uit de krop van de eend en greep een andere kwakende vogel. Maar plotseling stopte ze, keek naar het merkje aan de poot van het dier en liet hem los.

'Jij niet. Ksst. Ga weg.'

De vogel fladderde over het terrein en een handvol jonge eendjes huppelde energiek achter haar aan. De handen van Mallory lagen rustig in haar schoot en de winterzon voelde aangenaam op haar gezicht.

'Waarom die niet?'

'Kan niet.'

'Maar waarom niet?'

'Een paar weken geleden,' zei Degeneret snuivend van verachting, 'kwam een toerist zonder hersenen met zijn auto in volle vaart het terrein op, en hij reed zo over de moeder van die vier jonge eendjes heen. Meestal betekent dat het einde voor de kuikens; de andere eenden pikken ze dood. Maar dit vrouwtje nam de moederloze kuikens onder haar hoede en voegde ze bij haar eigen kroost.'

'O, ik begrijp het.'

'*Non, non, madame.* Die eend blijft leven. Ik maak haar niet dood. Waarom zou ik? Voor een lever? Ik zou geen oog meer dicht doen. Stel je voor, een eend die meer compassie toont dan een mens. Dat kan echt niet.'

Op dat moment kwam Leblanc met twee plastic tassen foie gras uit de schuur tevoorschijn en madame Mallory stond op van haar krukje – ze kon geen woord uitbrengen.

Papa haalde me met de bestelbus van Maison Mumbai op uit het ziekenhuis en na een kort ritje reden we door het open hek van het landhuis van Dufour. De met crêpe omzoomde banieren waren over het voorplein gespannen om me welkom te heten. Een ontvangstcomité – niet alleen mijn familie maar zo'n vijftig inwoners van Lumière – stond onder de banieren en barstte bij onze aankomst uit in luid geklap en gejoel en snerpend gefluit. Ik vond al die aandacht heerlijk en liet me helemaal meeslepen. Ik opende het portier van het busje en zwaaide als een teruggekeerde oorlogsheld.

Het was geweldig om zo thuis te komen. Daar stonden monsieur Iten en zijn vrouw. En madame Picard. En daar waren zelfs de burgemeester en zijn zoon, mijn nieuwe vriend Marcus.

En madame Mallory.

Ze was rechtstreeks van de boerderij van madame Degeneret hiernaartoe gekomen, met een dringende missie.

Papa en ik zagen haar tegelijkertijd, half verscholen achter het groepje. Iedereen voelde meteen dat de stemming omsloeg. Papa was woedend en fronste zijn voorhoofd. De mensen draaiden hun hoofd om te zien waar hij naar staarde. Iedereen stond paf en er werd druk gefluisterd.

Maar madame Mallory negeerde dat alles en liep naar voren, terwijl het groepje uiteenweek om haar door te laten.

'U bent hier niet welkom,' brulde papa vanuit het busje. 'Wegwezen.'

'Monsieur Haji,' riep Mallory terug. Ze stond nu vooraan. 'Ik ben gekomen om u om vergeving te vragen. Alstublieft. Ik smeek het u. Ga niet weg uit Lumière.'

Er werd opgewonden gemompeld.

Papa stond statig op de treeplank van het busje en torende boven iedereen uit. Hij keek Mallory niet aan, maar richtte zich als een politicus tot het volk: 'Nu wil ze dat we blijven, yaar?' bulderde hij. 'Maar daar is het te laat voor.'

'*Mais non*, het is niet te laat,' zei ze. Hij weigerde nog steeds haar aan te kijken, hoewel ze nu aan zijn voeten stond. 'Alstublieft, ik wil dat u blijft. Ik wil dat Hassan bij mij in de keuken komt werken. Ik wil hem Frans leren koken. Ik zal hem een goede opleiding geven.'

Mijn hart sloeg over. En papa was zo verbaasd over dit onverwachte verzoek dat hij eindelijk zijn blik omlaag richtte en de beroemde kok aankeek.

'U bent volkomen gestoord. Nee. Erger nog. U bent ziek. Wie denkt u wel dat u bent?'

'*Ah, merde*, wees niet zo koppig...'

Maar Mallory slikte de rest van de zin in en deed zichtbaar haar best haar woede te bedwingen. Ze haalde diep adem en begon opnieuw. 'Luister, luister naar wat ik zeg. Dit is de kans voor uw zoon om een echte grote Franse chef-kok te worden, een man met een goede smaak, een ware kunstenaar, niet zomaar een currykok in een Indiase bistro.'

'Aahh!! Je wilt het gewoon niet begrijpen.'

Papa stapte van de treeplank en stak zijn indrukwekkende buik agressief naar voren.

'Wat is er toch met u aan de hand?' riep hij, terwijl hij haar dwong achteruit te lopen, door het groepje mensen heen, terug naar het hek. 'Hoort u niet wat ik zeg? Nou? We hebben een hekel aan u. U bent een verdorde oude vrouw. We willen niets met u te maken hebben.' En toen hij klaar was met zijn tirade, stond ze weer op de keitjes van de straat.

Alleen.

Het groepje binnen het hek begon te juichen.

Mallory glimlachte vaag, streek een paar losse haren achter haar oor en liep in haar eentje naar het restaurant. Ook wij keerden ons om en gingen naar binnen. Maar ik zou liegen als ik niet zou toegeven dat ik diep in mijn buik een klein beetje spijt voelde toen we Mallory's ongelooflijke aanbod lieten voor wat het was en onze aandacht richtten op mijn onstuimige welkomstfeest.

Maar madame Mallory was niet alleen, want monsieur Leblanc had alles gezien van achter het gordijn van het restaurant, en hij haastte zich naar de deur om haar te verwelkomen en teder haar hand in de zijne te nemen. En iedereen die zijn gebogen, kalende hoofd had gezien zou hebben geweten dat er in zijn handkus niets anders lag dan diep respect en genegenheid.

En op het moment dat die lippen de rug van haar hand raakten, begreep madame Mallory hoe groot de toewijding en liefde van Leblanc waren, en ze hapte naar adem, haar hand meisjesachtig tegen haar borst. Want eindelijk begreep Mallory hoe gelukkig ze zich moest prijzen dat ze zo'n goede en fatsoenlijke vriend aan haar zijde had, en het was deze liefdevolle steun van Leblanc die haar het gevoel gaf dat ze in naam van de rechtvaardigheid alles kon doorstaan.

Wij stonden feest te vieren onder de flitsende discolampen in het restaurant, dus geen van ons was zich bewust van wat er in alle stilte gebeurde bij de voordeur van Maison Mumbai. Maar de getikte, oude Ammi merkte het wel. Ze liep de garage uit, tegen zichzelf pratend over god mag weten wat, en botste bijna tegen madame Mallory op.

Ammi liep rondjes terwijl de chef-kok rustig een houten stoel midden op het voorpleintje zette.

Terwijl ze drie grote flessen Evian onder de stoel zette.

Terwijl ze ging zitten, een geruite deken over haar knieën legde en haar armen over haar borst kruiste. Terwijl de zon achter de bergen verdween.

'Hè?' zei Ammi, lurkend aan haar pijp. 'Wat doe jij hier?'

'Zitten.'

'Haar,' zei Ammi, 'goeie plek.' En ze ging verder met haar rondjes. Maar misschien drong er toch iets tot haar vertroebelde geest door, want uiteindelijk ging ze terug naar het feest, drong zich tussen de wervelende lichamen door en trok aan papa's koerta.

'Bezoek.'

'Hoe bedoel je bezoek?'

'Buiten. Bezoek.'

Papa zwaaide de voordeur open en een kille wind woei door de gang.

Geloof me, zijn kreet bracht het hele feest tot stilstand.

'Ben je doof? Ben je gestoord? Ik zei dat je moest verdwijnen.'

We druppelden allemaal naar buiten en gingen op het ijskoude bordes staan om te zien wat er aan de hand was.

Madame Mallory staarde recht voor zich uit alsof ze alle tijd van de wereld had. 'Ik blijf zitten waar ik zit,' zei ze bedaard. 'Ik blijf hier tot je Hassan toestemming geeft om voor mij te komen werken.'

Papa lachte honend en de meesten van ons deden met hem mee.

Maar ik niet. Deze keer niet.

'U bent gestoord,' sneerde papa. 'Dat zal nooit gebeuren. Maar doe wat u wilt. U mag hier best blijven. Tot u wegrot. Dag, hoor.'

Hij deed de deur dicht en wij keerden terug naar onze feestelijkheden.

Vroeg in de avond kwam het feest ten einde. Onze gasten gingen weg door de voordeur, druk babbelend met elkaar en stomverbaasd toen ze ontdekten dat madame Mallory nog steeds op het pleintje zat.

'*Bonsoir, madame Mallory.*'

'*Bonsoir, monsieur Iten.*'

De opwinding van mijn thuiskomst was te veel voor me en ik liep de trap op naar mijn kamer terwijl de rest van de familie aan het werk ging om het diner voor te bereiden. Ik was zo blij dat ik eindelijk weer in mijn torenkamertje was, omringd door mijn eigen spullen – mijn cricketslaghout en de Che Guevara-poster en mijn cd's. Maar de wereld kon wachten en ik ging op bed liggen, te moe om onder het dekbed te kruipen.

Ik werd laat in de avond wakker en hoorde het rumoer van de eetzaal. Ik ging naar mijn raam; water druppelde uit de dakgoot.

Daar was ze, beneden, ingepakt in een zware overjas. Iemand had haar inmiddels dekens gegeven en ze zat diep ingegraven als een ijsvisser geduldig te wachten in de nacht. Haar hoofd was omwikkeld met een flanellen sjaal en ik herinner me dat er bij iedere uitademing een zuil condens opsteeg uit haar mond. Er arriveerden gasten die, niet precies wetend wat de etiquette was in een dergelijk ongebruikelijke situatie, stopten om een ongemakkelijk praatje met haar te houden, doorliepen en haar bij hun vertrek tegen middernacht weer het beste wensten.

'Is ze er nog steeds?'

Ik draaide me om en zag de kleine Zainab in haar pyjama, wrijvend in haar ogen. Ik nam haar voorzichtig in mijn armen en we gingen op de vensterbank zitten om naar het eenzame figuurtje op het voorpleintje te kijken. We zaten daar een tijdje, bijna in trance, tot we een vreemd geluid hoorden dat niet bij het rumoer van het restaurant hoorde. Het was een onaangenaam soort gekletter. Ammi had vast weer een van haar gesprekken met het verleden en we liepen de gang in om haar te helpen terug te keren naar de werkelijkheid.

Papa.

Hij tuurde naar buiten door het raam in de gang, verborgen achter het gordijn. 'Wat moet ik doen, Tahira?' hoorden we hem mompelen. 'Wat moet ik doen?'

'Papa.'

Hij schrok en liet het gordijn los.

'Hè? Waarom besluipen jullie me?'

Zainab en ik keken elkaar aan en papa stormde langs ons heen de trap af.

Madame Mallory zat die hele nacht en de volgende dag op de stoel.

Het nieuws verspreidde zich en haar hongerstaking werd het gesprek van de dag in de vallei. Rond het middaguur had zich een groep van drie rijen dik verzameld bij het hek van Maison Mumbai; tegen vier uur 's middags stond er een lokale verslaggever van *Le Jura* bij het hek die met zijn lange lens tussen de spijlen de ene na de andere foto maakte van het ineengedoken figuurtje dat daar zo onverzettelijk midden op ons voorpleintje zat.

Toen papa dat zag – door het raam in de gang boven – ging hij volledig door het lint. 'Ga weg,' riep hij. 'Weg. Ksst.'

Maar de dorpelingen bleven staan waar ze stonden aan de andere kant van het hek.

'Dit is niet uw terrein. We mogen hier gewoon staan.'

Jongens uit de buurt jouwden hem uit en zongen: 'Haji is een tiran. Haji is een tiran.'

'Monsieur Haji,' riep de verslaggever. 'Waarom behandelt u haar zo?'

Papa's gezicht trilde van ongeloof. 'Ik háár? Zij probeert mijn bedrijf te gronde te richten. Ze heeft mijn zoon bijna vermoord!'

'Dat was een ongeluk.' Het was madame Picard die sprak.

'U ook al?' vroeg hij vol verbazing.

'Vergeef het haar.'

'Ze is maar een dwaze oude vrouw,' zei iemand anders.

Papa keek de menigte boos aan.

Hij keerde zich om en liep naar madame Mallory toe.

'Hou op! Hou hier onmiddellijk mee op. U wordt nog ziek. U bent te oud voor dit soort onzin.'

En het was waar. De bejaarde vrouw was volkomen verstijfd en als ze haar hoofd wilde draaien moest haar hele romp mee.

'Laat Hassan voor me werken.'

'Vries maar dood. Doe vooral wat u niet laten kunt.'

Ik herinner me nog dat ik die avond, voor het slapengaan, weer met mijn zusje Zainab in het raam van mijn torenkamer zat. We keken naar de oude Française voor het huis. Ze had haar armen over elkaar, vastberaden. Het maanlicht en de wervelende wolken boven haar hoofd werden gevangen in de poelen van de onregelmatige keitjes aan haar voeten en naar ons weerkaatst.

'Wat gaat er met haar gebeuren?' vroeg Zainab. 'Wat gaat er met ons gebeuren?'

Ik streelde haar haar. 'Ik weet het niet, kleintje. Ik weet het niet.'

Maar dat was het moment dat ik overliep naar de andere kant en stiekem de oudere vrouw begon toe te juichen. En ik denk dat de kleine Zainab dat moet hebben gevoeld, want ik herinner me dat ze in mijn hand kneep en knikte, alsof alleen zij begreep wat er gedaan moest worden.

Papa lag die nacht te woelen in zijn bed en stond drie keer op om uit het raam te kijken. Wat hem het meest dwars zat, was het idee dat Mallory passief verzet gebruikte om te krijgen wat ze wilde. Dat was natuurlijk dezelfde methode waarmee Gandhi het moderne India had gecreëerd, en het was onverdraaglijk dat ze die methode tegen ons gebruikte, om gek van te worden. Ik kan je vertellen dat papa in deze periode het toonbeeld was van een man onder grote druk. Hij lag half wakker, half slapend in zichzelf te mompelen.

Rond vier uur die ochtend vulde de gang zich met gekraak.

Papa en ik werden onmiddellijk wakker van het geluid – ik in mijn kamer, hij in de zijne –en we klommen uit bed om te zien wat er aan de hand was. 'Hoor jij het ook?' fluisterde hij terwijl we door de gang slopen, onze nachthemden rimpelend in de koude lucht.

'Ja.'

Lichtgevende gedaanten zweefden over de trap.

'Wat zijn jullie aan het doen?' brulde papa, terwijl hij de plafondlamp aandeed.

Tante en Ammi gilden en lieten een bord vallen. Het viel kapot op de treden en drie stukken naan en een fles Evian rolden de trap af. We richtten onze blikken op de twee boosdoeners. Ammi had een po in haar handen.

'Voor wie is dat? Voor wie is dat?'

'Je bent een monster, Abbas,' gilde tante. 'Die arme vrouw. Ze verhongert. Je vermoordt haar nog.'

Papa greep Ammi en tante ruw bij de ellebogen en sleurde ze de trap weer op. 'Iedereen terug naar bed,' riep hij. 'Morgen laat ik die vrouw weghalen. Genoeg! Ik sta dit niet langer toe. Ze bezoedelt de herinnering aan Gandhi door die tactieken tegen ons te gebruiken.'

Natuurlijk deed niemand daarna nog een oog dicht en we waren allemaal vroeg op, om papa gade te slaan die voor de telefoon heen en weer liep. Uiteindelijk wezen de zich voortslepende wijzers de juiste tijd aan en belde papa zijn advocaat om de politie te verzoeken Mallory weg te halen wegens het betreden van verboden terrein.

Over de hele familie was een grote somberheid neergedaald en we speelden zwijgend met ons ontbijt dat uit aardappelen bestond, terwijl papa maar door praatte aan de telefoon. Alleen Ammi at gewoon haar bord leeg.

Maar die ochtend ontdekten we dat Zainab uit hetzelfde hout gesneden was als papa. Terwijl papa in de telefoon stond te loeien, liep ze naar hem toe en trok aan zijn koerta, zonder een spoortje angst.

'Hou op, papa. Ik vind dit niet leuk.'

De uitdrukking op zijn gezicht... mijn god, het was afschuwelijk.

Ik deed een stap naar voren en pakte haar hand. 'Ja, papa. Het is tijd om ermee te stoppen. Nu.'

Ik zal dat moment nooit vergeten. Zijn mond hing open, zijn romp was bevroren in een vreemde draai – half pratend in de telefoon, half naar zijn twee kinderen gewend. Zainab en ik bleven vastberaden staan, wachtend op het geschreeuw of de klap, maar hij richtte zijn aandacht weer op de telefoon en zei tegen zijn advocaat dat hij hem terug zou bellen.

'Wat zeg je? Ik geloof dat ik jullie niet goed heb verstaan.'

'Papa, als Hassan een Franse chef-kok wordt, betekent dat dat we hier blijven en dat dit ons thuis wordt. Dat is toch goed? Ik heb genoeg van verhuizen, papa. Ik wil niet terug naar het druilerige Engeland. Ik vind het hier fijn.'

'Mammie zou niet willen dat we weer wegvluchtten,' voegde ik eraan toe. 'Kun je haar niet horen, papa?'

Papa staarde ons ijskoud aan, alsof we hem hadden verraden, maar langzaam aan verdween de hardheid uit zijn gezicht en het was wonderlijk om te zien, alsof we naar een koude klont ganzenvet keken die smolt in een hete pan.

De berglucht was helder en schoon, net als die dag drie maanden eerder dat we in Lumière aankwamen, en het beroemde ochtendlicht zette de bergen in een roze, mauve en lichtbruine gloed.

'Madame Mallory,' riep papa nors naar buiten. 'Kom met ons ontbijten.'

Maar de chef-kok had geen kracht meer om haar hoofd te draaien. Haar huid was lijkbleek, en haar neus, zo herinner ik me, was donkerrood en schraal, met druppels snot aan het puntje. 'Beloof me,' kraakte ze met zwakke stem, nog steeds recht voor zich uit starend door een kleine opening tussen de dekens, 'beloof me dat Hassan voor me mag komen werken.'

Papa vertrok zijn gezicht uit ergernis over de stijfkoppigheid van de vrouw en hij stond alweer op het punt zijn zelfbeheersing te verliezen. Maar hij voelde de kleine Zainab – zijn geweten – die naast hem stond en waarschuwend aan zijn gewaad trok. Hij haalde diep adem en blies hard uit.

'Wat denk je, Hassan? Wil je de Franse keuken leren kennen? Wil je voor deze vrouw werken?'

'Ik wil niets liever in deze wereld.'

Ik denk dat de gretigheid van mijn antwoord, waarin de onweerstaanbare roep doorklonk van het lot, voor hem voelde als een fysieke klap, en even kon hij niets anders doen dan naar de barsten in de keien onder zijn voeten turen, steunend op Zainab. Maar toen er genoeg tijd voorbij was gegaan, hief hij zijn hoofd op. Hij was een goede man, mijn papa.

'U hebt mijn woord, madame Mallory. Hassan, jij gaat in de keuken van Le Saule Pleureur werken.'

De vreugde die ik voelde was te vergelijken met die ongelooflijke romige explosie als je je tanden in een *religieuse*-taartje zet. Maar Mallory had niet de verwaande glimlach van de winnaar om haar lippen. Haar gezicht straalde eerder nederigheid en opluchting uit, en sombere dankbaarheid voor het offer dat mijn vader had gebracht. En ik denk dat papa dat waardeerde, want hij plantte zijn voeten stevig voor haar op de grond, zodat hij zijn evenwicht niet zou verliezen, en strekte zijn handen naar haar uit.

En ik herinner me als de dag van gisteren het moment

waarop ze haar handen in de zijne legde en hij haar met een grom overeind trok. En de manier waarop mijn toekomstige bazin langzaam en krakend oprees uit haar stoel op het pleintje. Ook dat herinner ik me.

Tante en Mehtab hielpen me de volgende dag mijn tas in te pakken en daarna stak ik de straat over. Dit wandelingetje van dertig meter, met mijn kartonnen koffer in de hand, van de ene kant van de straat naar de andere, was zeer beladen. Voor me zag ik de met poedersuiker bedekte wilg, de glas-in-loodramen met de kanten vitrages, de stijlvolle herberg waar zelfs de kromgetrokken houten trap doordrenkt was van de grote Franse traditie. En daar op het stenen bordes van Le Saule Pleureur stonden de zwijgzame madame Mallory en de vriendelijke monsieur Leblanc, met witte schorten aan, als een ouder echtpaar dat met uitgestrekte armen op hun pas geadopteerde zoon wachtte.

Ik liep naar hen toe, en naar mijn nieuwe thuis en naar het groeiproces dat ik nog moest doorlopen – als leerling van de Franse keuken, als dienaar van de keuken. Maar achter mij lag de wereld waar ik vandaan kwam: kleine Zainab en Ammi met haar waterige oogjes, braam-tikka en Kingfisher-bier, het gekweel van Hariharan, de spetterende olie in de kadai met erwten en gember en chili.

En toen ik langs papa liep, die bij het ijzeren hek stond om me uitgeleide te doen, zoals dat hoort bij iedere nieuwe generatie, huilde hij ongegeneerd en veegde hij zijn bedroefde gezicht af met een witte zakdoek. En de woorden die hij sprak staan in mijn geheugen gegrift: 'Lieve jongen, vergeet niet dat je een Haji bent. Vergeet dat nooit. Een Haji.'

In meters was het een kort tochtje, maar het voelde alsof ik van het ene uiteinde van het heelal naar het andere liep, over een pad dat baadde in het licht van de Jura.

12

Mijn kamer in Le Saule Pleureur lag helemaal boven in het huis, in het smalle gangetje waar ook het appartement van madame Mallory op uit kwam. In de winter was het ijskoud in mijn kloostercel; in de zomer was het er onverdraaglijk heet en stoffig. Voor de badkamer moest ik een halve trap af aan het einde van de gang.

Die dag van mijn verhuizing naar Le Saule Pleureur stond ik voor het eerst in mijn eentje in dat zolderkamertje dat de komende jaren mijn thuis zou zijn. Het rook er naar oude mensen en een verdelgingsmiddel dat lang geleden rond was gespoten. Op de muur vlak boven mijn bed hing, naast een klein spiegeltje, een crucifix met een broodmagere, hevig bloedende Christus. Een kledingkast van donker hout, met twee oude cederhouten hangertjes erin, leek me kwaadaardig aan te staren vanuit de hoek van de kamer tegenover het smalle bed. Er was nauwelijks genoeg ruimte om me te keren. Hoog in de muur zat een raampje, dat uitzicht bood op het geveldak, maar dat was niet genoeg om de benauwdheid wat te verlichten.

Ik zette mijn koffer neer. Waar was ik aan begonnen?

Ik was – dat wil ik best toegeven – volledig van mijn stuk gebracht door deze sobere kamer, die zo katholiek was en zo ver afstond van alles waarmee ik was opgegroeid, en een bijna hysterische stem in mijn hoofd schreeuwde dat ik als een haas terug moest keren naar de veiligheid en het comfort van mijn vrolijke slaapkamer in Maison Mumbai.

Maar op dat moment werd mijn aandacht getrokken door een boek op het nachtkastje en ik liep ernaartoe om het te bekijken. Het was een dik slagersboek met vergeelde bladzijden en gedetailleerde illustraties die lieten zien hoe je verschillende dieren, van runderen tot konijnen, in stukken moest snijden.

Tussen de bladzijden lag een open enveloppe.
Het handgeschreven briefje erin was van madame Mallory. Ze heette me in formele, ouderwetse bewoordingen welkom en vertelde hoezeer ze ernaar uitkeek om mij als leerling in haar keuken te hebben. Ze spoorde me aan om de komende jaren hard te werken en zo veel mogelijk kennis op te zuigen, ze zou voor me klaarstaan en me op iedere mogelijke manier helpen. Om ons avontuur te beginnen, zo ging ze verder, moest ik dit slagershandboek uit Lyon aandachtig bestuderen.

Haar brief had precies de juiste toon en een rauwe mannelijke stem in mijn hoofd zei plotseling dat ik moest ophouden met die aanstellerij. Dus vergewiste ik me ervan dat madame Mallory en Leblanc de deur goed achter zich dicht hadden gedaan en draaide ik hem op slot. Gerustgesteld dat ik niet zou worden gestoord, ging ik op het bed staan en haalde het angstaanjagende crucifix van de muur. Ik verstopte hem diep achter in de klerenkast, zodat hij geheel aan het zicht onttrokken was. Toen pakte ik eindelijk mijn tas uit.

Die eerste dagen van mijn leertijd had ik een terugkerende droom waarvan me nu duidelijk is dat hij veel betekenis had. In die droom liep ik langs een groot wateroppervlak toen er plotseling uit de diepte een lelijke oervis – plat en rond, met een stierenkop – tevoorschijn kwam en het strand op kroop. Door zijn vinnen te gebruiken als primitieve poten duwde hij zichzelf met veel moeite op het droge. En daar rustte de vis, uitgeput van de herculische arbeid, met zijn staart nog in het water, zijn kop op het droge zand. Zijn kieuwen openden en sloten zich zwaar, als blaasbalgen. Hij schrok van deze nieuwe amfibische toestand; de helft van zijn lichaam in de ene wereld en de andere helft in een compleet nieuwe wereld.

Maar eerlijk gezegd had ik weinig aandacht voor deze zaken of de inrichting van mijn vertrek, want vanaf die eerste middag was ik zelden op zolder, behalve om mijn hoofd op het kussen te leggen en in een diepe slaap weg te zinken.

Mijn wekker ging iedere ochtend om tien over halfzes. Twintig minuten later ontbeet ik met madame Mallory in haar zolderkamer. Zij onderwierp me aan een bombardement van vragen over wat ik in de afgelopen vierentwintig uur had bestudeerd, en legde zo de intellectuele basis voor de praktijklessen later die dag in de keuken.

Als ze klaar was met het mondelinge verhoor, gingen we meteen naar de markt om mijn opleiding voort te zetten, waarna we met onze aankopen terugkeerden naar het hotel waar de werkdag pas echt begon. De eerste zes maanden van mijn leertijd liet madame Mallory me alle mogelijke simpele klusjes doen. Eerst waste ik alleen maar af, dweilde ik de vloer en maakte ik de groenten schoon. De maand daarop werkte ik in de bediening. Gekleed in een tuniek en met witte katoenen handschoenen aan, bracht ik de broodjes naar de tafels, waarbij ik de opdracht kreeg om het ballet te observe-

ren dat zich voor mij ontvouwde, of ik moest in de stille uurtjes de eetzaal klaarmaken. Mallory volgde me dan persoonlijk van tafel naar tafel en klakte geërgerd met haar tong als
ik een van de zilveren lepels niet met militaire precisie even-
wijdig legde aan de rest van het bestek.

Zodra ik daar een beetje mijn draai had gevonden, werd ik
weer de keuken in gestuurd, nu om uren achter elkaar wilde
duiven, kwartels en fazanten te plukken en schoon te maken,
tot mijn armen er bijna af vielen. Chef de cuisine Jean-Pierre
blafte me in deze periode aan één stuk door af en aan het einde van de dag kon ik nauwelijks meer staan door mijn stijve
rug. Daarna volgde een periode naast monsieur Leblanc bij
de receptie, waar ik reserveringen aannam en leerde hoe je de
tafels zo moest indelen dat je geen vaste gasten voor het hoofd
stootte.

Maar nog steeds had ik geen enkele keer gekookt.

Iedere dag werkte ik tot halfvier, als de middagpauze begon die de Franse hoteliers het 'slaapkameruurtje' noemen,
en ik naar mijn cel op zolder kroop om een tukje te doen dat
eigenlijk meer leek op een coma. Vroeg in de avond stommelde ik met wazige blik de trap weer af voor mijn volgende les:
dertig minuten wijnproeven en bijbehorende lectuur bestuderen, onder leiding van de sommelier van Le Saule Pleureur.
Daarna begon mijn reguliere dienst, die tot middernacht
duurde. De volgende dag ging de wekker weer genadeloos af
om tien over halfzes en dan begon de tirannie van de werkdag
van voren af aan.

Maandag was mijn vrije dag en dan had ik net genoeg energie om naar de overkant van de straat te strompelen, naar het
landhuis van Dufour, waar ik me op onze oude bank liet vallen.

'Moet je varkensvlees van ze eten?'

'Arash, hou op met die domme vragen. Laat je broer met rust.'

'Maar moet dat van ze, Hassan? Heb je varkensvlees gegeten?'

'Je ziet er zo mager uit. Volgens mij hongert die vrouw je uit.'

'Neem hier wat van, Hassan. Ik heb het speciaal voor jou gemaakt. *Malai peda*. Met bloemenhoning.'

Ik lag languit op de bank als een Mogolprins terwijl tante en Mehtab mij zoetigheden en thee met melk voerden. Oom Mayur, Ammi, Zainab en mijn broers sleepten stoelen naar me toe om met open mond te luisteren naar de brokjes informatie die ik ze gaf over het heilige der heiligen van Le Saule Pleureur aan de overkant van de straat.

'Morgen staat er *palombe*, houtduif, op het menu. Ik heb twee dagen lang duiven geplukt en schoongemaakt. Heel zwaar werk. Mehtab, wil je alsjeblieft mijn schouders masseren? Zie je hoe verkrampt ze zijn van al het werk? We maken *salmis de palombes*, dat is een heel rijke duivenpastei met een saus van Merlot en sjalotjes. Je kunt hem het best serveren met...'

Papa gedroeg zich heel vreemd in deze periode. Hij begroette me vol warmte bij de deur en sloeg zijn armen om me heen zodra ik binnenkwam. Daarna trok hij zich terug naar de achtergrond en bleef hij op een afstandje, terwijl de rest van de familie de kamer in droomde. Om de een of andere reden nam papa nooit deel aan de rituele ondervraging over mijn werk door de familie, maar hing hij wat rond achter in de kamer en deed hij alsof hij druk bezig was met een of ander klusje aan het antieke bureau, zoals het opensnijden van rekeningen met een ivoren briefopener, maar ondertussen luisterde hij aandachtig naar ieder woord, ook al stelde hij zelf geen enkele vraag.

'Ik heb de hele week geleerd over de Languedoc-Roussillon, de wijnregio in de buurt van Marseille. Daar maken ze enorme hoeveelheden wijn, maar toch produceren ze slechts tien procent van de nationale Appellation Controlée.' Toen ik zag hoe ze elk woord dat over mijn lippen kwam opzogen, kon ik het niet laten om er met een aanstellerig handgebaar aan toe te voegen: 'Ik raad de Fitou en de Minervois aan. De Corbières is nogal teleurstellend, vooral de productie van de recente jaren.'

Ze oeh-den en ah-den braaf.

'Ongelooflijk,' zei oom Mayur. 'Stel je voor. Onze Hassan weet alles van Franse wijnen.'

'En hoe is Mallory? Slaat ze je?'

'Nee, nooit. Dat is ook niet nodig; één opgetrokken wenkbrauw en we rennen rond als nerveuze kippen. Iedereen is bang voor haar. Maar Jean-Pierre, haar nummer twee, die schreeuwt en slaat op mijn hand. Heel vaak.'

Rats, rats, klonk er van de andere kant van de kamer.

Pas later op de dag, toen ik vol zat met ons eigen eten en ik voldoende was vertroeteld en geaaid door de familie en eindelijk klaar was om met hernieuwde vastberadenheid terug te keren naar Le Saule Pleureur, riep papa me officieel bij zich voor een persoonlijk gesprek. Hij gebaarde me aan zijn bureau te gaan zitten, legde zijn vingertoppen tegen elkaar en zei met plechtige stem: 'Zeg eens, Hassan, heeft ze je geleerd hoe je tong moet maken? Met die Madeirasaus?'

'Nog niet, papa.'

Zijn gezicht vertrok van teleurstelling.

'Nee? Hmm. Ik ben niet erg onder de indruk. Misschien is ze niet zo goed als we denken.'

'Nee, papa. Ze is een fantastische kok.'

'En die schurk, Jean-Pierre? Weet hij dat je uit een belangrijke familie komt? Nou? Moet ik die kerel een lesje leren?'

'Nee, papa. Dank je wel. Ik red me wel.'

Kort gezegd, ik liet papa nooit blijken hoe moeilijk de overgang was in die eerste paar maanden, hoe erg ik hem en de rest van de familie miste en hoe gefrustreerd ik was over het werk dat ik in die begintijd in Le Saule Pleureur moest doen.

Want ik wilde dolgraag mijn handen vuil maken met het echte kokswerk, maar madame Mallory liet me niet in de buurt van een fornuis komen en mijn frustratie kwam tot een uitbarsting toen ik op een late ochtend op bevel van Jean-Pierre de trap op liep om gloeilampen uit de voorraadkast op de derde verdieping te halen.

Madame Mallory liep op dat moment de trap af, zo fris als een hoentje, op weg naar de oprit waar monsieur Leblanc wachtte in de stationair draaiende Citroën om haar naar een partijtje in de stad te brengen.

Chef Mallory trok bruine leren handschoenen aan en had een zware wollen sjaal om haar schouders geslagen. Het smalle trappenhuis vulde zich met haar Guerlain-parfum en ik drukte me respectvol tegen de muur om haar langs te laten. Maar ze stopte twee treden boven mij en tuurde omlaag door de duisternis.

Ik zag er ongetwijfeld bleek en zwak en misschien wel uitgeput uit.

'Hassan, zeg eens, heb je spijt van je beslissing om hier te komen?'

'*Non, madame.*'

'Het werk is heel zwaar. Maar je zult zien, op een dag word je wakker en *voilà*, je hebt een tweede adem. Het lichaam past zich aan.'

'Ja, dank u, chef.'

Ze liep verder de trap af, en ik liep verder naar boven, en ik weet niet wat me bezielde, hoe ik zo brutaal durfde te zijn, maar ik flapte eruit: 'Maar wanneer mag ik eindelijk koken? Of blijft het bij wortels schillen?'

Ze stopte in het donker maar draaide haar hoofd niet om. 'Je mag beginnen met koken als het moment daar is.'

'Maar wanneer is dat?'

'Geduld, Hassan. We merken het vanzelf als je er klaar voor bent.'

'Concentreer je. In welke wateren leeft de *Ostrea lurida*?'

'Eh... bij Bretagne?'

'Fout. Helemaal fout, jongeman.'

Madame Mallory staarde me aan met haar hooghartige blik, één wenkbrauw opgetrokken. Het was kwart over zes in de ochtend en we zaten zoals gewoonlijk bij haar toren-raam koffie te nippen uit verfijnd Limoges-porselein. Ik was duf van de slaap.

'De *Ostrea edulis* is de oester die bij Bretagne leeft. Hassan, echt, dit zou je moeten weten. Twee weken geleden hebben we de *Ostrea lurida* bestudeerd. Hier is het boek over schelpdieren weer. Lees het. En nu goed.'

'*Oui, madame*... O ik weet het weer. De *lurida* is de piep-kleine oester die alleen maar in een paar baaien van de noord-westkust van de Verenigde Staten leeft. In Puget Sound.'

'Juist. Ik heb ze zelf nooit gegeten, maar ik heb begrepen dat ze heerlijk naar zeewier, jodium en hazelnoot smaken. Een van de beste soorten ter wereld. Ik kan maar moeilijk geloven dat ze lekkerder zijn dan een goede Bretonse oester, maar sommige mensen vinden dat nou eenmaal. Het is een kwestie van smaak.'

Ze leunde naar voren en viel aan op de schaal vruchtensa-lade midden op tafel. Ze werkte iedere ochtend en indruk-wekkende hoeveelheid voedsel naar binnen, de brandstof voor haar strikte dagschema. Ze had veel meer gemeen met papa dan die twee wilden toegeven.

'Tegenwoordig zijn de Europese markten besmet met een buitenlandse importoester. Wat is de naam van deze indringer? En vertel in het kort zijn geschiedenis.'

Ik zuchtte. Wierp een steelse blik op mijn horloge. 'Vult u vandaag de kalfsborst?'

Mallory spoog discreet de pit van een gestoofde pruim op een zilveren lepel en legde hem op de rand van haar bord.

'*Ah, non.* Probeer maar niet van onderwerp te veranderen, Hassan. Dat werkt niet.'

Ze zette haar bord neer. En staarde in het niets.

'*Crassostrea gigas*, een Japanse oester, ook wel de Pacifische oester genoemd, domineert sinds de jaren zeventig de markt in Europa.'

Ze glimlachte, koeltjes weliswaar, maar toch, het was een glimlach.

Later die dag kreeg ik voor het eerst een glimp te zien van wat me te wachten stond, toen madame Mallory in de koude keuken van Le Saule Pleureur over de gootsteen gebogen stond en mij spontaan een klopje op mijn wang gaf omdat ik een bepaald soort *creuses de Bretagne* had herkend door alleen maar een theelepel van het zilte vocht te proeven.

Het was echt een vriendelijk gebaar, bedoeld als blijk van genegenheid en goedkeuring, maar eerlijk gezegd bezorgde dat tikje tegen mijn wang met die droge, stijve hand, me kippenvel. En mijn onbehagen werd nog versterkt door het feit dat ze haar chef de cuisine opdracht had gegeven een bepaald oestergerecht aan ons te laten zien, waarna Jean-Pierre, die aan het fornuis stond, me woedend aankeek over haar schouder.

Op dat moment wist ik dat er problemen in het verschiet lagen, maar aangezien ik de gebeurtenissen niet kon sturen, negeerde ik het rood aangelopen gezicht van Jean-Pierre en richtte ik al mijn aandacht op zijn handen. Ik keek hoe die handen de *Sauternes sabayon*-saus voor de oesters bereidden, hoe ze snel en vakkundig ingrediënten bij elkaar deden in de hete pan, terwijl madame Mallory maar door praatte en tot in de kleinste details uitleg gaf over de magische transformaties die in de schroeiende hitte plaatsvonden, zich volkomen onbewust van de emoties die ze had losgemaakt in haar chef de cuisine.

Ik was een slaaf van het ritme van Le Saule Pleureur, maar klampte me nog vast aan de deurknop van Maison Mumbai en deze vreemde overgangsfase staat me nu weer levendig voor de geest als ik terugdenk aan die keer dat madame Mallory en ik ongeveer twee maanden na mijn verhuizing vroeg in de ochtend naar de markt gingen om boodschappen te doen als onderdeel van mijn opleiding.

Tijdens de eerste ronde over de markt liet madame Mallory mij verschillende koolsoorten ruiken en proeven – savooiekool, als kleine mollige cancandanseressen die provocerend hun gerimpelde, groene petticoats lieten uitwaaieren zodat we een glimp opvingen van hun delicate, bleke binnenbladeren, en de reusachtige rode kool met zijn diepe kleur, als een bon vivant die zich te goed heeft gedaan aan robijnrode port voordat hij vrolijk op de toonbank van het kraampje belandde.

'Wat je moet weten, Hassan, is dat koolrabi de brug is tussen de kool en de raap en dat hij de smaken van beide groenten combineert. Onthoud dat. Het is een subtiel maar belangrijk onderscheid op basis waarvan je kunt beslissen welke van deze groenten ideaal is bij een bepaald gerecht en welke niet.'

Het moet gezegd: op die tochtjes was Mallory het toonbeeld van geduld. Ze boog zich naar me toe, met de rieten manden aan haar armen, om mijn zachte stem te kunnen horen en was bereid om al mijn vragen te beantwoorden, hoe kinderlijk en basaal ook.

'In dit deel van Frankrijk hebben we een voorkeur voor de Wener witte en de Wener blauwe koolrabisoorten. De *navet de Suède* is heel anders, een robuuste knol die in het wild in de Baltische regio groeide, voordat de Kelten hem naar het zuiden brachten en hij in Frankrijk werd gekweekt. Dat was natuurlijk duizenden jaren geleden, maar naar mijn mening overtreft de Zweedse koolrabi alle andere varianten, vanwege de zoete smaak die deze soort in de loop van de tijd door de teelt heeft verkregen. Bij madame Picard zouden we de gele en zwarte navets moeten kunnen vinden...'

We keken allebei op om ons te oriënteren en het kraampje van madame Picard te zoeken. Tot onze grote verrassing zagen we papa voor het stalletje van de Franse weduwe. Hij stond met zijn voeten stevig uit elkaar, een hand op zijn heup, en de andere zwaaiend door de lucht. Hij praatte opgewonden en ik denk dat ik het me heb ingebeeld – hij stond ver van ons vandaan – maar in mijn herinnering vlogen er spuugbelletjes als vuurwerk uit zijn mond.

Madame Picard, die er ruig uitzag met haar legerlaarzen, de gebruikelijke vele lagen zwarte rokken en truien en dat warrige haar, legde haar hoofd in haar nek en lachte om papa's verhaal. Ze schudde zo hard van het lachen dat ze haar hand op papa's onderarm moest leggen om zich staande te houden.

Ik schrompelde ineen toen ik ze zo samen zag en wilde meteen omdraaien, maar madame Mallory, die misschien mijn instinctieve vluchtneiging opmerkte, legde haar hand om mijn elleboog en duwde me naar voren.

'*Bonjour, madame Picard. Et vous, monsieur Haji.*'

Papa en madame Picard hadden ons niet zien aankomen en stonden nog steeds te lachen. Maar hun vrolijkheid verdween onmiddellijk bij de klank van die bekende stem. Papa nam zelfs een soort verdedigende houding aan toen hij zich omdraaide, maar toen hij mij zag, verscheen er een flikkering van onzekerheid in zijn ogen, alsof hij niet wist hoe hij zich moest gedragen. Maar dat gold voor ons allemaal; ik op de markt met madame Mallory en papa met Picard aan de 'andere kant'; we voelden ons allemaal opgelaten.

'Hallo, chef Mallory,' zei papa ongemakkelijk. 'Mooie dag. En ik zie dat u uw meest getalenteerde leerling hebt meegenomen.'

'Hallo, papa. *Bonjour, madame Picard.*'

De weduwe Picard bekeek me van top tot teen, op die Franse manier.

'Wat zie jij er indrukwekkend uit, Hassan. *Le petit chef.*'

'En hoe gaat het met mijn jongen? Is hij al klaar om uw plaats in te nemen?'

'Geen sprake van,' zei madame Mallory stijfjes. 'Maar hij is een snelle leerling, dat moet ik hem nageven.'

We stonden wat verloren bij elkaar. Niemand wist hoe het verder moest, totdat madame Mallory naar een mand achter in het kraampje wees en zei: 'Kijk daar, Hassan, precies zoals ik zei. Maar dit zijn de witte *navets de Suède*, niet de gele of de zwarte die ik hoopte te vinden.' Ze boog zich naar voren, alsof papa er niet was, en zei: 'Hebt u toevallig ergens nog een paar van de minder bekende varianten verborgen?'

Op papa's gezicht verscheen een vreemde uitdrukking – niet boos, eerder perplex, als iemand die zojuist had begrepen hoe alles van nu af aan zou zijn. En ik zal nooit vergeten hoe papa, nadat hij een paar keer langzaam met zijn ogen had geknipperd om alles te verwerken, een hand op mijn schouder legde, mij ten afscheid een kneepje gaf en zonder een woord te zeggen de markt verliet.

Zes maanden later begon mijn echte leertijd, na de lunchsessie waren Marcel en ik de keukenvloer aan het dweilen – smetteloos schoon, zoals madame Mallory het wilde. We moesten ons werk afmaken voordat we naar onze kamers konden voor ons 'slaapkameruurtje'.

Er werd op de achterdeur geklopt en ik ging kijken wie daar was.

Het was monsieur Iten met een doos.

'*Bonjour, Hassan. Ça va?*'

Na de rituele uitwisseling over het welzijn van de verschillende leden van onze respectieve families, vertelde monsieur Iten me dat hij zojuist een speciale levering Bretonse oesters had ontvangen en dat hij ze meteen kwam brengen, omdat hij wist dat madame Mallory zulke verse oesters die avond zou willen serveren als ze wist dat ze er waren.

Maar ze was er niet. En Jean-Pierre, Margaret en zelfs monsieur Leblanc waren er ook niet. Geen van de leidinggevenden was aanwezig; alleen Marcel en ik die de vloer aan het dweilen waren.

'Wat vind jij, Marcel?'

Marcel schudde krachtig zijn hoofd. Het idee dat we zo'n cruciale beslissing moesten nemen vervulde hem met afschuw. 'Niet doen, Hassan. Ze vermoordt ons.'

Ik keek in de doos. 'Hoeveel, monsieur Iten?'

'Acht dozijn.'

Ik graaide wat in de doos.

'Oké. Ik teken wel. Maar trek er vier van af.'

'*Pourquoi?*'

'Omdat dit vier *Crassostrea gigas* zijn. U weet heel goed dat chef Mallory ze nooit aan haar gasten zou serveren. Hoe zijn die daar terechtgekomen? Ze zou woest worden als ze zag dat u probeerde Japanse oesters te verkopen als *creuses de Bretagne*. En het is een rommeltje. Het zijn weliswaar verder allemaal Bretonse oesters, maar ik zie er nog minstens zes van een ander soort dan de superieure *Cancales pousses en claires* uit de omgeving van Mont Saint-Michel zijn. Kijk, de *Cancales* hebben een lichte, beige mantel en getande schelpen, zoals deze. Ik denk dat dit *Croisicaises* zijn, uit de Grand Traict en de Petit Traict in het zuiden. Kijk hier. Zie je het typische lichtgeel in de schelp? En kijk eens naar de verschillen in grootte. Dit zijn nummers vier, maar dit moeten nummers twee zijn, *non*? Daar staat niets over op je rekening, monsieur Iten. Dus, het spijt me, maar u zult de bedragen moeten aanpassen als u wilt dat ik deze levering accepteer.'

Monsieur Iten haalde de vier inferieure oesters uit de doos, noteerde mijn opmerkingen over de grootte en kwaliteit op de rekening en zei: 'Vergeef me, Hassan. Een vergissing. Het zal niet meer gebeuren.'

Pas toen madame Mallory me de volgende dag promoveerde tot *commis*, haar persoonlijke assistent in de keuken, realiseerde ik me dat de doos met oesters een test was die ze in het geheim met de visboer had georganiseerd. Natuurlijk heeft geen van beiden dat ooit opgebiecht.

Maar zo was chef Mallory.

Ze daagde altijd iedereen uit.

Vooral haar personeel.

Het was een drukke zaterdag midden in de winter. De buitenwereld was kristalhelder en wit en aan de koperen dakgoot van Le Saule Pleureur hingen ijspegels zo dik als hammen die in een schuurtje werden gerookt. Binnen was de stomende keuken gevuld met lawaai van rammelende pannendeksels en oplaaiende vlammen, en ik had de opdracht gekregen om in dit culinaire tumult de soufflés van die dag te maken, een van de favoriete lunchgerechten, gemaakt van geitenkaas en pistachenoten.

Ik haalde een paar aardewerken vormpjes uit de koude voorraadkamer achter in de keuken en bestreek de witte binnenwanden zoals gebruikelijk met zachte boter, waarna ik de bodem met maïsmeel en fijngehakte pistachenootjes besprenkelde. Ook de basis van de soufflé bereidde ik volgens het boekje: ongerijpte geitenkaas, eidooiers, fijngehakte knoflook, tijm, zout en witte peper. Dit mengsel werd verhit en geroerd waarna ik er een flinke dosis geklopt eiwit en wijnsteenzuur – dat korstige zuur dat van de wanden van wijnvaten wordt geschraapt en na filtering tot een wit poeder wordt vermalen, en dat op bijna magische wijze eiwitten stabiliseert – aan toevoegde om het geheel wat luchtiger te maken. Tot slot schepte ik de bovenlaag van geklopt eiwit erop, stijlvol gladgestreken met een mes en afgemaakt met een heel klein sierlijk, artistiek krulletje. Nu de voorbereidingen eindelijk voltooid waren, deed ik de vormpjes in een schaal met water die ik midden in de oven zette.

Een halfuur later, toen ik bezig was met de kalfsbouillon, riep Jean-Pierre: 'Hassan! Hier!' en ik rende naar zijn kant om hem te helpen de zware stukken gebraden varkensvlees uit de ovens te tillen om ze ritueel te bedruipen met citroensap en cognac.

Madame Mallory, die aan de werkbank ernaast stond en dorade smoorde in kruiden en limoensap, keek af en toe vol ongeduld naar ons om te zien of ik wel op tijd zou terugkeren naar mijn eigen werkplek.

'Hassan, hou die soufflés in de gaten,' foeterde ze.

'Pas op! Je laat de pan bijna vallen, idioot!'

Margaret, de zwijgzame souschef, keek op vanuit haar

hoekje in de koude keuken – waar ze een *blanc-manger* maakte – en onze blikken ontmoetten elkaar over de sissende vlammen heen.

Mijn hart maakte een sprongetje toen ik de vriendelijke blik van Margaret zag, maar ik had geen tijd om er veel aandacht aan te schenken en rende terug naar mijn ovens om de soufflés te pakken. 'Maak u geen zorgen, chef,' riep ik. 'Geloof me, ik heb alles onder controle.' Ik klapte de deur open, trok de hete schaal met soufflés eruit en zette hem op de werkbank.

Helemaal verschrompeld, als een mislukt biologie-experiment.

'*Ah, non, merde.*'

'Hassan!'

'Ja maar... ik. Ik begrijp het niet. Ik heb dit al zo vaak gedaan. Er is niets van over.'

Ze kwamen allemaal kijken.

'Oef,' zei Jean-Pierre. 'Wat een ramp. Die jongen kan er niks van.'

Madame Mallory schudde vol afkeer haar hoofd. Alsof ik hopeloos was.

'Margaret, *vite*, neem het over van Hassan. Maak de soufflés opnieuw. En jij, Hassan, maak de pasta van vandaag maar klaar. Daarmee kun je minder schade aanrichten.'

Ik sjokte naar het hoekje van de keuken om mijn wonden te likken.

Twintig minuten later kwam Margaret naar me toe, zogenaamd om een zware schaal te pakken van een plank boven mijn hoofd, en toen ik omhoogreikte om te helpen, raakten de ruggen van onze handen elkaar en ik voelde een elektrische schok door mijn arm omhoogschieten.

'Laat je niet op je kop zitten, Hassan,' fluisterde ze. 'Ik heb een keer precies dezelfde vergissing gemaakt. Als het hartje winter is wordt de buitenmuur van de voorraadkamer ijskoud waardoor de vormpjes op de planken ook afkoelen. Dus als je 's winters soufflés maakt, moet je de vormpjes minstens dertig minuten van tevoren in de keuken zetten, zodat ze op kamertemperatuur zijn voordat je het eiwit erin schept.'

Ze glimlachte lief, draaide zich om en ik was verliefd.

De spanning tussen Margaret en mij bereikte een paar weken later een climax. We waren in hetzelfde gangpad aan het werk. Madame Mallory en Jean-Pierre stonden aan weerszijden van ons met pannen te rammelen en tegen de bediening te schreeuwen dat het eten klaarstond. Margaret en ik negeerden elkaar bewust totdat zij zich bukte om taartjes uit de oven te halen, terwijl ik me bukte om een pan te pakken die vlak naast haar stond, en onze benen elkaar per ongeluk raakten.

Een vlam schoot omhoog, rechtstreeks naar mijn kruis, en ik drukte mijn been tegen het hare. Tot mijn blijdschap voelde ik dat zij terug duwde en een paar heerlijke momenten later, toen ik weer overeind kwam met mijn pan, hapte ik naar lucht en hield de pan strategisch voor mijn middenrif.

'Kom in de pauze naar mijn appartement,' fluisterde ze.

Ik kan je vertellen dat de lunchsessie nog niet voorbij was of ik had mijn witte kokskleren uitgetrokken en beende door de aflopende tuin met de sneeuwhopen. Toen ik eindelijk buiten de gepleisterde muur was, versnelde ik mijn pas. Glibberend en struikelend rende ik door de beijzelde steegjes naar het appartement van Margaret boven de banketbakker in het centrum.

Voor het gebouw kwam ik Margaret tegen en we wisselden veelbetekenende blikken uit, maar zeiden nog steeds niets tegen elkaar. Ik keek terloops links en rechts de straat

in om te zien of iemand ons in de gaten hield; haar hand trilde toen ze de sleutel in de met ijskristallen bedekte voordeur
stak. Een ouder echtpaar ging verderop in de straat de Bata-
schoenenwinkel in; een jonge moeder kwam met een kinder-
wagen de patisserie uit; een bloemist schepte sneeuw voor
zijn winkel. Niemand keek naar ons.

De deur zwaaide open en we gingen naar binnen, liepen
langs de brievenbussen en de radiator, sprongen lachend met
twee treden tegelijk de trap op naar haar studio op de derde
verdieping. En achter die deur, eindelijk in de beslotenheid
van haar appartement, was het een wirwar van frunnikende
handen en open monden en op de grond vallende kleren.

Die middag kreeg ik les in de Franse versie van *la lingua
franca*, en na een warme douche met een hoop gegiechel en
heel veel zeep, liepen we met tegenzin terug naar Le Saule
Pleureur, afzonderlijk, veel te ontspannen en zorgeloos voor
het veeleisende werk in de keuken voor het diner.

'Concentreer je, Hassan. Waar zit je vandaag met je gedachten?' snauwde madame Mallory.

Zo begon het. Maar er waren nogal wat factoren die onze
groeiende intimiteit in de weg stonden. Slapen in een kloostercel, naast de altijd waakzame en strenge madame Mallory,
was niet bepaald bevorderlijk voor de romantiek. Dus bleef
het bij deze gestolen ontmoetingen in de middag die – hoe
prikkelend ook – altijd gehaast en ademloos waren, zonder
gelegenheid om samen wat te luieren.

Op een namiddag, toen ik deur uit rende terwijl ik mijn
riem nog aan het vastgespen was en Margaret in haar kimono de deur openhield, zei ze zachtjes: 'Wat jammer dat je niet
wat langer kunt blijven, Hassan. Soms krijg ik de indruk dat
je me niet beter wilt leren kennen. *C'est triste.*'

Toen deed ze langzaam de deur dicht en liet mij achter in
het trappenhuis, spartelend als een vis die aan een haak op

een scheepsdek werd gesleurd. Ze was net als moeder. Zei niet veel, maar als ze dat deed, mijn god, dan raakte dat je dieper dan alle tirades van papa bij elkaar.

Op de terugweg kwam ik tot de ontdekking dat ik voor het eerst in mijn leven niet weg wilde rennen op het moment dat een vrouw die ik leuk vond de deur opende naar iets diepers. Integendeel, ik wilde halsoverkop de open poort van Margaret binnen gaan. Dus toen ik die middag door de steegjes terugliep naar Le Saule Pleureur, mompelde ik in mezelf dat ik meer tijd vrij moest maken voor Margaret, vooral op de dagen dat we niet werkten.

Dat hield in dat ik mijn familie moest vertellen dat ik niet meer iedere week zou langskomen voor het wekelijkse feestmaal. Dat was natuurlijk minstens even gevaarlijk en vroeg evenveel diplomatie als een Midden-Oostenconferentie, maar de eerstvolgende maandag marcheerde ik manhaftig de straat over, wetend wat er op het spel stond, tintelend van vastberadenheid.

Maar die vastberadenheid verdampte zodra ik de drempel van Maison Mumbai overliep. Tante zette me op de ereplaats, de grote leunstoel, en rommelde wat met het kussen achter mijn rug. Mehtab had sinds mijn vertrek de keuken van Maison Mumbai overgenomen en kwam glimlachend aan gelopen met een stuifzwam gevuld met krab-garnalenpasta en wat *papri chaat*, gefrituurde wafeltjes met yoghurt.

'Alleen om de ergste honger te stillen, Hassan,' zei mijn zus. 'Over een uur is de lunch klaar. Ik heb je lievelingsgerecht gemaakt: soep van lamspoten. Speciaal voor jou. Leg je voeten maar omhoog. Je moet rusten, arme jongen.'

Ik wist hoeveel werk deze lekkernijen hadden gekost en mijn maag kromp ineen van schuldgevoel. Mukhtar zat op de bank tegenover mij afwezig in zijn neus te peuteren en samen met oom Mayur de krantenstrips te lezen.

'Dank je wel, Mehtab. Eh... sorry, maar ik kan vandaag niet hier lunchen.'

De kamer verstijfde.

Mukhtar en oom Mayur keken op van de krant.

'Wat zeg je nou? Je zus en je tante hebben de hele ochtend staan sloven in de keuken.'

Deze opmerking had ik natuurlijk verwacht, maar niet van de bedaarde oom Mayur, die de bittere commentaren altijd uitbesteedde aan zijn vrouw. Het onderstreepte nog maar eens hoe zwaar mijn misdaad was en ik schrok van zijn aanval.

'Eh... het spijt me... Sorry, maar ik heb andere plannen.'

'Hoe bedoel je, andere plannen?' snauwde tante. 'Met wie? Madame Mallory?'

'Nee, met iemand anders die in het restaurant werkt,' zei ik vaag. 'Ik had het eerder moeten zeggen. Sorry. Maar ik heb het vanochtend pas besloten.'

Mehtab zei geen woord. Ze stak alleen haar kin omhoog, als een adellijke *begum* die diep was beledigd in haar eigen huis, en liep waardig terug naar de keuken. Tante was woedend en zwaaide naar me met haar vinger. 'Kijk nou hoe diep je je zus hebt gekwetst, ondankbaar monster!'

Om het allemaal nog erger te maken, doemde opeens papa's enorme gestalte op in de deuropening en zijn diepe stem rolde over ons heen als een tankbataljon.

'Wat hoor ik nou? Eet je vandaag niet met ons mee?'

'Nee, papa. Ik heb andere plannen.'

Hij gebaarde met zijn vinger dat ik hem moest volgen.

Mukhtar gniffelde. 'Nu krijg je ervan langs.'

Ik keek mijn broer aan met een blik die kon doden en volgde papa en het onheilspellende, schurende geluid van zijn muiltjes op de vloer. Toen we in de donkere hal stonden, buiten gehoorsafstand, draaide papa zich naar me toe en keek hij autoritair op me neer, maar ik beantwoordde zijn blik strijdlustig.

'Het is een meisje, niet?'

'Ja.'

'Ga maar. Maak je niet druk om de anderen.'

Ik moet er verward uit hebben gezien.

Hij wiebelde met zijn hoofd op de Indiase manier en voor ik wist wat er gebeurde, duwde hij me sloffend op zijn muiltjes door de hal, rechts de hoek om en daalde het halve trapje af naar de zijingang van het landhuis en de oprit. Daar haalde hij rinkelend zijn sleutels tevoorschijn, draaide de deur die werd gebruikt door de leveranciers van het slot en hield hem open. Hij glimlachte vriendelijk en gebaarde met zijn hoofd.

'Ga maar. Je werkt hard, Hassan. Je verdient wel een pleziertje. Ik regel het wel met Mehtab en je tante, maak je geen zorgen. Weet je hoe dat gaat met opgewonden kippetjes? Je gooit wat graan naar ze, je kakelt wat met ze mee en in een mum van tijd kalmeren ze. Dus ga maar. Ik regel het wel. Maak je geen zorgen.'

'Luister goed, allemaal.'

Madame Mallory en monsieur Leblanc stonden in de deur van de keuken van Le Saule Pleureur met zware overjassen aan en hoeden op.

'Henri en ik zijn het grootste deel van de dag weg. We moeten wat dingen regelen in Clairvaux-les-Lacs. Dus jullie zijn vandaag gezamenlijk verantwoordelijk tijdens mijn afwezigheid en als ik om achttienhonderd uur terugkom zal ik jullie werk controleren.

Mijn leerperiode was al een paar jaar gevorderd en deze gebeurtenis was niet heel uitzonderlijk, want monsieur Leblanc en madame Mallory namen zo nu en dan samen vrij, een ochtendje hier, een middagje daar, om dingen te regelen of om wat te ontspannen. We wisten nooit precies wat de aard van hun relatie was, of de discrete monsieur Leblanc en uiterst gereserveerde Mallory zich overgaven aan een vorm van liefde als ze zich afzonderden van het restaurant en het personeel; in de keuken werd daar flink over gespeculeerd. Margaret en ik geloofden stellig, misschien beïnvloed door ons eigen geheimpje, dat ze geliefden waren, maar Jean-Pierre en Marcel waren het niet met ons eens.

Op de dagen dat de twee een uitstapje maakten, verdeelde madame Mallory de voorbereidende taken voor het diner over ons allemaal. Ik kreeg uiteraard de minst ingewikkelde opdrachten. Maar op deze stormachtige herfstdag was Mallory bezeten door de duivel en besloot ze alles anders te doen om ons alert te houden. Jean-Pierre, chef de cuisine, vlees-meester, kreeg de taak om verfijnde desserts te maken. Margaret, die zo goed was met zoetigheden en banket, moest zich bezighouden met de vis. En ik, de beginneling, moest de grote vleesgerechten – waaronder zes wilde hazen, een zelfde aantal duiven, een lamsbout en een varkensbraadstuk – voor die avond voorbereiden. De meeste daarvan waren stan-daardgerechten op het menu, waarvoor ik simpelweg de be-kende recepten van Mallory moest volgen. Daar maakte ik me geen zorgen over.

Maar de hazen, die waren volkomen nieuw!

'Chef, wilt u dat ik de hazen op een bepaalde manier be-reid?'

'Ja, ik wil dat je me versteld doet staan,' zei ze, en zonder verdere instructies liepen zij en monsieur Leblanc de deur uit.

Je zult begrijpen dat wij drieën onmiddellijk aan het werk gingen toen ze weg waren, met op elkaar geperste lippen, zweetdruppels op ons voorhoofd, ons er sterk van bewust dat we allemaal aan een toets werden onderworpen om vast te stellen hoe flexibel we waren in de keuken. Jean-Pierre stortte zich op de millefeuilles met room en gekonfijte Menton-citroenen en zat al snel onder het meel, terwijl Margaret met een strak gezicht van concentratie een saffraansaus van rivierkreeftjes en sherry maakte bij de vlezige stukken snoek, die volmaakt waren geroosterd aan metalen spiezen.

Om eerlijk te zijn was het grootste deel van die dag gehuld in een waas van genadeloos hard werken in een moordend tempo. Ik herinner me nog dat ik nadat ik de haas had uitgebeend de stukken marineerde in witte wijn, laurier, geplette knoflook, moutazijn, zoete Duitse mosterd en een paar gekneusde en gedroogde jeneverbessen, voor die iets bijtende, dennenachtige nasmaak. Toen de stukken vlees zacht genoeg waren, liet ik ze een paar uur zachtjes sudderen in een gietijzeren pan. Het was niet spectaculair. Het was alleen maar mijn versie van een ouderwets boerengerecht dat ik vluchtig had bekeken tijdens een leessessie in de bibliotheek op de zolder van madame Mallory, maar het leek me passend voor een koude, winderige herfstavond.

Als bijgerecht maakte ik couscous met munt, in plaats van de traditionele boternoedels, en een komkommersalade met zure room en een handje vossenbessen. Ik meende dat deze twee gerechtjes samen verzachtende en lichte contrapunten zouden vormen bij de zware, scherpe mosterdsmaak van de gestoofde haas. Nu ik eraan terugdenk, realiseer ik me dat de komkommer met room, bewust of onbewust, was geïnspireerd op *raita*, het yoghurt-komkommergerecht van mijn moederland.

Zoals afgesproken keerden madame Mallory en monsieur Leblanc vroeg in de avond terug, en we keken gespannen toe terwijl de chef zwijgend haar overjas uittrok, haar kokskleding aandeed en haar ronde door de keuken maakte om ons

werk te inspecteren. Ik herinner me dat ze onze inspannin-
gen zowaar beloonde met tamelijk vriendelijke woorden,
hoewel ze geen enkele gelegenheid voorbij liet gaan om ons
te vertellen hoe we onze gerechten konden verbeteren door
dit of dat te veranderen.

De rode-vruchtentaartjes van Jean-Pierre, bijvoorbeeld,
hadden een respectabele, stevige korst en de crème de cassis-
vulling had ook precies de juiste balans tussen fruitig zoet en
fris zuur. Maar alles bij elkaar genomen ontbrak het aan ori-
ginaliteit, snufte ze. Een klein beetje geraspte nootmuskaat
op de crème fraîche of een paar wilde aardbeien uit het bos
langs de rand van het bord zouden van het dessert iets bijzonders hebben gemaakt.

Ondertussen had Margaret, behalve de snoek, ook rouget
bereid. Ze had de vis gevuld met asperges en zachtjes ge-
stoofd in een grapefruitbouillon, waarna ze hem in een jasje
van filodeeg had gewikkeld dat licht was gebakken in de
oven. 'Heel apart, Margaret, dat moet ik je nageven. Maar
het deeg verpest het voor me. Dat is een neurose van je, altijd
dat deeg. Je moet meer zelfvertrouwen hebben en je nek uit-
steken. Zulke sterke smaken – rouget en asperge en grapefruit – die moet je niet verschuilen onder een taartkorst.'

Inmiddels was ze naar mijn werkplek gelopen, waar ik zenuwachtig stond te wachten, met een vettige keukendoek
over mijn schouder. Madame Mallory inspecteerde de lamsbout – waarin ik stukjes knoflook had gestoken, die ik had
bestrooid met komijn en *herbes de Provence*, en die klaarstond om in de oven te worden geschoven – maar gaf geen
commentaar. Het varkensbraadstuk stond al in de oven,
maar was nog te rauw om te proeven, en de *pigeon avec pe-
tits pois* kreeg niet meer dan een hoofdknik.

Haar aandacht werd getrokken door de gietijzeren pan
die op het fornuis stond te borrelen en pruttelen, en de lucht

met azijnachtige stoom vulde. Ze tilde het zware deksel op en keek naar de wildstoofschotel. Ze rook, prikte een vork in een stukje haas en het vlees brak gemakkelijk af. Toen knipte ze met haar vingers en Marcel bracht haar snel een bordje en een lepel. Ze proefde de haas met een druppeltje mosterdsaus en een beetje muntcouscous met komkommersalade.

'Iets te veel jeneverbes, zou ik zeggen. Je hebt er maar drie of vier van nodig om ze waar te nemen. Verder is de smaak te Duits. Maar om eerlijk te zijn... los daarvan, heel goed gedaan, vooral die inventieve bijgerechten. Eenvoudig maar effectief. Hassan, ik moet zeggen, je hebt echt gevoel voor wild.'

De woede-uitbarsting volgde meteen.

'*C'est merde. Complètement merde.*'

Mallory's zeer ongebruikelijke publieke compliment was gewoon te veel voor Jean-Pierre. Hij kon zijn woede niet langer bedwingen en schopte met zijn voet, waardoor zijn klomp als een raket werd gelanceerd en naar de stomverbaasde Marcel vloog die aan de andere kant van de keuken stond. Maar de leerling bleek verrassend beweeglijk en snel voor een jongen van die leeftijd en liet zich als een aangeschoten hert op de grond vallen. Het schoeisel vervolgde zijn koers, sloeg met een luide knal tegen de muur en nam in zijn val een schaal mee die op een plank stond en nu in een fontein van scherven op de vloer viel.

Verbijsterde stilte.

We zetten ons schrap voor de onvermijdelijke woedeaanval van madame Mallory, maar tot onze verbazing kwam die niet. In plaats daarvan hobbelde Jean-Pierre, rood aangelopen van woede, op één klomp naar haar toe en ging voor haar staan, schuddend met zijn vuist.

'Hoe kunt u ons dit aandoen?' brieste hij. '*C'est incroyable.* Wij zijn zo loyaal geweest, we hebben zo lang uw tirannieke gedrag gepikt, ons met hart en ziel ingezet voor uw keuken, en nu worden we terzijde geschoven voor dit kleine ettertje? Wie is dat joch helemaal? Wie is dit speeltje van u? Waar is uw fatsoen?'

Madame Mallory had de kleur van Asiago-kaas.

Hoe vreemd het ook mag klinken, tot op dat moment had ze er geen idee van dat ze, door mij te kiezen, door mij onder haar hoede te nemen en zo duidelijk te laten blijken dat ik haar 'uitverkorene' was, haar toegewijde chef de cuisine diep had gekwetst. Maar nu tot haar doordrong wat ze had aangericht, dat Jean-Pierre vanwege haar tactloosheid werd verteerd door jaloezie, was ze zichtbaar geraakt.

Het was van haar gezicht te lezen. Want als er één gemoedstoestand was die madame Mallory begreep, was het jaloezie; de intense pijn van het besef dat er mensen in de wereld zijn die gewoon beter zijn dan jij, die je op een wezenlijke manier overtreffen bij alles wat ze doen. Ze probeerde het natuurlijk niet te laten blijken, want dat paste niet bij haar, maar je kon de intense emotie achter haar ogen zien trillen. En de pijn die ze voelde, was niet voor haarzelf – daar ben ik zeker van – maar voor haar chef de cuisine, die net als zij lange tijd had geleden in de donkere schaduwen van de keuken van Le Saule Pleureur.

Maar Jean-Pierre raasde maar door. Hij liep heen en weer voor het fornuis, trok zijn kokskleren uit en gooide ze met een melodramatisch gebaar op de keukenvloer. 'Ik kan hier niet meer werken. Ik ben het zat. U bent een onmogelijk mens!' riep hij.

Bij die opmerking stapte monsieur Leblanc naar voren om madame Mallory te beschermen tegen de razernij van Jean-Pierre.

'Hou daarmee op, ondankbare klootzak. Nu ga je te ver.'

Maar ook Mallory stapte naar voren en nam, tot onze

grote verbazing de trillende vuist van Jean-Pierre in haar hand en bracht hem naar haar lippen om zijn rauwe, rode knokkels te kussen.

'*Cher Jean-Pierre.* Je hebt volkomen gelijk. Vergeef me.'

Jean-Pierre kwam met piepende remmen tot stilstand. Deze onbekende madame Mallory bracht hem in de war, maakte hem misschien zelfs een beetje bang, en hij zag eruit als een kind dat zojuist zijn vader of moeder op een volkomen nieuwe manier had zien reageren op iets wat hij had gedaan. Dus nu struikelde Jean-Pierre over zijn woorden in een poging zich te verontschuldigen, maar madame Mallory legde een vinger tegen zijn lippen en zei streng: 'Sst. Hou op. Niet nodig.'

Ze nam zijn handen in de hare en zei op haar gebruikelijke autoritaire toon: 'Jean-Pierre, alsjeblieft, je moet het begrijpen. Hassan is niet zoals jij en ik. Hij is anders. Lumière en Le Saule Pleureur zijn te klein voor hem. Je zult het zien. Hij heeft nog een lange reis te gaan. Hij zal hier niet lang blijven.'

Daarna liet ze Jean-Pierre plaatsnemen op een kruk, waar hij vol schaamte het hoofd liet hangen. Ze vroeg Marcel om wat water voor hem te halen. Hij moest het glas met twee handen vasthouden omdat ze zo trilden. Toen Jean-Pierre het water in één teug had opgedronken en tot bedaren leek te zijn gekomen, vroeg chef Mallory hem haar weer aan te kijken.

'Jij en ik, dit restaurant zit in ons bloed en we zullen allebei hier leven en sterven, in de keuken van Le Saule Pleureur. Hassan, die heeft het in zich een grote chef-kok te worden en hij heeft meer talent dan jij en ik bij elkaar, dat is waar. Maar hij is als een bezoeker van een andere planeet en in sommige opzichten zouden we medelijden met hem moeten hebben, vanwege de weg die hij nog moet afleggen, de ontberingen die hij nog moet doorstaan. Geloof me, hij is niet mijn favoriet. Dat ben jij.'

Er hing een enorme spanning in de lucht. Maar madame Mallory keek kalm naar monsieur Leblanc en zei op zakelijke toon: 'Henri, onthoud dat we morgen de advocaat moeten bellen. Het moet eens en voor altijd duidelijk zijn dat als ik er niet meer ben, Jean-Pierre Le Saule Pleureur zal erven.'

En ze had gelijk. Drie jaar na het begin van mijn leertijd in Le Saule Pleureur, was ik klaar om verder te gaan. Een aanbod van een toprestaurant in Parijs, op de rechteroever, achter het Palais de l'Élysée, wakkerde mijn ambitie aan en lokte me naar het noorden. Volgens madame Mallory was het aanbod om souschef te worden in een zeer druk restaurant in Parijs, met de mogelijkheid te worden gepromoveerd tot premier souschef, precies wat ik nodig had. 'Ik heb je alles geleerd wat ik kon,' zei ze. 'Nu moet je rijpen. Deze positie zal je daarbij helpen.'

Dus in feite was de beslissing al genomen en een soort bitterzoete mengeling van verdriet en opwinding hing zwaar in de lucht. De ambivalentie van deze periode is voor mij samengebald in die vrije dag dat Margaret en ik naar de kloof aan het einde van de vallei van Lumière reden om een wandeling te maken langs de rivier Oudon aan de voet van het ruige Massif.

Ons uitstapje begon in de stad, toen we in de supermarkt boodschappen deden voor de lunch: appels en Cantal- en Morbier-kaas. Margaret en ik slenterden door de smalle gangpaadjes van de winkel, langs de hazelnoten in rode netjes en de troebele Corsicaanse olijfoliën. Margaret liep iets voor me uit langs de schappen met chocolade en koekjes toen een groepje mannen van begin twintig, het handbalteam van Lumière, luidruchtig aan kwam lopen van de andere kant, op zoek naar zoutjes en bier voor hun sportclub. Ik herinner me dat ze blozende gezichten hadden en er bijzonder fit uitzagen, en dat hun haar nog nat was van het douchen.

Margaret begon te stralen toen ze hen zag. Ze hadden allemaal bij elkaar op het plaatselijke schooltje gezeten en ze draaide zich naar me om en zei: 'Ga maar betalen. Ik kom zo.' Dus keerde ik me om en liep ik via het naastgelegen gangpad naar de kassa. Maar mijn oog viel op een pot geïmporteerde *lemon curd*. Die leek me lekker bij de kaas, als een soort plaatsvervangende chutney, en ik legde de pot in het mandje aan mijn arm en wilde weer doorlopen.

Op dat moment, toen ik aan de andere kant van het schap met chocolaatjes en koekjes stond, hoorde ik een mannelijke stem aan Margaret vragen wat er met haar '*nègre blanc*' was gebeurd, waarna de andere mannen in lachen uitbarstten. Ik weet nog dat ik bleef staan en scherp luisterde, maar Margaret gaf hem geen uitbrander voor deze opmerking. Ze deed alsof er niets was gebeurd, en lachte gewoon met de mannen mee toen het gesprek verder ging over koetjes en kalfjes en er plagerijtjes werden uitgewisseld. En ik moet bekennen dat ik even teleurstelling voelde toen ik mijn adem inhield en op haar antwoord wachtte, maar ik wist ook dat Margaret geen racist was, dus ik ging verder en betaalde de rekening. Al snel voegde ze zich weer bij me.

We legden onze lekkernijen in haar Renault 5 en reden naar het uiteinde van de vallei, waar we de auto op het parkeerterrein van het park zetten. De gele en oranje herfstbladeren creëerden een soort natuurlijk tapijt van papier-maché onder onze voeten. We trokken onze wandelschoenen aan, deden onze rugzakken om en sloegen de kofferbak dicht. En daar gingen we, met flinke pas, handen in elkaar, over de zeventiende-eeuwse stenen brug die de rivier overspande.

Het was een tintelende herfstdag, maar de zomer was stervende en iedere keer dat er een vergeeld blad op de grond viel, dwarrelde een lichte melancholie op ons neer. Het water dat onder de brug stroomde was zo helder en scherp als Sapphire-gin en kolkte en gorgelde om grote keien heen. Kleine beekforellen schoten rond in de poeltjes en zogen vliegen naar binnen of wapperden wat met hun vinnen terwijl ze zonder zich te bewegen in de draaikolkjes dreven. In de bocht stond op de andere oever een pittoresk stenen huisje waarin een *forestier*, een boswachter, woonde met zijn nieuwe vrouw en baby, en op het moment dat we de brug overstaken, kwam er berkenrook uit de schoorsteen.

Margaret en ik volgden het bospad stroomafwaarts, met de rivier aan onze rechterhand, de majestueuze steile rotswand van Le Massif en de besneeuwde toppen van de Jura aan onze linkerhand. Ik herinner me dat de boslucht koel en vochtig en mossig was, gevuld met fijne waterdruppeltjes die van de granieten bergwand boven ons vielen.

We liepen hand in hand, zwaaiend met onze armen, en spraken omzichtig over het aanbod uit Parijs, zonder het echt te hebben over de grote onderliggende vraag: wat betekent dat voor ons? Opeens zagen we een beek die afdaalde van de helling links van ons. Het lint van tuimelend, schuimend water liet een mostapijt achter op de glimmende sliertjes veldspaat. Ik herinner me als de dag van gisteren hoe Margaret er die ochtend uitzag, haar vale spijkerbroek, de lichtblauwe fleece, de wind die het natuurlijke rood van haar wangen naar boven bracht.

'Het is een goed aanbod, Hassan. Je verdient het. Je moet het aannemen.'

'Ja, het is inderdaad een goed aanbod. En toch...'

Iets hield me tegen, een beklemmende knoop in mijn ribbenkast, waarvan ik niet precies begreep wat hij betekende. Maar de hoofdrivier, de snelstromende Oudon aan onze rechterhand, maakte op dat punt een bocht waardoor een lange, diepe poel ontstond met een vlak grasveldje erlangs. Het was de volmaakte plek voor de lunch en ik zette onze rugzak op een met mos overwoekerde rots, onder de eeuwenoude dennen, lindebomen en paardenkastanjes, waarachter de ijzige rivier schemerde.

We strekten ons uit op een rots en aten loom van de appels en de kaas en het brood met de dikke korst dat Margaret zelf had gemaakt en dat we dik besmeerden met lemon curd. Ik weet niet precies op welk moment we de stemmen hoorden, maar ik herinner me nog hoe ze naar ons toe kwamen vanuit het bos, eerst ver maar steeds dichterbij. En toen zagen we gebukt lopende gestalten, die deden denken aan krabben op een zeebed. Margaret en ik bleven rustig liggen, slaperig van tevredenheid, in stilte kijkend naar de naderende figuren.

Het was het paddenstoelenseizoen en dit vochtige gedeelte van het bos stond in de omgeving bekend om zijn uitmuntende eekhoorntjesbrood en cantharellen. De vergunning voor het plukken van de paddenstoelen in dit stukje van het bos was al jaren in handen van de familie van madame Picard en de weduwe was de eerste die we herkenden. Gehuld in haar bekende zwarte trui en rok onder een opbollende regenjas sprong madame Picard als een berggeit van het ene groepje bomen naar het andere en trapte met haar legerlaarzen tegen halfvergane berkenstronken om de groepjes *pieds-de-moutons* die onder de rottende laag verborgen zaten bloot te leggen.

Plotseling klonk er een opgewonden kreet. Madame Picard kwam overeind met in haar groezelige hand een *trompette-de-la-mort*, de koolzwarte, veelgeroemde cantharel die er inderdaad uitziet als een trompet des doods, maar eigenlijk heerlijk smaakt en niet giftig is. Ze draaide zich om naar haar voortsjokkende metgezel, een grote, zwaar hijgende man die twee manden sjouwde met daarin een snel groeiende berg schimmelige schatten.

'Wees voorzichtig met deze *trompettes*. Leg ze bovenop, zodat ze niet worden geplet.'

'Ja, bazige mevrouw.'

Papa stond daar als een beer in het woud. Zijn favoriete koerta ging nu schuil onder een enorme wasjas die misschien ooit aan wijlen monsieur Picard had toebehoord. Ook hij had legerlaarzen aan zijn voeten, met gerafelde veters die loshingen en nat achter hem aan over de grond sleepten. De tongen hingen schots en scheef en hij leek nog het meest op een rapper uit de buitenwijken van Parijs.

Margaret stond op het punt om ze te roepen en naar ze te wuiven, maar ik – ik weet niet waarom – legde mijn hand op haar onderarm en schudde mijn hoofd.

'Ik geloof dat het tijd is om te rusten. En te eten. Ik heb nogal honger.'

'Ik word gek van je gezeur, Abbas! We zijn nog maar net begonnen. Minstens één volle mand voor de lunch.'

Papa zuchtte.

Maar toen madame Picard zich omdraaide en bukte om met haar stompe mes weer een paddenstoel uit de grond te snijden, zag papa blijkbaar iets interessants. Want hij liep op zijn tenen naar voren, stak zijn hand tussen de benen van madame Picard en riep: 'Ik heb een truffel gevonden!' Madame Picard schreeuwde en viel bijna voorover op haar gezicht. Maar toen ze haar evenwicht had hervonden en weer rechtop stond, brulden de twee van het lachen; schijnbaar had ze wel genoten van papa's graaihand.

Ik walgde ervan. Mijn hoofd vulde zich onmiddellijk met beelden van mijn moeder en papa die zo lang geleden samen over Juhu Beach liepen. Ik voelde een steek in mijn hart. Ze was zo elegant en bedaard, mijn mammie, zo heel anders dan deze grove vrouw die nu voor mijn neus stond. Maar een paar seconden later zag ik papa zoals hij werkelijk was, gewoon een man die de kleine pleziertjes in het leven met beide handen aanpakte.

Op dat moment dacht hij niet aan zijn verantwoordelijkheden in het restaurant en in de familie, die al zijn dagen in beslag namen. Hij was gewoon een ouder wordende man met nog een paar decennia te leven, die genoot van zijn korte tijd op aarde. Plotseling schaamde ik me voor mezelf. Papa, die zo'n zware last droeg voor zo velen, juist hij verdiende als geen ander dit zorgeloze en vreugdevolle moment, zonder dat ik vol afkeer mijn voorhoofd fronste. En hoe langer ik keek naar madame Picard en papa, die zich gedroegen als geile tieners – allebei een beetje krom, allebei ritselaars – hoe meer ik me realiseerde dat het zo goed was.

En toen begreep ik het: het probleem was niet dat mijn familie het moeilijk vond om mij naar Parijs te laten gaan, het probleem was dat ik hén niet wilde loslaten. Ik vermoed dat dit het moment was waarop ik eindelijk volwassen werd, want in dat natte woud kon ik tegen mezelf zeggen: 'Tot ziens, papa! Ik vertrek om de wereld te zien.'

Dus het moeilijkste afscheid in die laatste dagen was niet dat van mijn familie of madame Mallory, maar van Margaret. De getalenteerde en sympathieke souschef was maar vijf jaar ouder dan ik, maar onze relatie in die periode dat we beiden bij Le Saule Pleureur werkten, maakte een man van me.

Maar op een ochtend kwam die relatie tot een logisch einde in haar kleine appartementje in Lumière boven de patisserie. Het was onze vrije dag en we aten een laat ontbijt aan het kleine tafeltje onder het grote keukenraam.

Het beroemde licht van Lumière stroomde naar binnen door het oude glas. In de vensterbank stond een bosje gedroogde wilde bloemen – primula's en gele gentianen – in een glazen pot. We dronken zwijgzaam onze café au lait en aten onze brioche met de kweepeerjam die haar moeder had gemaakt, allebei verzonken in onze eigen wereld.

Ik zat in T-shirt en onderbroek aan tafel en keek uit het raam, waar ik monsieur Iten en zijn plompe vrouw hand in hand door de rue Rollin zag lopen. Ze stopten plotseling en gaven elkaar intense, natte zoenen, waarna ze uit elkaar gingen, hij op weg naar zijn Lancia, zij naar het kantoor van de Société Générale.

Margaret was naakt onder haar kimono en zat tegenover me de krant te lezen, en ik weet niet precies waarom, maar ik strekte mijn arm uit over de tafel en zei spontaan: 'Ga mee.'

Mijn stem beefde; ik hoopte dat de vrouw aan de andere kant van de tafel blind mijn vingers zou pakken, op zoek naar contact in de lucht.

'Ga met me mee naar Parijs. Alsjeblieft.'

Margaret legde langzaam de krant neer en zei – ik herinner me het afschuwelijke gevoel in mijn maag nog – dat Lumière de plaats was waar ze was geboren, waar haar ouders, broers en zussen hadden gewoond, waar haar grootouders waren begraven, hoog op de heuvel. Ze was dankbaar voor het aanbod en hield nu nog meer van me dan anders, maar ze kon echt niet – het speet haar heel erg – echt de Jura niet verlaten.

Dus trok ik mijn hand terug en gingen we ieder ons weegs.

Parijs

13

Eerlijk gezegd verliep mijn weg naar de Parijse top in de twintig jaar die volgden niet zo moeizaam als je zou verwachten. Het was alsof een onzichtbare geest hindernissen uit de weg ruimde en me hielp het pad te volgen waarvan ik geloofde dat het voor me was voorbestemd. Want ik werd volgens afspraak na slechts twee jaar gepromoveerd tot de functie van premier souschef in La Gavroche, dat eensterrenrestaurant achter het Palais de l'Élysée.

Maar het mysterie dat ik waarschijnlijk nooit zal ontrafelen is: had madame Mallory iets te maken met mijn gestage klim naar de top? Of beeldde ik me dat in?

Na mijn verhuizing naar Parijs stuurden mijn voormalige chef en ik elkaar kerstkaartjes en spraken we elkaar een of twee keer per jaar aan de telefoon. En natuurlijk ging ik bij haar langs als ik mijn familie bezocht in Lumière. Maar ondanks alle intenties en ambities was ze niet meer actief betrokken bij mijn opleiding, althans, niet officieel.

Toch heb ik me altijd afgevraagd of ze me op de sleutelmomenten niet met een discreet telefoontje hier en daar heeft geholpen een stapje verder te komen. En als dat zo was, hoe zorgde ze er dan voor dat ik nooit heb kunnen ontdekken wat haar aandeel precies was?

Neem bijvoorbeeld Pierre Berri, de ruimhartige chef-kok die me naar zijn restaurant La Gavroche had gelokt. Eenmaal in Parijs hoorde ik dat hij getrouwd was met een ver familielid van madame Mallory, een achterachternicht. Door deze connectie vermoedde ik uiteraard dat een paar gefluisterde woorden van Mallory de aanleiding waren voor dit aanbod uit Parijs. Chef Berri ontkende dat natuurlijk glashard, maar hij heeft me nooit helemaal weten te overtuigen.

Toen ik die eerste winter na mijn verhuizing weer in Lumière was om mijn familie te bezoeken, stak ik de besneeuwde straat over om koffie te drinken in het appartement van madame Mallory. De stoomradiatoren tikten luid terwijl ze het appartement vulden met een knusse warmte en we gingen met onze koffie in de oude leunstoelen zitten en knabbelden van de schelpvormige madeleines, die warm uit de oven van Le Saule Pleureur kwamen. Ik herinner me nog dat ze alles wilde weten over het restaurant met tapasachtige gerechten dat chef Pascal net had geopend in Parijs en dat flinke beroering had veroorzaakt in de stad, en over de nieuwe populariteit van hippe bistro's waar het voedsel de wijn begeleidde in plaats van andersom. Maar tijdens dit gesprek over koetjes en kalfjes bedankte ik haar tussen neus en lippen door voor het regelen van het aanbod van chef Berri.

'Doe niet zo raar, Hassan,' zei ze, terwijl ze koffie bijschonk uit dezelfde Limoges-pot die ze tijdens mijn leertijd had. 'Ik heb wel betere dingen te doen dan jou te helpen door verre familieleden te bellen. Bovendien heb ik deze nicht al dertig jaar niet gezien – en daarvoor vond ik haar niet eens aardig. Die tak van de familie komt uit Parijs, weet je, en ze vonden zichzelf altijd beter dan de familieleden die, zoals wij,

in het Loiredal zijn gebleven. Waarom zou ik haar in godsnaam om een gunst vragen? Ik zou nog liever mijn tong afbij-
ten. Dus die onzin wil ik niet meer horen. Zeg eens, zou jij een
keer met je leveranciers in Parijs kunnen praten en een paar
Ostrea lurida voor me op de kop kunnen tikken? Voordat ik
doodga wil ik die Amerikaanse oester hebben geproefd. Ik
vind het gewoon onvoorstelbaar dat sommige Franse fijnproevers hem hoger aanslaan dan onze Bretonse oesters.'

Ik ging terug naar La Gavroche, werkte hard en kreeg vijf
jaar na mijn komst naar Parijs een functie aangeboden met
veel meer verantwoordelijkheid. Bij La Gavroche zou in de
komende jaren naar verwachting geen vacature komen, dus
diende ik mijn ontslag in en werd ik chef de cuisine in La Belle
Cluny, een klein, stijlvol restaurant in het 7de arrondissement, waar ik vier jaar bleef.

Ik werkte daar met veel plezier naast Marc Rossier, een
oudere chef met wit haar die, op zijn zachtst gezegd, zo zijn
eigenaardigheden had. Chef Rossier wilde dat we ons helemaal in het zwart kleedden, in plaats van het traditionele
wit, tot de klompen aan toe, en hij schuifelde altijd om ons
heen met zijn eigen opbollende zwarte broek in zijn sokken,
als een zeventiende-eeuwse Hollandse piraat, schunnige
liedjes zingend uit zijn tijd bij de Franse marine. Maar het
was precies deze excentriciteit die het zo heerlijk maakte om
voor chef Rossier te werken. Hij hield wel van een pleziertje.

Zo stond hij, in tegenstelling tot de meeste andere chef-
koks, altijd open voor nieuwe ideeën, ondanks zijn hoge
leeftijd. Dat betekende dat ik, als zijn rechterhand, veel
ruimte kreeg om mijn eigen nieuwe creaties te beproeven,
zoals gebraden geitenlam met citroenen in de maagholte ge-
naaid. Deze creatieve vrijheid wierp haar vruchten af en binnen een paar jaar na mijn komst was La Belle Cluny gestegen
van één naar twee Michelinsterren.

Het dankbare werk in La Belle Cluny deed me verlangen naar meer, en toen ik dertig was ging ik naar Lumière om een serieus gesprek te voeren met papa. Ik wilde dolgraag mijn eigen restaurant openen en eindelijk patron zijn in mijn eigen bedrijf. De Haji-ambitie brandde in mij, maar ik had geld nodig. En dus zat ik in de stoel aan de andere kant van papa's bureau in het landhuis van Dufour mijn zaak te bepleiten. Nog geen vijf minuten nadat ik mijn wervende praatje was begonnen en mijn geldstroomschema's had uitgespreid op het tafelblad, hief papa zijn hand op.

'Hou op! Mijn god. Ik krijg hoofdpijn van je.'

Spreadsheets met investeringsanalyses – zo werkte papa niet; bij hem ging het om zijn onderbuik. 'Natuurlijk help ik je! Wat dacht je dan?' vroeg hij geërgerd.

Papa haalde een dikke map uit zijn la. 'Ik had dit al lang verwacht,' zei hij, terwijl hij het dossier opende. 'Ik ben toch geen luie wallah die de hele dag aan zijn tenen zit te pulken? Ik heb al heel lang geleden advocaten en bankiers gevraagd om de zaken te regelen. Alles is in orde. Al mijn kinderen krijgen een zevende van het familiebezit. Jij krijgt jouw aandeel nu. Waarom wachten tot ik dood ben, yaar? Ik zie je veel liever met je eigen bedrijf, gelukkig, als iemand op wie ik trots kan zijn... Maar alsjeblieft, bespaar me dit soort computeruitdraaien. Ik haat die dingen. De boekhouding heb ik altijd aan je moeder overgelaten.'

Ik moest een paar keer met mijn ogen knipperen om mijn ontroering te verhullen.

'Dank je wel, papa.'

Hij wuifde mijn woorden weg.

'Luister, we zijn er nog niet. Jouw aandeel zal grofweg neerkomen op achthonderdduizend euro. Is dat wel genoeg?'

Nee, dat was het niet. Mijn accountant in Parijs en ik hadden geschat dat er voor de pacht van een restaurant op een toplocatie in Parijs, de gehele inrichting van het pand, met inbegrip van een keuken die voorzien was van alle technische snufjes en het loon van goed personeel – kortom, voor alle kosten die om de hoek komen kijken als je een stijlvol restaurant wilt openen dat zich richt op het hoogste segment – bijna twee miljoen euro nodig zou zijn voor een veilige start.

'Dat dacht ik al,' zei papa. 'Daarom heb ik een voorstel voor je.'

'Ja?'

'Je zus Mehtab... ik maak me zorgen over haar. Ik kan in dit kleine bergstadje geen man vinden die haar wil hebben en ze begint steeds meer op je tante te lijken. Altijd chagrijnig. Ze heeft een grotere vijver nodig om haar vissen te vangen. Mee eens? Dus ik vind dat je moet overwegen haar partner te maken van je deftige Parijse restaurant. Nou? Ze zal een goede hulp zijn, Hassan, en natuurlijk neemt ze haar eigen deel van het kapitaal mee als investering. Het zal ook een grote opluchting voor mij zijn als ik weet dat jij voor haar zorgt.'

Dit was natuurlijk de Indiase traditie, dus het stond al vast: Mehtab ging met me mee naar Parijs. Ik moet bekennen dat er in deze periode één ding was dat ik betreurde: mijn afscheid van chef Rossier, die zo goed voor me was geweest, verliep niet zoals ik het had gewild. Helemaal niet. Want toen ik de oude kok vertelde dat ik mijn eigen restaurant ging beginnen, liep hij rood aan en begon hij te gooien met een pan, twee borden en een salami met peperkorst. Maar het leven gaat altijd maar voorwaarts, niet achterwaarts, dus ik ontweek de vliegende objecten en liep voor de laatste keer de achterdeur van het restaurant uit. Maar de opvallend creatieve maritieme scheldwoorden van chef Rossier echoden nog lang na in mijn oor.

Maar het verhaal gaat verder. Nu ons pad zo duidelijk voor ons lag, stortten Mehtab en ik ons op onze nieuwe missie: een eigen restaurant in Parijs. Niet veel later, toen ik een keer ik in bad zat, druipend van het zweet en met een glas thee met garam masala, en aan mijn vader dacht, kwam plotseling de naam van het nieuwe restaurant in mijn hoofd.

Le Chien Méchant.

Perfect, vind je niet?

Ons eerste doel was uiteraard om het juiste pand te vinden en Mehtab en ik zwierven een paar maanden door Parijs op zoek naar een toplocatie. De makelaars toonden ons ofwel reusachtige pakhuizen in sombere zijstraatjes van het weinig populaire 13de of 16de arrondissement, ofwel krappe winkelruimtes, niet veel groter dan een poppenhuis, in de betere straten dichter bij de Seine. Niets wat geschikt was voor ons. Maar we zetten door, vastberaden, wetend dat de locatie ons beginnende restaurant kon maken of breken.

Na een van die verhitte en vruchteloze zoektochten schopte Mehtab in ons appartement haar sandalen uit en begon ze haar eeltknobbels te inspecteren. Iedere keer dat ze een gevoelige plek raakte kreunde ze even. 'Mijn god,' zei ze, 'dit is erger dan een appartement zoeken in Mumbai.' Ze wilde me roepen om naar haar voeten te kijken, maar ik werd gered door de telefoon die begon te rinkelen. Ik sprong overeind om op te nemen.

'Spreek ik met chef Haji?'

Aan de andere kant van de lijn klonk de stem van een oudere man en ergens op de achtergrond hoorde ik een hond blaffen.

'Ja, dit is Hassan Haji.'

'Chef, ik heb u jaren geleden ontmoet, toen u een jongeman was en aan het begin van uw carrière stond. In Lumière.

Mijn naam is Le Comte de Nancy Selière.'

'*Oui, monsieur Le Comte*. Ik herinner me u nog goed. U kwam ieder jaar naar Le Saule Pleureur.'

'Ik hoor dat u een ruimte zoekt om een restaurant te beginnen.'

'Ja, inderdaad. Dat klopt. Hoe wist u dat?'

'Ach, chef. U zou inmiddels toch moeten weten, Parijs is een dorp. Roddels verspreiden zich uiterst efficiënt over de markten, vooral als het gaat om haute cuisine. Of politiek.'

Ik lachte.

'Ja, ik geloof dat u gelijk hebt.'

'Hebt u tijd? Misschien zou u langs kunnen komen. Rue Valette nummer zeven. Misschien heb ik precies wat u nodig hebt.'

Le Comte de Nancy Selière bezat een schitterend herenhuis, compleet met torentjes, boven op de Montagne Saint-Geneviève. Hij woonde maar een half blok van het Panthéon, de basiliek met het stijlvolle plein waar de groten van Frankrijk, van Voltaire tot Malraux, begraven liggen in de koude crypte. Mehtab en ik waren diep onder de indruk van het statige huis van de graaf en we stonden schaapachtig voor de deur, zenuwachtig aanbellend, in de verwachting dat een strenge butler zou opendoen die ons beval achterom te lopen naar de personeelsingang. Maar tot onze grote verrassing deed de graaf zelf open. Zijn haar zat door de war en hij droeg een ribfluwelen broek en leren pantoffels.

'Kom maar mee. Het is twee deuren verderop,' zei hij nadat hij kort onze handen had geschud.

Zonder ons antwoord af te wachten liep Le Comte de Nancy, op zijn pantoffels, door de afdalende rue Valette, een grote, rinkelende sleutelbos bungelend aan zijn met levervlekken bedekte hand.

Ik zal die eerste keer dat ik het met klimop begroeide huis op rue Valette nummer 11 zag nooit vergeten. De zon zonk weg achter de daken van de stad toen ik de heuvel af keek en een nevel van luchtvervuiling vormde een majestueuze, roze halo rondom het kalkstenen gebouw die me deed denken aan het licht van Lumière.

Nummer elf was twee keer zo klein als het imposante huis van de graaf en het zag er robuust en vrolijk uit, met zijn houten luiken en de klimop langs de onderste verdieping, die het een informele uitstraling gaven. Eerder plattelands, kortom, dan in de stijve, deftige stijl die je in Parijs zoveel ziet.

De hal was nogal donker vanwege de zware houten lambrisering, maar toen we door de volgende deur liepen, zagen we een reeks met elkaar verbonden, lichte woonkamers en antichambres die geen van alle erg groot waren, maar vloeiend in elkaar overgingen. Ik stond even stil in de grootste salon, onder de kristallen kroonluchter, en zag de mogelijkheden voor me. Het was niet moeilijk om me hier een stijlvolle eetzaal voor te stellen. We trokken de zware fluwelen gordijnen die de hoge ramen aan de straatkant afdekten opzij en zelfs in het zwakke, stoffige schemerlicht zagen we hoe mooi het patroon van de parketvloer was.

Achterin lagen een grote kamer met badkamer, die ideaal was om in te richten als keuken en uitkwam op een klein binnenplaatsje voor de leveranciers. De lichte verdieping erboven konden we gebruiken als kantoorruimte, want in de jaren zeventig van de vorige eeuw was er een interne wenteltrap gebouwd die beide verdiepingen met elkaar verbond. De drie bovenste verdiepingen hadden een eigen zijingang, maar de graaf zei dat hij die niet verhuurde; daar sloeg hij de oude meubels en schilderijen op die hij van zijn familie had geërfd. Dus er waren geen andere huurders die last zouden kunnen hebben van het restaurant. Mehtab en ik liepen de wentel-

trap op en af tussen de twee verdiepingen. We geloofden onze ogen niet en probeerden een zo neutraal mogelijke houding aan te nemen.

Mijn hart sloeg over.

Voor het eerst in lange tijd voelde ik me ergens thuis.

'Wat vind je ervan?'

'Fantastisch,' fluisterde Mehtab. 'Maar kunnen we het
ons veroorloven?'

Precies op dat moment hoorden we de graaf beneden ongeduldig met zijn sleutels rinkelen. 'Kom, schiet op,' riep hij.
'Ik kan hier niet de hele dag blijven wachten tot jullie hebben
besloten. Ik heb werk te doen. Jullie moeten nu gaan.'

Toen we weer op straat stonden en Le Comte de Nancy de
voordeur weer op slot deed, bekeek ik de omgeving met meer
belangstelling. Onder aan de heuvel lagen Place Maubert, de
zaterdagse boerenmarkt, en het metrostation. Boven op de
heuvel stond het imposante Panthéon. Van mijn appartement
bij het Institut Musulman de la Mosquée was het hooguit tien
minuten lopen.

En recht tegenover het gebouw, pal naast het Collège
Sainte-Barbe van de Sorbonne, stond een van de mooiste
huizen van de linkeroever: Monte Carlo, een met koperen
panelen bekleed appartementengebouw waar de inmiddels
overleden oud-president van Frankrijk, een vurig socialist,
zijn maîtresse had ondergebracht – in een schitterend appartement in ancien régime-stijl op de derde verdieping. Twee
palmbomen en een portier in uniform hielden nu de wacht
voor de met houtsnijwerk versierde deuren.

Geen twijfel mogelijk; dit was de ideale locatie.

'En jongeman? Hebt u interesse?'

'*Bien sû... sûr*,' stamelde ik. 'Het is prachtig. Maar ik weet
niet of ik het me kan veroorloven.'

'Pff,' zei de graaf wuivend met zijn hand. 'Dat zijn financiele details. Daar komen we wel uit. Waar het om gaat is dat ik een goede, betrouwbare huurder wil, en een kwaliteitsrestaurant, tja, dat sluit goed aan bij mijn persoonlijke smaak en interesse. En ik denk dat u op zoek bent naar een geschikt adres om uw naam te vestigen. Dus onze doelen zijn uitstekend verenigbaar. Heel belangrijk voor een partnerschap. Vindt u niet?'

'Ja, inderdaad.'

'Dat is dan geregeld.'

Hij stak zijn artritische hand uit.

'Dank u wel, monsieur Le Comte! Dank u wel! U zult geen spijt krijgt van uw beslissing. Dat beloof ik.'

Ik schudde hem enthousiast de hand en voor het eerst glimlachte de aristocraat, waarbij hij zijn kleine gele tanden ontblootte. 'Daar twijfel ik niet aan,' zei hij. 'U bent een jonge chef met veel talent en dat is de reden dat ik u help. Denk daaraan in de dagen die komen. En maakt u zich geen zorgen. Ik zal mijn advocaat opdracht geven spoedig contact met u op te nemen over de details.'

Le Comte de Nancy Selière werd niet alleen mijn huisbaas, maar ook mijn beste klant. Le Chien Méchant was zijn 'stamkroeg' zoals hij vaak zei. Maar zelfs die beschrijving doet zijn rol in mijn verdere carrière geen recht, want de graaf was in feite een soort beschermengel die altijd mijn belangen in het oog hield.

De afgesproken huurprijs lag de eerste twee jaar vijftig procent onder de marktwaarde en de jaren daarop verhoogde de graaf de huur heel geleidelijk en meestal alleen als dat noodzakelijk was vanwege gestegen verzekeringskosten of om de inflatiegolf bij te houden. In de loop van de jaren hielp de graaf me op honderden manieren, onder andere door onmiddellijk bij zijn eigen bank een lening met uitstekende voorwaarden te regelen voor de vierhonderdduizend euro die ik bij moest lenen om mijn twee miljoen kostende visioen te realiseren.

Maar het belangrijkste was dat ik hem mocht. Le Comte de Nancy was weliswaar een knorrige zuurpruim, maar hij was ook heel vriendelijk tegen iedereen die hem de kans gaf, en eigenlijk had hij ook een uitstekend gevoel voor humor. Toen een van mijn leerling-personeelsleden zo vermetel was om hem te vragen of hij nog ruimte had voor het dessert, keek de graaf de jongen aan alsof hij ze niet allemaal op een rijtje had en antwoordde: 'Mijn beste jongen, een gourmand is een heer die het talent en de kracht heeft om door te eten als hij geen honger meer heeft.'

Maar op die eerste dag, toen de graaf zijn adem uitblies met dat 'pff' omdat ik hem vroeg naar de kosten van het gebouw, wist ik intuïtief hoe de vork in de steel zat. Want ik kende dat arrogante en afkeurende geluid maar al te goed. Hoewel ik er geen bewijs van had, en dat ook nooit heb gekregen, wist ik op dat moment dat madame Mallory op de een of andere onzichtbare manier de hand had gehad in de komst van Le Comte de Nancy Selière. Want hoe kan iemand anders verklaren dat de beste klant van Le Saule Pleureur plotseling zowel mijn huisbaas als mijn beste klant in Parijs werd, alsof er van het ene restaurant een estafettestokje werd doorgegeven aan het andere.

'Ik begin me zorgen over je te maken, Hassan,' zei madame Mallory kortaf en ijzig aan de telefoon toen ik Le Comte ter sprake bracht. 'Het lijkt wel of je aan de drugs bent, zoals je me steeds lastigvalt met je paranoïde fantasieën. Heus, heb je ooit gezien dat ik een van mijn klanten heb aangespoord om geld uit te geven bij een concurrent? Het idee alleen al is te gek voor woorden.'

Verfdampen, geschreeuw, rinkelende telefoons, bomvolle winkelwagens in de supermarkt, interviews, bestelformulieren, verhitte onderhandelingen, gevolgd door lange uren loodzware arbeid. Mehtab liep de werklui te commanderen die nummer 1 precies verbouwden volgens mijn gedetailleerde instructies en visioenen en ik hield me bezig met het belangrijkste: het aannemen van de belangrijkste personeelsleden van het restaurant – als ik tenminste niet werd weggeroepen om een beslissing te nemen over het lijstwerk of een kleur. Na honderden sollicitatiegesprekken voor de vacature van chef de cuisine, viel mijn keuze op Serge Poutron, die eruitzag als een reusachtige knol, oorspronkelijk uit Toulouse kwam en nogal ruig was. Ik had hem leren kennen toen ik bij La Gavroche werkte. Serge was lastig en soms ronduit gemeen tegen zijn ondergeschikten, maar hij bracht discipline in de keuken en ik wist dat hij zonder uitzondering, dag in dag uit, schitterende gerechten voor me zou maken. En als hoofd van de zwarte brigade koos ik Jacques, een veteraan uit het driesterrenrestaurant L'Ambroisie. Hij was een tengere, charmante man, een soort Charles Aznavour voor de hogere kringen, die altijd klaarstond om het de gasten naar de zin te maken.

De eerste recensie die we kort na de opening van Le Chien Méchant kregen, stond in *Le Monde*, en ik wil best bekennen dat ik emotioneel werd toen ik zag dat mijn naam en restaurant op een beschaafde manier werden geprezen in die verheven krant, die het brandpunt vormt van de opinievormende Franse elite. Het artikel bracht het restaurant onder de aandacht en ook de toenemende mond-tot-mondreclame van de gasten deed zijn werk, met name de eenmans-publiciteitscampagne van Le Comte de Nancy Selière, die uiteraard een vast tafeltje kreeg.

Op een dag in deze beginperiode, nadat ik mijn eerste Michelinster had gekregen, maar lang voor de tweede, nam een man die een grote rol zou gaan spelen in mijn leven, plaats aan een tafeltje in de eetzaal.

Ik was in de keuken *daurade aux citrons confits* aan het bereiden toen Jacques binnenkwam om twee nieuwe bestellingen door te geven. Hij hing de bonnetjes aan de haakjes en zei zonder op te kijken op zakelijke toon dat ik werd verwacht bij tafel acht. Mijn gerant zag er ongewoon chagrijnig en gekweld uit en liep meteen weer terug door de klapdeuren, dus ik nam aan dat het een gewichtige persoon was die niet te spreken was over het eten.

'Serge, neem het even over, ik moet de zaal in,' zei ik op luide toon om het metalen gekletter van de pannen en de klossende klompen van het keukenpersoneel dat over de tegelvloer heen en weer rende voor de stalen fornuizen te overstemmen. Serge gromde dat hij me had gehoord en riep onmiddellijk daarna: 'Bestelling klaar!' Een *commis* hielp me mijn met vetspatten bevlekte kokskleding uit te trekken en reikte me een schone set aan.

Le Chien Méchant was die avond vol en toen ik de klapdeuren achter me liet dichtvallen en door de antichambres liep knikte ik naar een paar vaste gasten. Tafel nummer acht in de hoofdzaal was een van de betere tafels en ik wist dat daar een of andere beroemdheid moest zitten.

De half kale man aan de tafel was alleen. Langs de onderkant van zijn schedel liep een ring van zilverkleurig haar, uitlopend in dikke, witte bakkebaarden die het grootste deel van zijn gezicht bedekten, een stijl die erg in zwang was in vervlogen tijden. De man was bonkig en gespierd, met om zijn nek een gouden ketting en aan zijn ruwe handen opzichtige gouden ringen die niet zouden misstaan bij een Corsicaanse maffioos. Maar hij droeg ook een prachtig houtskoolgrijs, zijden pak dat getuigde van goede smaak en hij straalde een soort kalme autoriteit uit. Ik keek vluchtig naar zijn bord – daaruit kan ik veel afleiden over de persoon – en zag dat hij als voorgerecht gerookte paling met room van verse mierikswortel had besteld.

'Chef Haji,' zei hij terwijl hij zijn grote hand uitstak. 'Ik was al een tijd van plan eens kennis met u te maken. Ik was erg teleurgesteld toen mijn personeel me vertelde dat u twee keer in mijn restaurant bent geweest zonder dat u mij hebt begroet. Dat heeft me gekwetst.'

Chef Paul Verdun. Een van de grootsten van het land.

Ik was er beduusd van dat ik tegenover zo'n grote ster stond. Ik kende chef Verdun goed, van een afstandje, want zijn verhaal werd eindeloos herhaald in de Franse kranten. In de afgelopen vijfendertig jaar had hij een eenvoudige slagerij op het platteland omgetoverd tot een wereldberoemd driesterrenrestaurant en zijn weergaloze talent lokte fijnproevers van over de hele wereld naar het hoekhuis op de tweede rotonde in Courgains, een piepklein dorpje in Normandië waar Le Coq d'Or, het goudhaantje, was gevestigd.

Chef Verdun was een meester van de zware Franse keuken, die op dat moment net uit de gratie begon te raken en werd verdrongen door de moleculaire keuken, geïnitieerd door chef Mafitte, de rijzende ster uit Aix-en-Provence. Chef Verdun was befaamd om zijn aan het spit gebraden jonge duif gevuld met zwezerik, eendenlever en lente-uitjes, zijn in portwijn gestoofde haas in kalfsblaas en, misschien wel zijn beroemdste gerecht, de *poularde Alexandre Dumas*, een simpele kip gevuld met een decadente hoeveelheid zwarte truffels.

Ik was dolblij dat ik kennis kon maken met chef Verdun en ging aan zijn tafeltje zitten. We spraken ruim een halfuur met elkaar voordat ik met tegenzin terugging naar de keuken waar het werk wachtte. Maar in dat eerste gesprek vond het allesbepalende moment plaats dat de basis vormde voor onze vriendschap. Chef Verdun praatte graag over zichzelf, waarbij hij grote woorden niet schuwde, dus ik was niet helemaal verbaasd toen hij uiteindelijk zei: 'Hassan, vertel me eens. Welke van de gerechten die je in Le Coq d'Or hebt gegeten, was je favoriet?'

Toen ik in zijn restaurant op het hoofdgerecht had zitten wachten, had ik in een impuls als voorafje de omelet met kabeljauwwangetjes en kaviaar besteld. Het gerecht was bedrieglijk eenvoudig, maar in mijn ogen was het de kroon van de Franse keuken, zo verfijnd en toch zo krachtig. Later ontdekte ik door eigen onderzoek dat het gerecht is uitgevonden door de kok van kardinaal de Richelieu en dat het iedere vrijdag bij de lunch aan de omstreden kardinaal werd geserveerd, tot diens dood. Daarna verdween deze verrukkelijke omelet van de menukaarten, tot chef Verdun hem herontdekte en op glorieuze wijze aanpaste aan de moderne smaak.

'Dat is gemakkelijk. De omelet. Met kabeljauwwangetjes.'

Chef Verdun verstijfde met zijn vork halverwege zijn lippen en keek me scherp aan. 'Ik ben het met je eens,' zei hij. 'Bijna iedereen kiest de poularde Alexandre Dumas. Maar die vind ik wat aanstellerig. Te *opera buffa*. De omelet in al zijn eenvoud is altijd mijn persoonlijke favoriet geweest. Jij en ik, Hassan, wij zijn de enige twee die er zo over denken.'

In de jaren daarop ontmoetten chef Verdun en ik elkaar regelmatig. Ik wil de aard van onze vriendschap niet overdrijven; ik denk dat niemand, ook zijn vrouw niet, ooit de hyperactieve energie van deze man kon begrijpen. Hij was een raadsel, ongrijpbaar. Maar in de loop van de jaren ontwikkelden Verdun en ik een diep en bestendig respect voor elkaars werk, en ik zou zelfs kunnen spreken van ware genegenheid. En het gevoel van die vriendschap komt voor mij weer tot leven als ik denk aan de dag nadat ik mijn tweede Michelinster had bemachtigd, toen chef Verdun onverwachts Le Chien Méchant binnenliep.

Het was laat in de middag en zonder mijn medeweten had hij met Serge en de rest van het personeel afgesproken dat hij mij zou kidnappen – nogal brutaal eigenlijk, nu ik erover nadenk, maar zo was Paul – en dat de avonddienst aan de bekwame handen van Serge zou worden toevertrouwd.

Ik sputterde verontwaardigd en hield vol dat ik nodig was in mijn eigen restaurant, maar Paul zei alleen maar: 'Oui. oui,' alsof hij een ongehoorzaam kind probeerde te sussen, waarna hij me met kracht in de passagiersstoel van zijn Mercedes duwde.

Mijn personeel wuifde me gedag vanuit de deuropening van het restaurant en verdween in een waas toen de voet van Paul het gaspedaal intrapte en we met angstaanjagende snelheid in de richting van de luchthaven Orly stoven. Hij reed altijd als een maniak.

Op de landingsbaan stond een privévliegtuig op ons te wachten en pas toen we waren opgestegen, vertelde Paul me eindelijk dat hij had besloten dat mijn tweede ster op gepaste wijze moest worden gevierd, en dat betekende, uiteraard, een reisje naar Marseille voor een goed diner met vis. Hij had een bevriende investeringsbankier op zijn eigen intimiderende manier overgehaald om ons zijn Gulfstream te lenen.

Die nacht dineerden Paul en ik bij Chez Pierre, het klassieke restaurant op de klippen boven de haven van Marseille. Onze tafel stond in de grote erker. Toen we aankwamen ging de zon net onder, als een mangosorbet die uitdroop over de horizon; vanuit de platinakleurige Middellandse Zee onder ons klonk het kalmerende geluid van golven die tegen de rotsen sloegen.

Chez Pierre was een restaurant van de oude school. De inrichting was eenvoudig en de stevige tafels waren gedekt met witte kleden en zwaar zilver. Een oudere ober met pommade in zijn haar zette een gebutste zilveren wijnemmer naast ons tafeltje. Paul en de man praatten met elkaar alsof ze oude vrienden waren, waarna Paul een fles Krug-champagne uit 1928 bestelde.

We keken vol ontzag toe terwijl de oude fles werd ontkurkt en het goudkleurige schuim opsteeg tot de rand van het glas en zijn eerbiedwaardige leeftijd onthulde. Maar de echte verrassing kwam toen we de flûtes naar onze lippen brachten. De champagne was zo fris en bruisend als een blozende bruid en aan de smaak was niet te proeven dat hij bijna de pensioengerechtigde leeftijd had bereikt. Integendeel, de champagne vulde ons met een verlangen om te zingen, te dansen, verliefd te worden. Tamelijk riskant, vond ik.

We begonnen natuurlijk met een theekopje vissoep, gevolgd door een heerlijk gerecht van kleine venusschelpen, de doorschijnende schelpdiertjes die niet groter zijn dan babyvingernagels en in de eigen grot van het restaurant onder aan de rotswand werden gekweekt. Als hoofdgerecht *loup de mer*, gegrild op venkelstelen en vervolgens in warme Pernod gedoopt, waarna de ober, met een keukendoek over zijn onderarm en een lange lucifer in de hand, met veel vertoon de zeebaars aan onze tafel flambeerde. De venkelstelen en citroenschijfjes die om de vis lagen, smeulden nog na toen het bord voor ons op tafel werd gezet.

We lachten en praatten tot diep in de nacht, tot de zee buiten vol leek te zijn gepompt met inktvisinkt. Vissersboten met masten vol lichtjes voeren de haven uit voor een nachtelijke zoektocht naar sardines en makreel. Ver op zee lag een olietanker plat op het water, een suikerklontje van licht in het donkerste deel van het water.

Die avond vertelde Paul me dat zijn vader hem *Gedenkschriften van een schermmeester* en *De graaf van Monte Cristo* had voorgelezen; de reden dat de chef-kok zijn be-

RICHARD C. MORAIS

roemdste gerecht naar Alexandre Dumas had vernoemd. Het was ook deels de reden dat we hier waren. Château d'If, de vestinggevangenis waar *De graaf van Monte Cristo* zich afspeelde, lag op die magische avond voor ons in de baai van Marseille en de grijze rotsen en vestingmuren zagen er verrassend sierlijk uit met hun slingers van feestlichtjes.

In vino veritas. De champagne maakte onze tongen los en ik kreeg eindelijk een glimp te zien van de innerlijke geheimen van de altijd zo extraverte Verdun. Tegen het einde van de maaltijd, toen we een lichte amandeltaart aten, begeleid door neusholtereinigende slokken cognac, vroeg Paul me zachtjes of ik wel eens bij Maison Dada in Aix-en-Provence had gegeten, het minimalistische restaurant van de nieuwe rijzende ster, chef Mafitte. Ondanks alle drank die in zijn ingewanden klotste, klonk er duidelijk onzekerheid in zijn stem.

Charles Mafitte vergaarde op dat moment roem als de artistieke aanvoerder van het postmoderne, deconstructivistische koken. Hij gebruikte spuitbussen met lachgas – op zijn zachtst gezegd niet iets wat je in een keuken zou verwachten – om zijn beroemde 'gekristalliseerde schuim' van zee-egeleitjes, kiwi en venkel of een kom heerlijke 'pasta', bestaande uit Gruyère en *reine des reinettes*-appels te creëren. De techniek van Mafitte hield in dat hij de ingrediënten volledig ontleedde, bijna tot moleculair niveau, om de voedingsstoffen vervolgens met elkaar te vermengen tot vreemde, nieuwe creaties.

Ik bekende dat ik een paar jaar eerder inderdaad een gedenkwaardig maal had gegeten bij Maison Dada, met mijn toenmalige vriendin – Marie met haar stevige dijen, die naar paddenstoelen rook. Waar moest ik beginnen? Chef Mafitte vermaalde Fishermans' Friends en gebruikte dat bizarre ingrediënt als basis voor zijn 'kreeftlollies', een verbluffend gerecht geserveerd met 'truffelijs'. Zelfs de klassieke kikkerbilletjes, in feite het archetypische gerecht van de Franse plattelandskeuken, werden onherkenbaar door de artistieke bereidingswijze van chef Mafitte; hij verwijderde de botjes, 'karameliseerde' de billetjes in vijgensap en droge vermout en diende ze op naast een 'polentabom' vol foie gras en stukjes granaatappel. Geen spoor van de klassieke ingrediënten van dit gerecht: knoflook, boter en peterselie. Toen ik Marie vroeg wat ze van het eten vond, antwoordde ze: '*Zinzin.*' Parijse straattaal voor 'geschift'. En ik moet bekennen dat mijn weinig welbespraakte winkelmeisje onze eetervaring daarmee treffend verwoordde, voordat die beruchte rokkenjager haar onder de tafel begon te betasten.

Dit alles vertelde ik aan Paul en terwijl ik aan het woord was, zag ik hem steeds somberder worden, alsof hij op de een of andere manier uit mijn geanimeerde geklets afleidde dat deze chef-kok uit het zuiden op een dag zijn aartsvijand zou worden en Pauls gespierde omarming van en intense liefde voor de klassieke Franse keuken beschouwde als iets wat absoluut en volkomen uit de tijd was.

Maar hij vermande zich.

'Genoeg. We zijn hier om je tweede ster te vieren, Hassan. En drink nu je glas leeg; we gaan naar de disco.'

Paul sloeg zijn cognac achterover en zei: 'Sta op, d'Artagnan. Sta op. Het is tijd om de snoepjes van Marseille te proeven, die niet voor niets zo beroemd zijn.'

Ik weet niet hoeveel geld Paul die avond voor ons feestje heeft neergeteld, maar het werd een van de onvergetelijkste en vermakelijkste avonden van mijn leven.

Een jaar later was ik in Normandië om een leverancier te bezoeken en ging ik langs bij Pauls huis in Courgains. Zijn vrouw, Anna Verdun, begroette me stijfjes bij de deur; ze stond erom bekend dat ze weinig belangstelling had voor de gewone vrienden van Paul en haar energie liever besteedde aan zijn beroemdste klanten en hun aanhang. Maar na haar uiterst koele ontvangst liet madame Verdun me door een jonge vrouw naar Pauls domein achter in het huis brengen.

Toen ik het dienstmeisje volgde door de gangen van hun negentiende-eeuwse herenhuis, waarvan de muren vol hingen met ingelijste foto's en uitgeknipte artikelen over Pauls gestage opkomst in de wereld van de haute cuisine, viel mijn oog op een met rood waskrijt geschreven briefje waarvan de scheve letters me zeer bekend voorkwamen.

Het ingelijste document was een pamflet uit de jaren zeventig van de vorige eeuw waaronder in het stevige handschrift was geschreven: 'Voor Paul, mijn goede vriend, de grote slager van Courgains, een man die op een dag de wereld versteld zal doen staan. Blijf doorvechten. Vive La Charcuterie Française!'

Het was ondertekend met 'Gertrude Mallory'.

En zo komen we eindelijk bij de cruciale periode. Ik was vijfendertig toen Le Chien Méchant zijn tweede ster kreeg en de paar jaar daarop zat ik in een creatieve impasse. Ik werkte hard, maar boekte geen progressie doordat de frisheid en de bezieling waarmee ik mijn werk in het restaurant was begonnen, door de constante herhaling waren geïnstitutionaliseerd.

Toegegeven, in die tijd kregen we een paar middelmatige recensies, maar diep in mij brandde nog steeds het oude vuur en toen ik veertig werd raakte ik in de greep van een gevaarlijke rusteloosheid, de behoefte om een tandje bij te zetten.

Ik wenste vurig dat er een dramatische verandering zou plaatsvinden.

Ze vonden papa dood op de keukenvloer, in zijn badjas, omringd door scherven van borden en glazen kommen. Zijn huisarts en tante waren zo dom geweest om papa, op zijn tweeënzeventigste, te dwingen een streng dieet te volgen. Hij wilde er niets van weten. Gewekt door zijn luid rammelende maag, was papa midden in de nacht afgedaald naar de keuken om een hapje te eten. Hij gooide de deur van de koelkast open en stak zijn hoofd erin. Volgens de patholoog had hij de restjes vlees zo snel naar binnen gepropt dat een stukje kippenpoot vast was komen te zitten in zijn keel.

In paniek door het stukje koude kip dat zijn luchtweg blokkeerde, rende hij door de keuken, tot hij uiteindelijk werd geveld door een zware hartaanval. Gelukkig was papa al dood voordat hij de grond raakte.

We dachten allemaal dat hij eeuwig zou blijven leven en mijn herinnering aan zijn begrafenis in Lumière is mat en vaag. De hele familie was gek van verdriet. Ikzelf voelde zo'n intense pijn en mijn blik was zo vertroebeld door de constant stromende tranen, dat ik niet merkte hoe broos madame Mallory, die achteraan stond, zwaar leunend op de arm van monsieur Leblanc, eruitzag. Het enige wat ik zag, was dat de begraafplaats vol stond met buurtbewoners. Duizenden mensen, zelfs helemaal uit Clairvaux-les-Lacs, stonden eerbiedig te rouwen met hun hoed in de hand en het hoofd gebogen.

Uiteindelijk had hij hun harten veroverd, mijn papa.

Twee maanden later viel madame Mallory de trap af toen ze vanaf de zolder naar beneden liep. Ze brak een paar ribben en beide benen en stierf een paar weken later aan een longontsteking, in hetzelfde ziekenhuis dat twintig jaar eerder mijn brandwonden had behandeld.

Tot mijn grote verdriet en schande ben ik niet teruggekeerd naar de Jura om echt afscheid te nemen van mijn bazin, maar het ging gewoon niet, want er was te veel aan de hand in Parijs. Het leven zit altijd vol verrassingen en na een periode van geluk, was het nu blijkbaar weer tijd voor wat tumult Indiase stijl.

De wereld die we zo lang hadden gekend, veranderde plotseling ingrijpend toen de televisieschermen zich vulden met het schokkende nieuws dat de beurzen overal ter wereld instortten.

Economen hebben hun eigen verklaring voor wat er in deze duistere periode gebeurde, maar ik geloof dat het universum als geheel reageerde op het nieuws dat Abbas Haji en Gertrude Mallory geen deel meer uitmaakten van dit leven, maar eindelijk naar het abattoir waren geroepen.

Een wereldwijde depressie was de enige gepaste reactie.

14

Op een zaterdag, twintig jaar nadat ik naar Parijs was gekomen, liep ik op de boerenmarkt op de Place Maubert om een paar mooie, geïmporteerde mango's te kopen – die in paars papier waren gewikkeld en zorgvuldig waren ingepakt in een houten kist, als zeldzame orchideeën – toen mijn zus mij op mijn mobiel belde om me te vertellen dat Paul Verdun was omgekomen bij een auto-ongeluk.

Ze belde net op het moment dat ik mijn geld aan de verkoopster gaf onder de luifel van het kraampje, dus ik kon niet reageren op het nieuws dat ze op haar gebruikelijke botte manier bracht, maar zij praatte maar door met een hoge stem waar de sensatiezucht in doorklonk.

'Ze hebben hem gevonden onder aan een klip, vlak bij Courgains. Dood. Zomaar. Auto zo plat als naan. Hé, Hassan? Ben je daar?'

De *vendeuse* achter de toonbank gaf me mijn wisselgeld.

'Ik kan nu niet praten,' zei ik en drukte haar weg.

Lange tijd bleef ik verdoofd van de schok staan, me afvragend hoe het met ons zou aflopen. Het leek of de wereld verging en de zinloze, holle uitdrukking 'het einde van een tijdperk' maalde onophoudelijk door mijn hoofd.

Maar Parijs laat zich niet tegenhouden en de bedrijvigheid op de Place Maubert ging zonder onderbreking verder. Het was begin mei en er botsten stelletjes tegen me op die sjouwden met nettassen vol prei en lamsbouten. Een Vespa uitte toeterend zijn irritatie over het feit dat ik in de weg bleef staan en baande zich toen een weg achter me langs.

Er zijn een paar losse details in mijn hoofd blijven hangen: de kaaspasteitjes etende politieagenten op skeelers, die kruimels lieten vallen op hun blauwe overhemden; de ronddraaiende, gouden kippen in de grill, waarvan het raampje geel was van het vet. De hele markt rook naar rijpe Comté-kaas en naast me op de stoep stond een rieten mand vol wijn van de Mendoza-wijngaarden in Argentinië. Zelfs de Noord-Afrikanen die op cocaïneampullen lijkende buisjes met saffraan probeerden te slijten – doorgaans iets waar ik geen weerstand aan kon bieden – konden me niet verleiden van mijn plaats midden op straat te komen; ik stond daar roerloos als een beeld.

Maar het was een feit: met chef Verdun was een belangrijke tak van de klassieke Franse keuken, waarvan hij een van de laatste echte voorvechters was, gestorven.

Op dat moment botste een ruziezoekende, oude vrouw met een gezicht als een vijg tegen me aan, ongetwijfeld met opzet, en uit het niets werd ik razend. Ik duwde hard terug en ze schuifelde weg terwijl ze '*Sale Arabe*' riep.

Dat scheldwoord – 'Vieze Arabier' – bracht me in één klap terug naar de rue des Carmes en voor het eerst keek ik echt naar de Parijse onverschilligheid die me op de markt omringde, die typische afstandelijkheid, alsof er eigenlijk niets bijzonders was voorgevallen.

Ik was zeer verontwaardigd. Paul was een nationale schat en zelfs ik, een buitenlander, wist dat de klokken van Le Panthéon op de heuvel hadden moeten luiden als uiting van nationale rouw. Maar de enige reactie op zijn vertrek uit deze wereld was een Gallisch schouderophalen. Misschien had ik dat kunnen zien aankomen. Nog maar een paar weken geleden had *Gault Millau* Paul gedegradeerd van negentien naar vijftien punten, op een schaal van een tot twintig; een wrede herinnering aan het feit dat de recensenten en klanten van deze tijd geobsedeerd waren door het culinaire kubisme van chef Charles Mafitte.

Met mijn voorgeschiedenis was het logisch dat ik me aangetrokken voelde tot de 'wereldkeuken' van chef Mafitte, die ervan genoot om de bizarste ingrediënten uit de meest exotische hoeken van de wereld met elkaar te combineren, maar als ik naar één bepaalde stijl neigde dan was het de klassieke Franse keuken van Paul. De laboratoriumcreaties van Charles Mafitte waren bijzonder origineel, inventief en soms zelfs adembenemend, maar ik kon niet anders dan concluderen dat zijn culinaire kunststukjes uiteindelijk een triomf waren van stijl op substantie. En toch was het onmiskenbaar zijn 'chemische' keuken die de laatste jaren een snaar had geraakt bij zowel de recensenten als het publiek, en, of ik het leuk vond of niet, de stijl van Paul was iets uit het verleden en leek hopeloos ouderwets. Maar bij Paul draaide alles om eerlijk bloed en botten en vlezigheid en ik zou hem in ieder geval heel erg missen.

En nu was het allemaal voorbij. Hoewel mijn hersenen op dat moment nogal traag werkten, realiseerde ik me op die zaterdagochtendmarkt dat ik niets anders kon doen dan terugkeren naar huis en de weduwe van Paul bellen om haar te condoleren. Dus liep ik met de mango's onder mijn arm, volledig in de greep van dit – dat moet ik toegeven – nogal vage en abstracte gevoel van verlies, terug naar Le Chien Méchant, boven aan de rue Valette.

Toen ik de heuvel op klom, langs de vlakke gevels van de appartementengebouwen in de rue des Carmes die de naoorlogse bouwstijl van het Franse socialisme kenmerkten, liep ik onder een rij kinderonderbroeken door die aan een waslijn tussen twee balkons hing. Net op dat moment gooide een vrouw op de begane grond van het arbeidersgebouw haar keukenraam open en werd ik overspoeld door de walm van de *tripe à la mode de Caen* die in de gietijzeren pan op haar fornuis stond te sudderen.

Het was deze aardse pens-met-uiengeur die eindelijk een borrelend mengsel van herinneringen uit mijn binnenste naar boven bracht en op dat moment werd mijn vriend Paul – niet de driesterrenkok Verdun – weer tot leven gewekt in mijn geest.

Want ik herinnerde me die keer een paar jaar geleden dat Paul, die niet graag alleen reisde, me overhaalde hem te vergezellen op een tocht door de Elzas, langs de grens met Duitsland, om verse producten te zoeken. Paul stuurde zijn Mercedes met roekeloze snelheid door het landschap en ik werd doodmoe van de manische manier waarop hij te werk ging. Maar alles veranderde op die middag waarop ik – na ontelbare wandelingen over modderige paadjes naar afgelegen boerderijen om weer een Gewürztraminer of met tijm gekruide honing of een gerookt worstje te proeven – een uitbarsting kreeg.

'Genoeg,' riep ik. Ik zei met een staalharde stem dat ik weigerde nog één boerderij te bezoeken als we niet eerst zouden pauzeren om in alle rust te lunchen. Paul schrok ervan dat ik opeens mijn tanden liet zien, iets wat ik niet vaak deed, en ging snel akkoord. We reden naar een slaperig stadje waarvan ik me de naam niet meer kan herinneren.

Maar ik herinner me nog wel dat de bistro waar we aten blauw stond van de rook. De muren waren bekleed met donkere panelen en aan de zinken bar hingen een paar stamgasten somber boven hun *ballons* met wijn. Het rook er naar verrot hout en gemorste pastis en ons tafeltje stond onder een verweerde spiegel. Een verveelde jongeman kwam met een Gitane tussen zijn lippen naar ons toe om onze bestelling op te nemen terwijl een oudere vrouw in een smoezelig schort de keuken in en uit schuifelde.

Paul en ik bestelden allebei de dagschotel, tripe, die werd opgediend in kommen waar scherven aan ontbraken en die plompverloren met een harde klap op tafel werden gezet. We aten in stilte, doopten stukken landbrood met een harde korst in de stoofpot en spoelden alles weg met een lokale pinot gris, die we luidruchtig naar binnen slurpten uit de glazen die als plompe fazanten bij onze ellebogen stonden.

Paul duwde zijn lege kom van zich af en zuchtte letterlijk van tevredenheid.

Op zijn kin zat een druppeltje tripesaus, als een culinaire schoonheidsvlek, en ik zag dat de spanning die diepe rimpels op zijn gezicht had getekend als bij toverslag was verdwenen.

'In geen van de driesterrenrestaurants in Frankrijk zul je ooit iets lekkerders proeven,' zei hij. 'Wij ploeteren maar voort tot we volkomen uitgeput zijn en eerlijk gezegd maken we nooit iets wat zo goed is als dit, een simpele kom tripe. Heb ik gelijk of niet, Hassan?'

'Je hebt gelijk, Paul.'

Pas toen deze herinnering weer in me opkwam, op deze verdrietige dag van het auto-ongeluk, had ik eindelijk het fatsoen om de volle betekenis van de dood van mijn vriend tot me door te laten dringen, om de ernst van deze ongelooflijke tragedie echt te voelen.

Paul was er niet meer.

En zo eisten mijn smaakpapillen daar halverwege de rue Valette zelfstandig hun eigen eerbetoon aan chef Verdun op en proefde ik achter op mijn tong de rijke smaken en texturen van zijn rivierkreeftjes, een meesterwerk van flinterdunne plakjes gebakken ganzenlever die in laagjes tussen het schaamliproze vlees van de zoetwaterdiertjes waren gelegd.

De volgende ochtend werd ik gewekt door spreeuwen die buiten mijn raam aan het kwetteren waren, maar toen ik mijn benen uit bed zwaaide, had ik het gevoel dat ik een klap met een hamer had gekregen. Alle recente sterfgevallen, de instorting van de oude economische orde die we iedere dag in het nieuws zagen – het was alsof alle dood en verderf zich fysiek in mijn botten had genesteld. Ik was volkomen uitgeput, kon nauwelijks het ene been voor het andere zetten, en toen ik mijn flat verliet, moest ik bij mijn vaste cafeetje, La Contrescarpe, in de rue Lacépède, een tweede kop koffie nemen, voordat ik verder kon naar het restaurant.

Marc Bressier, een kennis van me die gerant was van het driesterrenrestaurant Arpège, zat al aan ons vaste tafeltje onder de groene luifel van de brasserie een omelet te eten. Hij knikte me toe toen ik een stoel bij trok.

Ik bestelde een dubbele espresso en een brioche. Op dat tijdstip in de ochtend was er op de Place de la Contrescarpe geen toerist te bekennen. Een straatveger reed met zijn zoemende, groene wagentje om de fontein heen en reinigde de keitjes met een hogedrukspuit die alle hondenpoep en sigarettenpeuken de goot in dreef. Aan de overzijde sliep een clochard onder een bosje, zijn grijze haar rustend op zijn uitgestrekte arm, zich volkomen onbewust van de waterspuit die langzaam maar zeker zijn kant op kwam.

André Piquot, patron van Montparnasse, zette een stoel

bij terwijl de luiken boven de bar aan de andere kant van het plein plotseling rammelend openzwaaiden, waardoor een zwerm duiven, geschrokken van het geluid, opvloog en over de huizen scheerde.

'*Salut, Hassan. Ça va, Marc?*'

'*Salut, André.*'

We konden over niets anders praten dan over Paul, en André drukte met zijn dikke vingers behendig de toetsen van zijn mobiel in zodat hij ons de laatste krantenberichten kon voorlezen. Er waren onbeantwoorde vragen over het ongeluk. De afwezigheid van bandensporen op de weg – die Paul kende als zijn broekzak – wees erop dat er niet was geremd voordat hij over de rand vloog. De auto zelf had net een onderhoudsbeurt gehad, dus als Paul de macht over het stuur was kwijtgeraakt, kon dat niet worden verklaard door een technisch probleem. Bovendien vertelde een getuige, een boer die aan de andere kant van de weg woonde, dat de auto leek te versnellen in plaats van te remmen en recht op de afgrond af reed voordat hij over de rand verdween. Het onderzoek was nog gaande.

'Ik kan het nog steeds niet geloven. Hij leek zo van het leven te genieten.'

'Wat denk jij ervan, Hassan? Jij was met hem bevriend.'

Ik haalde op zijn Frans mijn schouders op. 'Voor mij was hij net zo'n raadsel als voor jou.'

Het gesprek kwam op de aanstaande demonstratie tegen de verhoogde btw voor de horeca, een onderwerp dat op dat moment onze wereld beheerste.

'Jij komt toch ook, Hassan,' zei Piquot. 'Alsjeblieft. Als directeur van het Syndicat de Commerce de l'épicerie et gastronomie, moet ik mensen verzamelen voor de demonstratie. Alsjeblieft. En neem je personeel mee.'

'We moeten als één man optrekken,' voegde Bressier eraan toe.

'Oké, ik zal er zijn. Beloofd.'

Het was tijd om te gaan. Ik schudde hen de hand, stak het plein over en zag dat er weer twee winkels, een parfumerie en een broodjeszaak, voorgoed hun deuren hadden gesloten. Maar toen ik de steile rue Descartes af liep, werd mijn weg versperd door een lading met zeildoek bedekte schilderijen, die met veel geschreeuw en bombarie werden afgeleverd bij de Galerie Rive Gauche, en ik moest denken aan die keer dat Paul en ik een middag hadden doorgebracht in het Musée d'Orsay om op jacht te gaan naar zoals hij het noemde, *la source d'inspiration.*

Hij was die dag in goeden doen, op zijn aller charmantst, en het was een heel plezierige middag samen, ook al gingen we niet in hetzelfde tempo door het museum. Als ik om de hoek van een zaal liep, zag ik vaak nog net de achterkant van Pauls zilvergrijze hoofd de volgende zaal in schieten.

Op een gegeven moment zat ik in mijn eentje voor *De maaltijd* van Gauguin, geschilderd kort na de aankomst van de schilder op Tahiti. Niet een van zijn beste volgens de deskundigen, maar ik herinner me nog de extreme eenvoud van het werk – de drie eilandbewoners, de bananen, de schaaltjes op de tafel. Het schilderij maakte diepe indruk op me, want het liet me zien dat alleen een ware meester alle opzichtige artistieke uitingen en dramatiek kan weglaten zodat alleen de eenvoudigste en puurste ingrediënten op het bord achterblijven.

Natuurlijk kwam Paul terug om me te zoeken. Opgewonden als een kind zei hij: 'Je moet echt het schilderij van die en die bekijken in de volgende zaal,' en hij vertrok pas weer toen ik hem had beloofd dat ik dat zou doen. Maar op een gegeven moment was Paul echt verdwenen. Na lang zoeken vond ik hem pas op de tweede verdieping van het museum terug.

Hij stond onbeweeglijk voor een schilderij in de verste linkerhoek van de grote zaal. Ik weet niet hoe lang hij daar had gestaan, maar hij verroerde zich niet toen ik naast hem kwam staan. Hij bleef met uitdrukkingsloos gezicht naar de afbeelding kijken die zijn verbeelding zo stevig in de greep had.

Het schilderij was niet bijzonder goed, vond ik toen, maar nu ik eraan terugdenk, zie ik het tafereel weer levendig voor de geest. Het was een afbeelding van een bebaarde koning met zijn gemalin die zich aan hem vastklampte. Ze waren diep geschokt en vroegen zich ieder afzonderlijk af wat er van hen zou worden. Achter het wanhopige stel leek zich een eindeloze, kale, grijze muur uit te strekken en voor hen lag een ceremoniële kaars op de vloer, gedoofd en botweg achtergelaten. Het schilderij van Jean-Paul Laurens droeg de titel *De excommunicatie van Robert de vrome.*

Toen Paul na een paar minuten nog steeds op geen enkele manier te kennen gaf dat hij zich bewust was van mijn aanwezigheid, zelfs niet toen ik op mijn andere been ging staan en mijn keel schraapte, zei ik: 'Paul?'

Hij knipperde twee keer met zijn ogen en draaide zijn hoofd naar me toe.

'Klaar? Mijn god, het lijkt wel of ik met een oude vrouw op stap ben, zo traag ben je. Zullen we wat gaan drinken in een barretje dat ik ken, niet ver van hier?'

Toen ik door de voordeur van Le Chien Méchant glipte, zat mijn maître d'hôtel Jacques aan de tafel in de foyer, waar hij perziken op elkaar stapelde die zojuist uit Sevilla waren aangekomen. De door een spotje beschenen tafel was het eerste wat de gasten zagen als ze de donkere hal binnenkwamen, en iedere dag dekten we hem opnieuw met verse vijgen, ananassen, mango's en kleurrijke potten met bessen. Tussen de weelderige stapels fruit zetten we een bord met gerookte worstjes of de verfijnde, kruimelige pasteitjes van de dag, onder een gladde, glazen stolp, allemaal om een verleidelijk contrast tussen kleuren en texturen te creëren. De enige vaste attributen waren een opgezette fazant – met twee fonkelende glazen ogen en een lange staart die majestueus uitstak over de geboende perenhouten planken van de tafel – en twee strategisch geplaatste antieke, koperen potten met deksels van gehamerd zilver.

Jacques, die was gekleed in een blauw maatpak, legde de laatste perzik op zijn plaats en keek mijn kant op terwijl ik de voordeur zachtjes sloot.

'*Chef!* U zult het niet geloven. Ik ben erachter. Ik weet wie het zijn.'

Weer voelde ik de vermoeidheid over me neerdalen.

'Het is een jong stel. Dat weet ik zeker.'

Jacques wenkte me dichterbij om zijn in leer gebonden onderzoeksmap met pagina's vol haastig geschoten kiekjes te bekijken.

'Ziet u? Hier is het bewijs. Kijk maar.'

Jacques was doorgaans een keurige, gereserveerde man, maar hij verloor alle redelijkheid uit het oog als het om restaurantrecensenten ging. Hij verachtte ze en het was zelfs zijn grootste ambitie in het leven om de anonieme inspecteurs van de *Guide Michelin*, die in het geheim de restaurants keurden en de felbegeerde Michelinsterren toekenden, te ontmaskeren. De afgelopen jaren had hij de strategie ontwikkeld om gasten van wie hij vermoedde dat ze van Michelin waren, in de gang te fotograferen op het moment dat ze het restaurant verlieten. Daarna ging hij met zijn galerij van stiekeme foto's naar de Bib Gourmand-restaurants, redelijk geprijsde brasseries en bistro's die, volgens de gids zelf, favoriet waren bij de Michelin-inspecteurs om op vrije dagen hun eigen gezin mee naartoe te nemen.

In zijn vrije tijd ging Jacques nu al jarenlang met vaste regelmaat naar de pretentieloze Bib Gourmand-restaurants,
waar hij zijn portfolio met kiekjes vergeleek met de gasten.
Het was natuurlijk *complètement fou*, alsof hij een naald in
een hooiberg zocht, en dit was de eerste keer dat hij er twee
had herkend.

'Kijk. Dit is hetzelfde stel. Ze aten hier op de vierde en vier
dagen later zaten ze bij Chez Géraud in het 16de arrondissement. Ik weet zeker dat het Michelin-inspecteurs zijn. Hij
heeft een nogal laatdunkende uitdrukking, vind je niet?'

'Ja, kan zijn. Maar...'

'Nou, ik weet het zeker.'

'Eigenlijk zijn dat de zoon en schoondochter van chef Du-
bonet uit Toulouse. Ze waren die week hier om onderzoek te
doen. Ze gaan een bistro openen. Ik heb het jonge stel zelf
naar Chez Géraud gestuurd.'

Jacques keek beteuterd.

Ik probeerde meelevend te glimlachen, maar het ging niet
van harte en ik ging snel verder voordat hij me meesleurde in
zijn bizarre obsessie.

De jasmijnboeketten in de hoofdzaal, die je ook in de salon
nog vaag kon ruiken, waren van Chez Antoine, in het 6de arrondissement, en waren strategisch in de zee van tafels geplaatst om de hele ruimte te voorzien van hun zachte parfum.
Het porselein van Le Chien Méchant was naar een ontwerp
van mijzelf vervaardigd bij Christian Le Page en ook het zware zilver was volgens mijn instructies gestempeld door een fa-
miliebedrijfje in Sheffield in Engeland. De wijnglazen van
Moser-kristal waren handgeblazen in Noord-Bohemen. Het
witte, gesteven linnen van de eetzaal was niet machinaal ge-
produceerd in Normandië, maar met de hand geweven door
vrouwen in Madagascar. En alles waarmee de gasten in aan-

raking kwamen – van de wijnglazen tot aan de Caran d'Ache-
pen waarmee de rekening werd ondertekend – was voorzien
van het insigne van Le Chien Méchant: een piepkleine, blaffende buldog. Mallory had me geleerd dat de details het restaurant maken en niemand kon beweren dat ik geen goede
leerling was, want ik plaatste zelfs bij alle tafels een mahonie-
houten voetenbankje waarop de vrouwen hun kostbare
handtassen konden zetten.

Mijn bedienend personeel was bezig de tafelkleden uit te
slaan om ze over de tafels uit te spreiden, terwijl uit de verborgen luidsprekers de zachte pianoklanken dreven van
'What am I Here For?' van Duke Ellington. Een leerling die
bij het dressoir het kristal stond op te poetsen, zag mij staan
in het donkere deel van het restaurant, waar ik de eetzaal in
ogenschouw nam en hij knikte me respectvol toe terwijl het
bewerkte glas dat hij vasthield flonkerde in het licht.

'Bonjour, chef,' riepen verschillende obers terwijl ik door
de salon liep.

Ik zwaaide en liep de keuken in.

Chef de cuisine Serge stond bij de gaspitten. Hij had een
zware gietijzeren pan in zijn handen, de handgrepen bedekt
met een theedoek, en goot heet ganzenvet in een aardewerken kom. De keuken rook sterk naar pas fijngehakte sjalotjes en sudderende visbouillon. Jean-Luc, een zestienjarige
leerling van een boerderij in Normandië, stond toe te kijken,
tot Serge snauwde: 'Trek een handschoen aan en help me!'

De leerling, geschrokken van dit onverwachte bevel, draaide zich in paniek om, maar Lucas, mijn *commis*, stond al aan
zijn zijde en reikte hem behulpzaam een keukenhandschoen
aan.

De serieuze jongen had zijn hand nog niet in de handschoen
gestoken of hij slaakte een kreet en schudde wild met zijn
pols, waardoor de handschoen en een stukje schapendarm

door de keuken vlogen. Iedereen barstte in lachen uit, maar niemand lachte harder dan de blozende Serge, die zo hevig schudde met zijn hele lichaam dat hij zich aan het fornuis moest vasthouden om niet te vallen. De leerling probeerde te glimlachen alsof hij de grap wel kon waarderen, maar ondertussen was hij lijkbleek, op zijn wijd uitstaande oren na die paarsrood waren. Geintjes en oorvijgen – daarmee wijdde Serge zijn jonge ondergeschikten in.

Ik had op dat moment geen geduld voor de streken van Serge, dus liep ik achterwaarts de keuken weer uit en klom de wenteltrap op, naar mijn kantoor en de boekhoudafdeling.

Maxine, een van mijn boekhouders, die haar haar in een knotje boven op haar hoofd droeg, glimlachte warm toen ik bovenkwam en ik denk dat ze iets liefs en kokets wilde zeggen van achter haar computerscherm, maar op dat moment zei Mehtab, die aan het bureau achter in de kamer zat: 'Ben je nou nog niet klaar met de administratie van afgelopen maand? Mijn god, Maxine, schiet een beetje op.'

Maxine draaide zich om naar mijn zus en antwoordde geërgerd: 'Je hebt me pas twee dagen geleden de spullen gegeven, Mehtab. Als jij te laat komt met de gegevens kun je niet boos worden. Dat is niet terecht. Ik werk zo snel als ik kan.'

Ik boog mijn hoofd en maakte een vaag wuivend gebaar naar de twee vrouwen terwijl ik snel door de kamer naar mijn kantoor liep en de deur achter me dicht deed.

Eindelijk alleen plofte ik neer op de draaistoel achter mijn bureau.

Gedurende een paar minuten keek ik naar de verzameling antieke kookboeken van madame Mallory, die van de vloer tot het plafond reikte; het waardevolle archief dat ze aan mij had nagelaten en dat de helft van mijn kantoor in beslag nam. Ik las de aantekeningen van Auguste Escoffier, de half uitgewerkte ideeën van de chefkok voor een diner in 1893 in het Savoy, die ik op de kop had getikt bij Christie's en die nu keurig ingelijst op mijn bureau stonden. Ik keek naar het grappige, handgeschreven bedankbriefje van president Sarkozy dat bij de deur hing, zij aan zij met mijn erediploma van de École hôtelière de Lausanne. Ik keek naar al deze dierbare voorwerpen, die altijd een grote bron van vreugde voor me waren, en kon nog steeds niet om de feiten heen.

Mijn handen trilden.

Het ging niet goed met me.

15

'Ik ben razend. Gewoon razend.'

Madame Verdun schrok van haar eigen felheid en richtte haar aandacht snel weer op de koffietafel om een rokerige thee voor ons in te schenken in porseleinen kopjes die ooit aan haar grootmoeder hadden toebehoord. Ze zat op de rand van de witzijden bank waarop schitterende paradijsvogels waren geborduurd. Het beeld dat ik nu nog voor me zie is dat van een boze vrouw, kaarsrecht, met stijve rug in een wolk van zwart chiffon, het haar in een ingewikkelde cocon van fijne draden, transparant in het licht, alsof de chef-kok een brander had gebruikt om suiker te smelten en de karameldraden door haar haar had geweven.

De tuin achter de vrouw was een zee van kleuren – camelia's en valse salie en bloeiende bosbes – en ik probeerde mijn blik niet over haar schouder te laten afdwalen naar het betoverende schouwspel achter haar. Maar ik moet bekennen dat het me niet lukte; vinken en eekhoorntjes hipten heen en weer rondom de vogelvoederbakjes en een zwerm monarchvlinders fladderde dronken door het paarse waas van een vlinderstruik. Het was allemaal zoveel aantrekkelijker dan de sombere woonkamer van madame Verdun, waar de dood van Paul zwaar in de lucht hing, waar de stenen vloer koud was en de lichten gedempt omdat het huis in rouw was.

'Ik zal hem nooit vergeven en als Onze Lieve Heer mij naar huis roept, zal ik Paul laten boeten voor wat hij heeft gedaan. Geloof me, ik zal die onmogelijke man van me eens flink de waarheid zeggen. Of erger.'

Haar benige witte vingers grepen het gekrulde oor van de theepot. 'Een of twee klontjes?'

'Twee klontjes en melk, alstublieft.'

De weduwe reikte me mijn kopje aan, schonk er een in voor zichzelf en een paar ongemakkelijke seconden lang zaten we zwijgend tegenover elkaar. Het enige geluid in de kamer was het geschraap van onze zilveren lepeltjes waarmee we zonder een woord te zeggen in onze thee roerden.

'Weten ze nog steeds niet wat er is gebeurd? Heeft hij geen briefje achtergelaten? Is er later niets gevonden?'

'Nee,' zei madame Verdun bitter. 'Wel een testament dat hij een paar jaar geleden heeft laten opstellen, maar geen zelfmoordbriefje. Misschien heeft hij zichzelf van het leven beroofd. Misschien niet. We zullen het waarschijnlijk nooit zeker weten.'

Ik perste mijn lippen op elkaar. De ouderwetse spreekstijl van madame Verdun kwam op mij altijd over als een bewuste poging om de vrienden van Paul te laten weten dat zij uit een 'beter' milieu kwam dan haar nouveau riche-echtgenoot.

'Maar ik denk dat ik weet wat de oorzaak is.'

'O, echt waar?'

'Ja, De inspecteurs van *Gault Millau* en *Le Guide Michelin* hebben hem de dood in gedreven. Zij hebben bloed aan hun handen... Als de politie concludeert dat Pauls dood zelfmoord is en ik geen geld krijg van zijn levensverzekering, dan zal ik die gidsen voor de rechter slepen en ze helemaal kaalplukken. Ik ben al aan het overleggen met mijn advocaat.'

'Het spijt me. Ik begrijp het niet.'

Madame Verdun staarde me uitdrukkingsloos aan en zette haar kop en schotel op een onderzettertje naast een salontafelboek over Etruskische tuinen. Ze boog zich naar voren en wreef met de palm van haar hand over de tafel, alsof ze zojuist een druppel had ontdekt.

'Nou, chef,' zei ze uiteindelijk. 'Blijkbaar ben je de enige van Pauls vrienden die niet weet dat Paul in de volgende uitgave van *Le Guide* een ster minder zou krijgen. De dag voor zijn dood kreeg hij een telefoontje van een journalist van *Le Figaro* die hem om een reactie vroeg. Er waren natuurlijk al geruchten, maar die journalist bevestigde onze ergste angst: monsieur Barthot, de *directeur général* van de Michelingids, had persoonlijk ingestemd met het oordeel van zijn inspecteurs. Dus het is deze volkomen onterechte en irrationele beslissing van Barthot en zijn commissie die direct of indirect tot de dood van Paul hebben geleid. Dat weet ik zeker. Hij kon hun oordeel niet aanvechten en u had hem de afgelopen weken moeten zien, nadat *Gault Millau* hem slechts vijftien punten had gegeven. Hij was kapot, wanhopig. En weet u, het aantal reserveringen nam meteen drastisch af toen de nieuwe *Gault Millau*-klassering bekend werd... Als ik erover nadenk, word ik zo boos. Maar wacht maar af. Ik zal *Gault Millau* en die Barthot een lesje leren. Ik houd ze persoonlijk verantwoordelijk voor Pauls dood.'

'Dat wist ik niet. Wat erg.'

De kamer vulde zich weer met stilte.

Maar de gebogen, dun getekende wenkbrauwen en de bedroefde blik op haar gezicht vertelden me dat ze meer van me verwachtte, dus ik voegde er nerveus aan toe: 'Uiteraard hadden de recensenten het mis. Geen twijfel mogelijk. Als ik u op de een of andere manier kan helpen, zeg het me dan. U weet hoezeer ik Paul bewonderde...'

'O, wat aardig van u. Ja. Laat me denken... We zijn getuigenissen aan het verzamelen van zijn vakgenoten. Als onderdeel van de voorbereidingen voor de aanklacht.'

Maar aan de kromming van haar lippen zag ik dat ik met mijn tweesterrenstatus niet verheven genoeg was voor zo'n belangrijke taak en dat ze iets anders in gedachten had. 'Maar ik weet zeker dat dat niet de beste manier is om uw talenten in te zetten,' zei ze uiteindelijk.

Ik keek op mijn horloge. Als ik binnen tien minuten vertrok, zou ik in de spits terechtkomen, maar kon ik nog wel terug zijn in het restaurant voor de avondsessie.

'Madame Verdun, ik vermoed dat u me hebt uitgenodigd om een specifieke reden, niet? Voelt u zich niet bezwaard om te zeggen wat u wilt. We zijn vrienden en ik wil Paul op elke mogelijke manier helpen.'

'Ik heb u inderdaad om een bepaalde reden laten komen, chef. Dat hebt u goed gezien.'

'Vraag maar.'

'We willen een herdenkingsdienst voor mijn man organiseren.'

'Uiteraard,'

'Dat wilde Paul graag. Hij liet specifieke instructies opnemen in zijn testament, waarin staat dat hij na zijn dood een diner wil voor honderd vrienden. Hij had voor dit gedenkmaal zelfs geld apart gezet op een speciale rekening. U moet weten dat Paul altijd wat eigenzinnig was en "vrienden"... tja, dat woord moeten we vrij interpreteren. De gastenlijst die bij zijn testament zat is eigenlijk een wie-is-wie van de Franse haute cuisine. Hij nodigt alle topkoks, fijnproevers en recensenten uit om afscheid van hem te komen nemen, ook al kon hij de meesten ervan niet uitstaan... Een heel vreemd verzoek, om eerlijk te zijn.'

Het masker gleed af en plotseling werd Anna Verdun overmand door verdriet over de dood van haar man. Ze moest even stoppen met praten.

'Vertel me eens, chef, zou u al uw vijanden uitnodigen voor uw herdenkingsdienst? Ik begrijp het gewoon niet. Het is vast zijn manier om op te scheppen vanuit het graf, maar ik weet het niet. Ik weet het gewoon niet. Eerlijk gezegd heb ik mijn echtgenoot nooit echt begrepen. Niet in het leven. Niet in de dood.'

Het was de eerste en enige keer dat ik een glimp opving van wat er achter de frigide vernislaag van deze vrouw lag en de verbijsterde uitdrukking op haar gezicht, de pijn van haar onbegrip, raakte me diep. In een impuls strekte ik mijn arm uit over de salontafel en klopte haar hand.

Dat beviel haar niet, helemaal niet, want ze trok meteen haar hand weg, geschokt door het fysieke contact, en probeerde haar schaamte te maskeren door te zoeken naar het zakdoekje in haar mouw.

'Maar het was Pauls laatste wens en die zal ik respecteren.' Ze depte haar ooghoeken, snoot haar neus en stopte het zakdoekje weer in haar mouw van chiffon. 'En aan het einde van al die specifieke instructies voor de herdenkingsdienst staat dat Paul, ik citeer, "door de meest getalenteerde chefkok van heel Frankrijk naar huis gestuurd wil worden."'

Zij keek mij aan en ik keek haar aan.

'Ja?'

'Nou, blijkbaar vond hij dat u dat was. Als ik eerlijk mag zijn snap ik niet zo goed waarom hij zo van u gecharmeerd is – u hebt maar twee sterren, toch? Maar hij heeft ooit tegen me gezegd dat u en hij de enige echte koks waren in heel Frankrijk. Toen ik hem vroeg wat hij bedoelde, zei hij iets in de trant van dat jullie tweeën de enige koks in Frankrijk waren die echt verstand hadden van eten, en dat alleen jullie tweeën de Franse keuken tegen zichzelf konden beschermen.'

Een volkomen overdreven en idiote opmerking, natuurlijk, die zo typisch was voor Paul, maar zijn weduwe glimlachte met trillende mondhoeken en deze keer strekte zij, eigenlijk tegen haar wil, haar arm uit om mijn hand aan te raken.

'Hassan – mag ik je Hassan noemen? – wil jij de leiding nemen over het gedenkdiner van Paul? Zou je dat voor me willen doen? Het zou zo'n opluchting zijn om te weten dat het diner in jouw vakkundige handen ligt. Natuurlijk hoef je zelf niet in de keuken te zijn – je hoort in de zaal, bij ons – maar het zou *merveilleux* zijn als je de verantwoordelijkheid voor het menu op je wilt nemen, zoals Paul wenste. Vraag ik te veel van je?'

'Helemaal niet. Ik vind het een eer, Anna. Komt in orde.'

'Wat aardig van je. En wat een opluchting. Stel je voor, een diner voor honderd fijnproevers. Wat een last voor een weduwe. Het lukt me gewoon niet om in deze toestand zoiets te organiseren.'

We stonden op, omhelsden elkaar stijfjes en ik condoleerde haar nog een keer waarna ik, zo snel als ik kon zonder onbeleefd te lijken, naar de voordeur liep.

'Ik zal je laten weten op welke dag het gedenkmaal wordt gehouden,' riep ze.

Met haastige pas liep ik over het grind naar mijn gedeukte Peugeot, maar ze bleef vanuit de deuropening tegen me praten terwijl ik naar mijn sleutels zocht.

'Paul voelde alleen voor jou genegenheid, Hassan. Hij zei ooit tegen me dat jullie met dezelfde ingrediënten zijn gemaakt. Dat vond ik een mooie uitdrukking voor een kok. Ik denk dat hij in jou zijn jongere zelf zag...'

Ik sloeg het portier dicht, stak aarzelend een hand omhoog ten afscheid en spoot toen met zo'n vaart weg dat madame Verdun waarschijnlijk werd besproeid met opspattend grind. Maar terwijl ik in de avondfile terugreed – over de smalle wegen van Normandië, door de *banlieues* van Parijs, over de *périphérique* en vervolgens van stoplicht naar stoplicht door het stadscentrum – kon ik alleen maar bewust of onbewust denken aan de zelfmoord van Paul.

'Ik ben heel anders dan jij, Paul. Heel anders.'

Restaurateurs uit heel Frankrijk – vijfentwintigduizend, volgens een schatting van de pers – kwamen op die grote dag van de demonstratie naar de hoofdstad en we verzamelden ons bij de Arc de Triomphe. De sfeer was feestelijk, ondanks de media- en politiehelikopters die zich als donderwolken boven ons hoofd verzamelden. Jonge en aantrekkelijke koks met toques die op stelten boven ons uittorenden, vormden de ludieke voorhoede van onze optocht, en wij schaarden ons in ordelijke rijen achter hen.

In de snel groeiende menigte waren kleurrijke spandoeken te zien – met cartoons van op varkens lijkende politici en broodmagere koks, rode kruisen door het btw-tarief van 19,6 procent, eenvoudige protestborden met de tekst NON PLUS – en de organisatoren met hun rode hesjes brulden vanaf de zijkant bevelen door hun megafoons.

We hadden een goede reden om de straat op te gaan. De maaltijden bij McDonald's waren door een kromme politieke denkwijze vrijgesteld van btw, maar Franse kwaliteitsrestaurants als Le Chien Méchant, moesten aan iedere rekening 19,6 procent toevoegen. Dus uiteindelijk kostte een diner in mijn tweesterrenrestaurant, zonder wijn maar inclusief de arbeidsintensieve service waar de haute cuisine beroemd om is, gemiddeld 350 euro per persoon. De groep klanten die

bereid was dat geld voor een maaltijd te betalen was, zoals je
je kunt voorstellen, tamelijk klein en slonk snel. De btw was
een paar jaar geleden afgeschaft maar kortgeleden weer ingesteld. In combinatie met de recessie betekende deze maat-
regel het einde voor onze bedrijfstak en een aantal bekende
restaurants – zoals het gevierde Mirabelle in het 8ste arrondissement – was al failliet gegaan.

We waren het zat. We moesten terugvechten.

Le Chien Méchant was die dag goed vertegenwoordigd in
de vijfentwintigduizend man sterke optocht. Serge en Jacques,
mijn linker- en rechterhand, liepen allebei in de voorhoede,
arm in arm, klaar om als een vlezige tanker de Champs-Élysées af te rollen. Maar ik was ook geroerd toen ik zag dat mijn
chef-pâtissière Suzanne, twee souschefs en vier obers waren
gekomen om te doen wat er van hen werd verwacht. Mehtab
weigerde mee te doen – in haar ogen waren wij allemaal bol-
sjewieken – maar de boekhoudster Maxine, arm in arm met
onze ober Abdul, was er wel en keek regelmatig tussen de menigte door met hunkerende ogen naar mij. Zelfs de jonge leerling Jean-Luc had zich op zijn vrije dag gemeld en toen ik zijn
ernstige gezicht zag, schudde ik hem de hand en bedankte ik
hem uitvoerig.

'Chef!' riep Suzanne, terwijl ze over de hoofden heen naar
me zwaaide. 'Wat leuk!'

Daar was ik nog niet zo zeker van. Immigranten houden
zich altijd het liefst op de vlakte, willen geen onrust stoken.
Mijn onbehagen was alleen maar aangewakkerd toen ik
die ochtend Le Comte de Nancy Selière sprak. De graaf en
zijn West Highland white-terriër waren op weg naar de
Jardin des Plantes voor hun dagelijkse wandelingetje toen
ik ze op de hoek van de rue des Écoles tegenkwam, net op
het moment dat de hond zijn behoefte had gedaan in de
goot en triomfantelijk, met adellijke schopjes van zijn ach-

terpoten, zijn drol onder denkbeeldige aarde begroef.

De oude graaf stond gebukt en koerde: '*C'est formidable, Alfie!*' terwijl hij de linnen zakdoek uit zijn borstzakje haalde om het achterwerk van zijn hond schoon te deppen. Het was natuurlijk een vreemd moment om de fijnproever aan te spreken, maar het leek me nog onbeleefder om te doen alsof ik hem niet had gezien, dus ik schraapte mijn keel en zei: '*Bonjour, monsieur Le Comte.*'

De aristocraat kwam overeind en keek om.

'Aha, chef, u bent het... Ik neem aan dat u op weg bent om met het proletariaat te gaan demonstreren.'

'Alstublieft, monsieur Le Comte, dat mag u zo niet zeggen. We willen lagere belastingen.'

'Ach, ik kan het u niet echt kwalijk nemen,' zei de graaf terwijl hij op zijn broekzakken klopte om te doen alsof hij een plastic zakje zocht. 'Misschien zouden we dat allemaal moeten doen. Weet u, het was mijn voorvader, Jean-Baptiste Colbert, de minister van Financiën van Lodewijk XIV, die ooit heel wijs opmerkte dat belasting de kunst is om "zo veel mogelijk veren te plukken met zo min mogelijk gesis". Dat heeft dit zooitje dat nu in de regering zit totaal niet begrepen. Ze hebben bewezen dat ze grof en hebberig zijn, als provinciaalse slagers.'

De graaf negeerde de hondenpoep, ondanks het bord dat Parijzenaars gebood de behoefte van hun hond op te ruimen, en terwijl we verder slenterden voegde hij er bedachtzaam aan toe: 'Wees voorzichtig, chef. Deze regering zal de demonstratie op een verkeerde manier afhandelen. Daar kun je donder op zeggen. Geen enkel gevoel voor finesse.'

Om halfelf die ochtend leek de onsamenhangende massa demonstranten rond de Arc de Triomphe samen te klonteren en vastere vorm aan te nemen, en na een paar door de megafoon gebrulde orders kwamen we in beweging begeleid door

Afrikaans getrommel en gefluit. We liepen gearmd en scandeerden leuzen. Ik keek om me heen om te zien hoe onze zee van spandoeken zich over de Champs-Élysées voortbewoog en zag in de rijen achter me zowel Alain Ducasse als Joël Robuchon. Ik was letterlijk omgeven door de gevestigde orde van het Franse restaurantwezen en er heerste een vriendschappelijke sfeer.

Opeens leek de waarschuwing van Le Comte de Nancy overdreven en melodramatisch en misplaatst. De zon scheen en de politie zag er verveeld uit; tussen de gapende Parijzenaars stonden rijke Saoedische en Koeweitse families te zwaaien, de vrouwen in boerka's met een hele trits kinderen aan hun voeten.

Minder dan een uur later bereikten de voorste rijen van de optocht het Assemblée Nationale aan de overzijde van de Seine. Zoals verwacht was dat het punt waar de gehelmde, schilddragende mannen van de mobiele eenheid ons tegenhielden. Ze hadden een provisorische kooi gemaakt om te voorkomen dat we de trappen van het Assemblée Nationale zouden beklimmen en het parlement zouden verstoren. Maar in de kooi was een podium opgesteld met een microfoon waar volgens planning een aantal toespraken zouden worden gehouden.

Wij in het midden van de colonne wilden naar het brandpunt van de actie, maar toen we over de Place de la Concorde liepen en de brug over wilden steken, verschenen grote groepen anarchisten uit de Jardins des Tuileries achter ons, die zich met zakdoeken over hun gezicht tussen ons mengden.

Ik weet niet precies wat er daarna gebeurde, maar plotseling zoefden molotovcocktails en voetzoekers door de lucht. Onmiddellijk stormde de oproerpolitie, gewapend met knuppels en schilden, op ons af en duwde ons terug vanaf de andere kant van de brug.

Er was traangas en geschreeuw, er waren in brand gestoken auto's waar de vlammen uit sloegen en er was het afschuwelijke krakende geluid van de politieknuppels die hard op hoofden terechtkwamen. We waren ingesloten door de politie aan de ene kant en de anarchisten aan de andere.

De veldslag duurde niet zo lang en van mijn personeel en de anderen die ik kende raakte niemand gewond. Volgens de pers waren uiteindelijk negentig van de vijfentwintigduizend demonstranten en acht politiemannen naar het ziekenhuis gebracht en waren er elf auto's in brand gestoken en verwoest.

Maar de bebloede hoofden en de verblindende rook en het hoge geschreeuw... dat alles was overweldigend en indringend. Het maakte de oerangsten uit het verleden in mij wakker, de angst voor menigten met fakkels die door de Napean Sea Road liepen. En toen ik de politiemannen op hun paarden zag aanvallen, zwaaiend met hun knuppels, borrelde het gal van dierlijke paniek op in mijn keel. Ik greep de arm van mijn buurman, de leerling Jean-Luc, en dwong hem om te keren en met mij terug te rennen naar de Place de la Concorde, dwars tegen de oprukkende anarchisten in.

Uiteindelijk werden we door de anarchisten opzij geduwd en konden we niet anders dan de trap naar de rivier afdalen, waar toevallig een boot lag aangemeerd onder de brug. Het oudere hippiestel aan boord was op dat moment bezig de touwen los te maken om zo snel mogelijk het tumult boven hun hoofden en de brokstukken die op het dek vielen te ontvluchten. Maar ze zagen onze paniek en riepen: '*Ici, vite,*' en op de een of andere manier sprongen we, Jean-Luc en ik, met nog twee of drie mensen met een bons op het dek, net op het moment dat de boot wegvoer.

'*Merde, merde,*' was het enige wat de trillende jongen kon uitbrengen.

Het oproer op de brug verdween geleidelijk in de verte en

ik herinner me het aangename gevoel van beweging, van reizen, van wind. Het paar had grijs, pluizig haar en zachte stemmen en ze lieten ons op het dek zitten onder zware paardendekens, met de zon op ons gezicht, waar ze ons glaasjes eau de vie gaven, voor de schrik, zeiden ze.

En ik herinner me hoe we zijdezacht over de Seine gleden, langs de Eiffeltoren, langs het Maison de Radio France, onder de Pont d'Issy door, tot we uiteindelijk het Île de la Billancourt bereikten in de buitenwijken van Parijs. En daar meerden ze eindelijk aan en lieten ze ons uitstappen op de pier, waar we ze uitvoerig bedankten en hun namen noteerden en waar ik Mehtab belde om ons te komen halen.

Terwijl we op mijn zus wachtten, gingen Jean-Luc en ik op een laag muurtje zitten dat langs een stoffig park liep, en lieten we onze benen over de rand bungelen. Op de parkeerplaats lagen scherven van gebroken wijnflessen. Een paar meter verderop was een Algerijnse immigrantenfamilie lamsvlees aan het roosteren aan een spit dat was aangebracht in een oud olievat. De vader was aan het bidden op een kleedje in de schaduw van een lindeboom, terwijl de vrouwen het eten bereidden en de kinderen voetbalden. De geur van schroeiend lamsvlees, komijn en borrelend vet dreef op de wind naar ons toe en de eenvoud van dit alles – het geroosterde vlees, de muntthee, het vrolijke geklets – greep me bij de keel.

· En op dat moment, toen ik weer naar de kwikzilveren Seine keek, zag ik de oudere vrouw op de promenade aan de overkant. Ze droeg een sjaal en het leek of ze me riep, naar me zwaaide, me wenkte dichterbij te komen.

Ze leek als twee druppels water op madame Mallory, echt waar.

Maar misschien beeldde ik me dat in.

16

'*Chef?*'

'*Oui, Jean-Luc.*'

De leerling likte nerveus zijn lippen.

'Monsieur Serge vroeg me u te vertellen dat de sneeuw-hoen is gebracht.'

Ik keek op de wandklok naast het Ndebele-schilderij dat ik in Zimbabwe had gekocht, bij een dorpsvrouw die een in stukken gesneden buffel roosterde. We hadden nog maar een uur en veertig minuten voordat het restaurant open zou gaan voor de lunch.

Ik had zitten lezen in een van de lievelingskookboeken van madame Mallory – *Margaridou: Journal et recettes d'une cuisinière au pays d'Auvergne* – maar ik sloeg het boek met de eenvoudige recepten uit het verleden nu dicht en stond op om het veilig op de boekenplank te zetten.

Toen ik me omdraaide en mijn oog viel op een advertentie van Credit Suisse waarin de emissie werd aangekondigd van aandelen in Recipe.com, een internetsite die recepten ver-kocht en waarvan ik een extern bestuurslid was, stond ik plotseling stil. Mijn kantoor met dat stoffige licht dat door het raam naar binnen stroomde, zag er opeens belachelijk uit. Alle oppervlakken waren bezaaid met plaquettes van hout en koper en trofeeën, waaronder een belachelijke vergulde soeplepel van de in Brussel gevestigde International Soup Society. Mijn lang gekoesterde schatten zagen er plotseling uit als waardeloze prullen.

Na de dood van Paul was er iets gebeurd wat ik niet kon negeren. Het was alsof zijn geestelijke malaise van zijn lichaam was overgegaan op het mijne, als een soort vleesetende parasiet uit een Hollywood-horrorfilm. Ik was rusteloos en prikkelbaar en sliep slecht. Ik wist niet wat er mis was, het was gewoon een algeheel gevoel van somberheid dat op me drukte. En ik vond het afschuwelijk, dit onbekende gevoel, want het paste niet bij me. Ik ben altijd een opgewekte persoon geweest.

Maar Jean-Luc keek me nog steeds aan vanuit de deuropening van mijn kantoor, bang dat er weer een geintje met hem was uitgehaald. En uiteindelijk was het de blik op het gezicht van de jongen – een blik van pijnlijke onzekerheid – die me tot mezelf bracht.

Ik stond op en zei: '*Bien.* Laten we dan maar aan het werk gaan.'

Jean-Luc liep voor me uit de wenteltrap af en we keerden terug naar het gekletter en geschraap en geritsel van de keuken van Le Chien Méchant, die zich voorbereidde op de drukte; naar de obers die zonder jasjes door de klapdeuren stormden, zilver poetsten, sigarenkisten vulden, linnen rozetten vouwden en heen en weer renden tussen keuken en eetzaal.

Chef de cuisine Serge stond met twee souschefs aan de andere kant van de keuken boven de vlammen. Suzanne, mijn pâtissière, stond gebogen over een blad met taartjes. Er werd opgewonden gepraat over een of andere voetbalwedstrijd, maar Jean-Luc en ik liepen recht op de houten kist af die ingevlogen was door wildgroothandelaren uit Moskou en in de koude keuken op de werkbank stond, zoals tijdens het seizoen, van eind september tot december, iedere dag het geval was.

De jongen brak met een koevoet de kist open en samen pakten we voorzichtig de in papier gewikkelde sneeuwhoenderen uit. Terwijl we bezig waren, hield ik discreet de twee andere leerlingen in de gaten. Het meisje aan de andere kant van de gootsteen was voorzichtig een streng rode mullen aan het afdeppen met een natte doek. Ik sta er altijd op dat ze deze methode gebruiken; als je mul onder de kraan wast gaan de subtiele smaak en kleur verloren. De oudste leerling, die, nu we Jean-Luc hadden, binnenkort zijn eigen toque zou opzetten als commis, was bezig met een scherp mes de zenuwbanen los te snijden van de ruggengraat van het Charolais-rund – ik prefereer het Franse ras boven de Schotse Angus.

Ik nam een dikke sneeuwhoen in mijn hand. Zijn witgevederde kopje met de zwarte ogen rolde levenloos naar achteren, een donzig gewicht in mijn handpalm. Met een bevredigende klap van het mes hakte ik de buitensporig grote klauwen af, waarna ik ze in de pan met bouillon op het vuur gooide. Ik wenkte Jean-Luc om de rest schoon te maken en te plukken.

Toen ik in Le Saule Pleureur begon moest ik veertig vogels per keer plukken, maar gelukkig voor de moderne leerlingen zijn er tegenwoordig uitstekende plukmachines die het werk hebben overgenomen. Ik onderbrak Jean-Luc om mijn vogel door de machine te halen. De witte veren van de hoen – nog steeds door de war en met bloed bevlekt door het schot van de jager – werden afgepeld door de roterende rollers en ver-

volgens door een harde luchtstroom in een wegwerpzak aan
de zijkant geblazen.

Ik liep met het kale karkas naar het fornuis om de achter-
gebleven stoppeltjes weg te schroeien boven het vuur. Ik
sneed de krop open en haalde een paar flinke plukken van de
bittere toendrakruiden en bessen tevoorschijn die nog in de
keel van het dier zaten. Ik waste de kruiden, die uiterlijk zo
sterk op tijm lijken, in de gootsteen en zette ze weg in een
aardewerken schaaltje.

Dit was mijn vaste herfstgerecht: Siberische sneeuwhoen,
gebraden met de toendrakruiden uit zijn eigen krop en geserveerd met gekarameliseerde peren in Armagnacsaus.

'Ik ben niet zo goed met woorden, Jean-Luc. Ik praat het
best met mijn handen, dus kijk goed hoe ik dit doe.'

De jongen knikte. Ik fileerde de vogel, waste hem en depte
zorgvuldig al het vocht op met papieren handdoekjes. Er
klonk wat geschuifel van voeten, maar verder waren de medewerkers stil en keken ze naar mijn demonstratie of waren
ze geconcentreerd aan het werk. Het enige echte geluid
kwam van de ratelende deksels van de koperen pannen op
het fornuis en het geruis en gezoem van wasmachines, koel-
kasten en ventilatieschachten op de achtergrond.

Met twee halen van het mes sneed ik de vlezige borsten van
de vogel los en ik liet de karmozijnrode lapjes vlees dicht-
schroeien in een hete pan.

Een paar minuten later zette ik het vuur uit en keek ik naar
de klok.

We zouden al over een halfuur opengaan. Het personeel
keek naar me, wachtend op de traditionele instructies voor-
af.

Ik deed mijn mond open, maar de gebruikelijke platitudes
bleven in mijn keel steken.

Ze wilden niet meer komen.

Doordat mijn hoofd overliep van verhitte beelden, van Paul, verminkt op het moment van zijn dood, omringd door schalen met zijn klassieke gerechten, rijk gelardeerd met ganzenvet en foie gras en rivieren van zijn eigen stollende bloed. Ik zag met planken afgeschermde winkeletalages in de straten van Parijs, de rellen en de bebloede hoofden en het geschreeuw op de Pont de la Concorde. En tussen deze verontrustende beelden doemde het onnatuurlijk bruine gezicht van chef Mafitte op, wiens antiseptische laboratoriumkeuken als een machine extravagante en decadente maaltijden naar buiten pompte.

En toen ik het niet meer kon verdragen, toen deze beelden me overmanden, toen ik leeg was en geen energie meer had om me te verzetten, en ik dacht dat ik zou flauwvallen, verdwenen ze net zo snel als ze gekomen waren, en de lege ruimte die ze achterlieten werd gevuld door een clair-obscur visioen van die oude Margaridou, die kokkin uit de Auvergne, die in alle rust bij het raam van de boerderij haar eenvoudige recepten in haar dagboek zat te schrijven. Maar toen ze haar hoofd draaide om me recht aan te kijken, realiseerde ik me met een schok dat de oude vrouw eigenlijk mijn grootmoeder Ammi was die aan het raam op de bovenverdieping van ons huis in de Napean Sea Road in het oude Bombay zat. En ze was helemaal niet aan het schrijven, maar aan het schilderen, en toen ik naar het doek in haar hand tuurde, herkende ik het als het verraderlijk simpele schilderij *Le repas* van Gauguin.

'Jullie in de keuken en jullie in de eetzaal, luister goed. Morgen gooien we ons menu eruit, alles wat we de afgelopen negen jaar hebben gedaan. Alle zware sauzen, alle gekunstelde gerechten, dat is voorbij. Morgen beginnen we helemaal opnieuw. Van nu af aan serveren we alleen maar eenvoudige gerechten bij Le Chien Méchant, gerechten

waarvan de lekkere, verse ingrediënten voor zichzelf spreken.

Dat betekent geen slimme trucjes, geen vuurwerk, geen
fratsen. Onze missie is vanaf nu om het allerbeste te halen uit
een simpele gekookte wortel of een heldere visbouillon. Onze missie is om alle ingrediënten terug te brengen tot hun ba-
saalste, diepste natuur. Ja, we zullen ons laten inspireren
door de oude recepten, maar we zullen ze vernieuwen door
ze af te pellen tot hun kern, zonder alle versierselen en kron-
kelingen die er in de loop van de tijd aan zijn toegevoegd.
Dus ik wil dat jullie allemaal teruggaan naar jullie geboorte-
plaatsen, terug naar je wortels overal in Frankrijk, om daar
voor mij de beste en simpelste gerechten, die geheel zijn bereid met lokale ingrediënten, uit jullie dorpen op te halen. En
al die regionale gerechten doen we in een pan, we spelen er
wat mee en verzinnen samen een heerlijk verfrissend eenvoudig menu. Geen kopieën van de zware oude gerechten van de
brasseries, geen imitaties van de deconstructivisten en de mi-
nimalisten, maar ons eigen unieke huis gebouwd op de eenvoudigste Franse waarheid. Vergeet deze dag niet, want van
nu af aan koken we vlees, vis en groenten in hun eigen natuurlijke sappen en brengen we de haute cuisine terug naar
de *cuisine de jus naturel*.'

En zo kwam, een paar weken na deze radicale ommezwaai
in mijn keuken, de dag van het gedenkmaal voor Paul Verdun. Ik herinner me nog duidelijk dat op die novemberavond
een saffraankleurige zon filmisch neerdaalde over de Seine
en dat de culinaire gevestigde orde van Frankrijk – gezette
mannen in smoking en graatmagere vrouwen in fonkelende
avondjurken – de trap van het Musée d'Orsay beklom terwijl de paparazzi achter de touwen hun plaatjes schoten.

Het was een erg opgeklopte bedoening. Iedereen die iets

voorstelde in de Franse haute cuisine was die kristalheldere en koude avond aanwezig, zoals zelfs de kranten de volgende dag vertelden. Er werden namen aangevinkt, bontjassen en -sjaals aangenomen terwijl de gasten zich in stijve tafzijde en zacht satijn naar de eerste verdieping begaven, waar ze champagne dronken onder de *Gare Saint-Lazare* van Monet en *Le Cirque* van Seurat. Ondanks de verdrietige aanleiding was de opwinding die in de lucht hing vergelijkbaar met de sfeer van het filmfestival van Cannes, en de borrelpraat, die weerkaatste tussen de muren van het museum, zwol aan tot het leek op het kabaal in een aankomsthal op het vliegveld. Uiteindelijk, net op het moment dat het me te veel werd, klonk een gong en kondigde een man met een diepe basstem aan dat het diner werd opgediend. De gasten stroomden naar de grand salon, naar de barokke muurschilderingen en de rococospiegels, naar de hoge ramen met hun panoramische uitzicht op Parijs, dat versierd was met een dure parelketting van stadslichtjes.

Anna Verdun zat met getoupeerd haar en zwaar behangen met diamanten koninklijk aan het hoofdeinde in een zuil van kobaltblauwe zijde.

Sinds ik bij haar op bezoek was geweest, was er veel veranderd, want de zilverharige directeur général van *Le Guide Michelin*, monsieur Barthot, zat nu aan haar rechterzijde haar gasten te vermaken met amusante verhalen die hij had vergaard over de levens en avonturen van de culinaire grootheden.

Pauls raadsman – die ook aan de tafel van madame Verdun zat – had de weduwe er in de voorgaande maanden van overtuigd dat een rechtszaak handenvol geld zou kosten, een bron zou zijn van voortdurende emotionele onrust en uiteindelijk niet het beoogde resultaat zou opleveren. In plaats daarvan raadde hij aan met monsieur Barthot persoonlijk

een regeling te treffen waarbij ze geen risico liep op gezichts-
verlies.

De uitkomst daarvan hadden we een week voor het gedenkmaal van Paul gezien, toen *Le Guide*, zoals we hem
simpelweg noemden, paginagrote advertenties in de grote
kranten liet plaatsen waarin het levenswerk van 'onze dierbare vriend, chef Verdun' werd geëerd. Wat uiteindelijk de
doorslag had gegeven bij het bereiken van een akkoord – zo
vertelde mijn zus die zeer ervaren was in het roddelen – was
de belofte van monsieur Barthot dat hij haar chef Mafitte op
een presenteerblaadje zou aanbieden. Maffitte stak niet alleen de loftrompet over chef Verdun in de advertentie van de
Michelingids, maar was nu ook aanwezig bij het diner. Hij
zat links van Pauls weduwe en streelde haar hand.

Paul zou woest zijn geweest.

Anna Verdun had mij verbannen naar tafel zeventien achter in de zaal. Maar deze tafel bleek onder een van mijn favoriete schilderijen te staan – *Stilleven met patrijs en peer* van
Chardin – en dat zag ik als een bijzonder goed voorteken.
Bovendien zat ik naast de keukendeur, wat heel handig was;
zo kon ik één oog gefixeerd houden op mijn personeel dat af
en aan liep met het eten. En het gezelschap aan tafel zeventien was naar mijn mening veel onderhoudender dan wat de
'elitetafels' te bieden hadden.

Zo hadden wij mijn oude vriend van Montparnasse, chef
André Piquot, die net zo engelachtig en hemels en onschuldig
was als een *boule* ijs. Ook de derdegeneratie-vishandelaarster
madame Elisabet zat aan onze tafel. Hoewel de arme vrouw
leed aan een milde vorm van het Tourette-syndroom, wat zo
nu en dan tot pijnlijke momenten leidde, was ze heel lief en ze
was natuurlijk ook de eigenares van de gigantische visgroot-
handel die leverde aan de meeste toprestaurants in Noord-
Frankrijk. Dus ik was heel blij dat zij aan mijn tafel zat.

270

Links van haar zat Le Comte de Nancy Selière, mijn huisbaas van de rue Valette. Hij zag zijn adellijke superioriteit als
zo vanzelfsprekend, dat hij zich niet druk maakte om klassen
en kasten, en eerlijk gezegd was hij ook zo nors en sarcas-
tisch dat hij niet werd getolereerd aan de 'verfijndere' tafels
in de zaal. En links van mij zat de Amerikaanse schrijver James Harrison Hewitt, voedselrecensent bij *Vine & Pestle*,
die ondanks de tientallen jaren dat hij al in Parijs woonde
met zijn Egyptische vriend, ernstig werd gewantrouwd door
de Franse culinaire gevestigde orde omdat hij verontrustend
diep was doorgedrongen tot en goed inzicht had in hun besloten wereldje.

Toen er een foto van een glimlachende Paul Verdun met
toque op schermen werd geprojecteerd, gingen we allemaal
op onze plaats zitten. Uit de keuken kwam een stoet witte
jasjes met de amuse-bouche: een borrelglaasje gevuld met
een éénhapsbabyoctopus gekookt in zijn eigen 'natuurlijke
sappen', extra vergine-olijfolie uit Puglia en een kapper aan
een lange steel. De wijn, een zeldzame Château Musar van
1959 uit Libanon, werd, gezien het nationalistische karakter
van de avond, die draaide om de Franse haute cuisine, beschouwd als waarschuwing en de volgende dag eindeloos
becommentarieerd in de kranten.

James Hewitt was een fantastisch verhalenverteller en hij
bestudeerde, net als ik, op zijn gemak de eigenaardige mena-
ge van excentriekelingen aan de tafel van madame Verdun.

'Weet je dat ze de aanklacht heeft moeten intrekken?' zei
hij zachtjes. 'Er zouden allerlei pikante details naar buiten
zijn gekomen als ze de zaak had doorgezet.'

'Pikante details?' antwoordde ik. 'Zoals?'

'Paul had zijn beste tijd gehad. Arme kerel. Zijn rijk kon
ieder moment instorten.'

Dat was een krankzinnige bewering. Paul had als ondernemer een topprestatie geleverd. Hij was bijvoorbeeld de eerste driesterrenkok die zijn bedrijf, Verdun et Cie, naar de beurs in Parijs had gebracht, en die de elf miljoen euro van de eerste aandelenemissie gebruikte om zijn herberg op het platteland volledig te renoveren en een keten van hippe bistro's te openen onder de naam Les Verdunières. Het was algemeen bekend dat hij een tienjarig contract had met Nestlé en soepen en diners vervaardigde voor de Findus-lijn van dit Zwitserse merk. Dat contract alleen al was naar verluidt vijf miljoen euro per jaar waard en had tot gevolg dat het stralende gezicht van Paul te zien was op alle billboards en televisieschermen in Europa. En dan was er het kleine fortuin dat hij had vergaard als adviseur voor Air France, plus de gestage stroom vergoedingen van de producenten van linnengoed, jam, potten en pannen, bestek, kristal, kruiden, wijn, olie, azijn, keukenkastjes en chocolade, die allemaal maar al te graag wilden betalen voor het recht om de naam van de beroemde chef te gebruiken.

Dus toen Hewitt stelde dat het rijk van Paul ieder moment kon instorten, zei ik: 'Onzin. Paul was een geweldige zakenman en leidde een zeer winstgevend bedrijf.'

Hewitt glimlachte zuur.

'Sorry, Hassan. Dat was de mythe van Verdun. Hij had geen cent meer. Ik weet uit betrouwbare bron dat Paul tot zijn kale kruin in de schulden zat. Hij ging al jaren de ene lening na de andere aan, maar dat hield hij wel buiten de boekhouding zodat de aandeelhouders van zijn beursgenoteerde bedrijf niet wisten wat er aan de hand was. De daling in de ranglijst van *Gault Millau* schaadde hem – het aantal reserveringen voor Le Coq d'Or was gekelderd sinds zijn degradatie en Air France stond op het punt hem aan de kant te zetten als adviseur. Dus hij zat verschrikkelijk in de knel en had veel moeite om aan het geld te komen om zijn schulden te voldoen. Geen twijfel mogelijk... het verlies van een Michelinster zou het einde betekenen van zijn hele imperium. De gedachte alleen al bezorgt me de rillingen.'

Ik was stomverbaasd. Sprakeloos. Maar plotseling kwam er een hele rij obers uit de keuken, die ik in de gaten moest houden. Ze brachten een simpele oester in heldere bouillon, al snel gevolgd door een salade van witlof, gegarneerd met stukjes gerookte Noorse zalm en kwarteleitjes.

Uit mijn ooghoek zag ik dat chef Mafitte iets in het oor van Anna Verdun fluisterde; ze draaide zich meisjesachtig lachend naar hem toe en zat met haar hand aan de verniskorst van haar haar.

Onmiddellijk dacht ik aan die keer dat mijn ex-vriendin en ik Maison Dada bezochten in de Provence. Tegen het einde van de maaltijd kwam de aantrekkelijke chef Mafitte naar ons tafeltje om gedag te zeggen. In zijn witte kleren was hij het gebruinde, oogverblindende en onvoorstelbaar charmante toonbeeld van de culinaire beroemdheid en ik voelde me piepklein worden. Misschien kwam het door mijn kinderlijke onderdanigheid dat hij de stoute schoenen aantrok en terwijl we over het werk zaten te praten steeds weer zijn hand op de schoot van Marie legde, terwijl zij heldhaftig probeerde zijn ongepaste gegraai af te weren.

Toen Mafitte eindelijk wegliep, zei Marie op haar ietwat lompe Parijse manier dat de grote chef-kok niets meer was dan een *chaud lapin*, wat heel lief klinkt maar eigenlijk betekende dat ze hem een gevaarlijke seksmaniak vond. Later vernam ik dat de onstilbare verlangens van Mafitte zich uitstrekten tot *viande* van alle leeftijden en soorten.

Plotseling walgde ik van Anna Verdun. Het had iets lafs en corrupts dat de artistieke aartsvijand van Paul juist op deze avond aan haar tafel zat. Waar was haar loyaliteit? Maar Hewitt moet de blik op mijn gezicht hebben begrepen, want hij boog zich weer naar me toe en zei: 'Heb medelijden met die arme vrouw. Ze moet uit die financiële ellende zien te komen waarin Paul haar heeft achtergelaten. Ik heb gehoord dat chef Mafitte overweegt om Le Coq d'Or te kopen – met alles erop en eraan. Dat is onderdeel van zijn uitbreidingsplannen voor Noord-Frankrijk. Een deal met Mafitte betekent in ieder geval dat wat er nog over is, gespaard blijft.'

Een ober haalde mijn slabordje weg en ik maakte van de onderbreking gebruik door de gerant te wenken en in zijn oor te fluisteren dat hij tegen Serge in de keuken moest zeggen dat hij iets rustiger aan moest doen, dat hij de gangen te snel op elkaar liet volgen. Toen ik mijn aandacht weer op de tafel richtte, keek Hewitt voor me langs terwijl hij een glas Testuz Dezaley l'Arbalète uit 1989 hief en zei: 'Waar of niet, Eric? Chef Verdun zat in de problemen. Hassan wil me niet geloven.'

Amerikanen hebben de opmerkelijke gave om zonder kleerscheuren door de kastensystemen van andere naties heen te breken en Le Comte de Nancy Selière, die gewoonlijk weinig geduld heeft voor dwazen, hief alleen maar zijn eigen glas en zei droogjes: 'Op onze dierbare vriend chef Verdun. Heel treurig, het moest wel mis gaan.'

De gepocheerde heilbot in champagnesaus werd geserveerd met een Montrachet Grand Cru, Domaine de la Romané-Conti uit 1976. André Piquot en ik bespraken onze personeelsproblemen. Hij kon maar geen betrouwbare souschef voor de koude keuken vinden en ik had gedoe met een ober die met opzet zijn taken heel langzaam uitvoerde om, zo vermoedden wij, overuren te kunnen opschrijven – de dure vloek van de restaurateur sinds Frankrijk de vijfendertigurige werkweek had ingesteld.

Daarna trakteerde Hewitt de hele tafel op een verhaal over die keer dat hij en Le Comte de Nancy te gast waren bij een twaalfgangendiner in La Page, een 'gastronomische tempel' in Genève. In het beroemde restaurant aan het meer van Genève bleken ze net zo streng te zijn als in 'een calvinistische kerk op zondag'. De obers waren opgeblazen en het zat er vol oudere echtparen die geen boe of bah tegen elkaar zeiden. 'Er werd werkelijk nergens in de zaal gelachen, behalve aan onze tafel,' herinnerde Hewitt zich. 'Waar of niet, Eric?'

De graaf gromde wat.

Ergens tussen gang zes en zeven in La Page snakte Hewitt opeens naar calvados, de appelbrandewijn uit Normandië, waarmee hij altijd graag zijn mond schoon spoelde, maar de ober van La Page zei hooghartig dat dat niet mogelijk was. De Amerikaan moest nog zo'n twee uur wachten. Pas na de kazen was een zoete brandewijn op zijn plaats en dan zou de ober hem graag een likeur brengen.

'Haal *immédiatement* zijn calvados, anders geef ik u een klap in uw gezicht,' snauwde Le Comte de Nancy. Met een asgrauw gezicht rende de ober weg en binnen een recordtijd kwam hij terug met de gevraagde brandewijn.

We brulden allemaal van het lachen om dit verhaal, allemaal behalve de graaf, die, toen hij aan deze avond in Genève werd herinnerd weer boos leek te worden en mompelde: 'Wat een brutaliteit, onvoorstelbaar.'

En hoewel ik lachte was het geen zorgeloos moment, want ik bleef maar denken aan wat Hewitt me had verteld over de financiële situatie van Paul en de afschuwelijke situatie waarin mijn vriend verkeerde toen hij de afgrond in reed. Het idee dat zelfs een van de beste zakenmannen in de gastronomie geen financieel succes van zijn driesterrenrestaurant kon maken, was bijna te angstaanjagend om over na te denken.

'Gaat het wel, chef?' vroeg de opmerkzame madame Elisabet, voordat ze ons allemaal deed opschrikken met een 'godverdomme!'

Ik legde de dessertlepel en- vork boven mijn bord recht.

'Ik dacht aan Paul. Ongelooflijk dat hij zo diep in de problemen zat. Als hem zoiets overkomt, kan het ons allemaal overkomen.'

'Kom, chef, niet pruilen,' zei Le Comte de Nancy. 'Verdun raakte het spoor bijster. Dat is de les die we hieruit kunnen trekken. Hij groeide niet meer. Einde verhaal. Ik was zes maanden geleden in Le Coq d'Or en, geloof me, het eten was op zijn hoogst middelmatig te noemen. Het menu was hetzelfde als tien jaar geleden – geen steek veranderd. In zijn ambitie om een imperium op te bouwen, verloor Verdun zijn keuken uit het oog – de bron van zijn rijkdom – en doordat hij zo was afgeleid door het hele circus eromheen, verloor hij ook de basisprincipes van het zakendoen uit het oog. Dus, ja, hij leidde zowel de creatieve als de zakelijke kant, en dat is bewonderenswaardig, maar in feite kregen beide aspecten maar zijn halve aandacht. Hij rende rond als een kip zonder kop. Elke zakenman kan je vertellen dat dat hét recept is voor ellende. En inderdaad heeft hij de prijs moeten betalen.'

'Je zult wel gelijk hebben.'

'Beste vriend, het moeilijkste als je een bepaald niveau hebt bereikt, is dat je dag in dag uit fris moet blijven. De wereld om ons heen verandert razendsnel. Dus, hoe moeilijk het ook is, de sleutel tot succes is om die constante verandering te omarmen en mee te gaan met de tijd,' zei chef Piquot.

'Blabla, wat een cliché,' snauwde Le Comte de Nancy.

Arme André keek alsof hij zojuist een oorvijg had gekregen. Om het nog erger te maken, voegde madame Elisabet er weinig behulpzaam aan toe: 'Stomme trut lul!'

Maar Hewitt, die zag hoe gekwetst de kok was door deze aanval van twee fronten, zei: 'Natuurlijk heb je gelijk, André, maar ik vind wel dat je moet meegaan met de tijd zonder je eigenheid te verliezen. Als je verandert om de verandering alleen – zonder anker – laat je je alleen maar leiden door modieuze grillen, en dan raak je nog verder op een dwaalspoor.

'*Exactement*,' zei Le Comte de Nancy.

Meestal was ik een buitenstaander die vocht voor een stoel aan de tafel waar alleen maar Franse ingewijden zaten, en hield ik mijn meningen voor me, maar die avond, misschien als gevolg van de spanning, misschien vanwege de recente onrust in mijn hoofd, flapte ik eruit: 'Ik ben gewoon zo moe van al die ideologieën. School zus, theorie zo. Ik heb er genoeg van. In mijn restaurant koken we nu alleen nog maar regionaal voedsel in de eigen sappen, heel simpel, met maar één criterium: is het voedsel goed? Is het vers? Verzadigt het? De rest is irrelevant.'

Hewitt keek me vreemd aan, alsof hij me voor het eerst zag, maar mijn uitbarsting leek madame Elisabet te bevrijden, want met die lieve stem die zo haaks stond op haar scheldtirades zei ze: 'Je hebt helemaal gelijk, Hassan, ik moet mezelf er steeds aan herinneren waarom ik hier eigenlijk aan begonnen ben.' Met haar handpalmen naar boven gebaarde ze naar de hele zaal. 'Moet je zien. Het is zo gemakkelijk om bedwelmd te raken door al deze nonsens. Paul liet zich verleiden door de beurs van Parijs en al die krantenartikeltjes waarin hij werd geprezen als een "culinaire visionair". Dat is wat hij ons – ons allemaal – uiteindelijk heeft geleerd: verlies nooit het zicht op...'

Maar op dat moment werden de lichten gedoofd en daalde een verwachtingsvolle stilte over de tafels neer. Van achter in de zaal naderde een kleine kaarsenoptocht, gevolgd door een tiental jonge obers die zilveren schalen boven hun hoofd droegen, volgeladen met gebraden patrijs. Er klonk geroezemoes in de zaal en hier en daar werd geapplaudisseerd.

Pauls rouwende patrijs, zoals ik het gerecht had genoemd,

was het hoogtepunt van de avond – zo schreven de kranten de volgende dag. Ik moet bekennen dat ik tot dat moment had geprobeerd de zenuwen over mijn optreden voor zo'n veeleisend publiek te verbergen, maar de gulle complimenten die ik kreeg van mijn tafel vertelden me dat mijn riskante menu geslaagd was. Het deed me vooral veel plezier om te zien dat Le Comte de Nancy – die altijd de dingen benoemde zoals hij ze zag en eigenlijk niet in staat was tot onoprechtheid – een stuk brood afscheurde en gretig de laatste druppeltjes jus opdepte.

'De patrijs is zalig,' zei hij, terwijl hij met zijn homp brood naar mij wees. 'Die wil ik op het menu van Le Chien Méchant.'

'*Oui, monsieur Le Comte.*'

Het gerecht waarmee chef Verdun dertig jaar eerder zijn naam had gevestigd, was zijn *poularde Alexandre Dumas*. Paul had de kip gevuld met in juliennereepjes gesneden prei en wortelen, en vervolgens had hij met chirurgische precisie gaatjes in de huid van de vogel geprikt waar hij plakjes truffel in had geduwd. Terwijl de vogel in de oven stond te braden, versmolt de truffel met het kippenvet en trok het sap diep in het vlees waar het een bijzondere aardachtige smaak achterliet. Dit gerecht was Pauls handelsmerk en het was steevast te vinden op het menu van Le Coq d'Or, voor de lieve som van 170 euro.

Omdat ik Paul op deze avond een hommage wilde brengen, had ik de basistechnieken van zijn *poularde* toegepast op de patrijs, zijn favoriet onder het gevederde wild. Het resultaat was een sterk, bijna agressief geurend stuk vlees. Ik vulde de vogels met geglaceerde abrikozen – in plaats van groentejulienne – en stopte hun huid vervolgens zo vol met schijfjes zwarte truffel dat ze eruitzagen alsof ze gekleed waren voor een victoriaanse begrafenis – vandaar de naam Pauls rouwende patrijs. Natuurlijk had mijn sommelier het lumineuze idee om de patrijs te koppelen aan de Côtes du Rhône Cuvée Romaine ui 1996, een robuuste rode wijn die rook naar hijgende honden in de lommerrijke weelde van een zomerse jachtpartij.

Een aantal gerenommeerde recensenten en restaurateurs – onder wie een van mijn idolen, chef Rouet – kwam later die avond naar onze tafel om me te feliciteren met het menu en vooral mijn interpretatie van Pauls gerecht. Zelfs monsieur Barthot, de directeur van de Michelingids, daalde af van zijn Olympische berg aan de hoofdtafel om mij de hand te schudden en op verwaande toon te zeggen: 'Uitstekend, chef. Uitstekend,' waarna hij wegliep om met een belangrijker iemand te praten. En op dat moment begreep ik eindelijk waarom Paul dit postume diner had georkestreerd. Ik keek naar de hoofdtafel om dankbaar oogcontact te maken met Anna Verdun, maar de weduwe keek met een lege blik de zaal in, een bevroren glimlach op haar gezicht, terwijl chef Mafitte aan haar linkerkant naar haar toe gebogen zat, één hand onder de tafel.

Nee, ik zou het haar niet vertellen, besloot ik. Ze had al genoeg op haar bord. Bovendien was het genoeg dat ík wist wat Paul met deze avond had bedoeld.

Het diner was niet voor Paul maar voor mij. Hiermee liet hij de Franse culinaire elite weten dat er plotseling een nieuwe *gardien* van de klassieke Franse keuken op het toneel was verschenen. Ik was zijn gezalfde erfgenaam. En dus denk ik dat ik gerust kan zeggen dat ik vóór die avond een relatief onbekende figuur was, verloren tussen de vele vakkundige en getalenteerde tweesterrenkoks in Frankrijk, maar dat ik na die avond in één keer werd verheven naar de hoogste rangen. Mijn goede vriend had er vanuit zijn graf voor gezorgd dat de gastronomische elite van het land ruimte maakte voor een tweeënveertigjarige, buitenlandse kok die hij persoonlijk had uitverkoren om de klassieke principes van de Franse *cuisine de campagne* te beschermen, de principes waarvoor hij en madame Mallory zo hard hadden gevochten.

17

Die winter werd onze situatie penibel. De recessie hield aan gedurende de koudste maanden en befaamde restaurants als Maxim's en La Tour d'Argent vielen uiteindelijk ten prooi aan de economische malaise. Het was schokkend om langs de dichtgespijkerde ramen van Maxim's in de rue Royale te lopen. Sinds de oorlog had niemand in Frankrijk ooit zoiets gezien. De regering verlaagde de btw voor de horeca, maar het was te laat; uiteindelijk bleek geen van ons bestand tegen het slechte economische klimaat en eind februari sloeg mijn eigen financiële malaise in alle hevigheid toe.

Mijn grootste probleem was een hardnekkige personeelskwestie. Mijn ober Claude was netjes, zag er vriendelijk uit en was bij ons gekomen met juichende getuigschriften uit Lyon. We merkten dat hij snel leerde, veel energie had en altijd zo beleefd en attent bleef tegen de klanten dat Jacques, mijn maître d'hotel, in zijn eerste evaluatie schreef dat de jonge ober zich 'uiterst professioneel' gedroeg.

Maar je moet het volgende weten over de Franse arbeidswet: tijdens de proefperiode hadden we Claude zonder al te veel problemen kunnen ontslaan, maar na zes maanden in de boeken werd hij beschouwd als fulltime medewerker, met een heleboel rechten waaraan niet te tornen viel. Hem na die proeftijd ontslaan zou een bijzonder ingewikkelde en kostbare procedure worden.

Onze wittebroodsweken met Claude duurden precies tot de dag dat zijn proefperiode voorbij was. Waar Claude eerst dertig minuten over deed – het poetsen van de zilveren kandelaars, bijvoorbeeld – duurde plotseling anderhalf uur of langer. Jacques, die overdreven veel belang hechtte aan goede manieren, zei op koele toon tegen Claude dat hij moest opschieten, maar de rotzak haalde gewoon zijn schouders op en zei dat hij zo snel werkte als hij kon. Toen Claude zijn eerste werkbriefje inleverde met overuren – waarvoor hij anderhalf keer betaald kreeg – wierp Jacques, die altijd bedaard en beheerst bleef, de formulieren in zijn gezicht en schold hij hem uit voor '*connard*'. Maar de jongen had stalen zenuwen. Hij knipperde niet eens met zijn ogen. Hij pakte de papieren gewoon op van de vloer en legde ze rustig op het bureau van Jacques, in de wetenschap dat de wet hem beschermde tegen 'kapitalistische uitbuiters' als wij.

Claude had niet alleen zijn overuren tot op de minuut berekend, maar voegde er ook nog de eis aan toe dat hij 6,6 dagen betaald verlof zou krijgen als compensatie voor het feit dat we zijn wettelijke recht om niet meer dan vijfendertig uur per week te werken schonden. In het restaurantwezen maakt iedereen uiteraard lange uren – dat is de aard van ons werk – en het was dan ook niet verrassend dat mijn andere, hardwerkende, medewerkers over Claude begonnen te klagen, omdat hij te weinig uitvoerde waardoor de meer plichtsgetrouwe personeelsleden zich gedwongen zagen zijn taken over te nemen.

Deze onhoudbare situatie kwam uiteindelijk tot een uitbarsting toen Mehtab me het jaarstrookje van Claude liet zien. In het jaar dat hij bij ons was, had Le Chien Méchant hem zeventigduizend euro salaris betaald, plus drie keer dat bedrag aan allerlei verzekerings- en pensioenpremies. Het restaurant was hem bovendien nog een betaald verlof van tien weken schuldig.

Claude was geen ober maar een zwendelaar.

Ik belde het restaurant in Lyon, sprak met de eigenaren en uiteindelijk bekenden ze dat Claude bij hen hetzelfde had gedaan en dat ze uiteindelijk die lyrische getuigschriften hadden opgesteld om van hem af te komen. Dus zei ik tegen Jacques dat hij Claude moest ontslaan. En dat deed hij.

Maar toen kwam de jongen terug – met zijn vertegenwoordiger van de vakbond.

'Het is zo klaar als een klontje, chef Haji. Deze jongen is ten onrechte ontslagen.'

Mehtab vervloekte het hele geslacht van de vakbondsvertegenwoordiger in alle mogelijke poëtische, bloemrijke termen van het Urdu en Jacques barstte los in een spervuur van Franse verwensingen.

Maar ik hield mijn hand op om hen beiden tot zwijgen te brengen.

'Leg eens uit, monsieur LeClerc. Deze man is een leugenaar. Een oplichter. Hoe kan dat nou geen grond zijn voor rechtmatig ontslag?'

Claude zag er volkomen sereen uit, zoals gewoonlijk, en was zo verstandig om zijn mond te houden en zijn vertegenwoordiger het woord te laten voeren. 'Uw beschuldigingen zijn oneerlijk en onterecht,' zei LeClerc op milde toon, terwijl hij zijn vingertoppen tegen elkaar legde en peinzend zijn lippen op elkaar perste. 'En, misschien wel het belangrijkste, er is geen enkel bewijs voor.'

'Dat is niet waar,' kwam Jacques tussenbeide. 'Ik heb alles gedocumenteerd en daaruit blijkt hoe traag Claude zijn werk deed, met opzet. Dat hij zelfs over de simpelste taken, zoals het dekken van een tafel, vier keer zo lang deed als de anderen.'

'Claude is niet de snelste werker, dat geven we toe, maar dat is niet voldoende reden voor ontslag, vooral omdat u hem zelf hebt gekwalificeerd als een "uiterst professionele" werker. *Non, non, monsieur Jacques.* Wat u hebt gedaan is niet correct. Hij nam alleen maar zoveel tijd om uw opdrachten uit te voeren vanwege dat professionalisme waar u hem eerst voor prees. Vertel eens, bent u ooit ontevreden geweest over de kwaliteit van zijn werk, als het klaar was? Heeft hij zijn werk op wat voor manier dan ook slordig gedaan? Ik kon in zijn dossier geen klachten vinden over de kwaliteit, alleen maar over de tijd die hij ervoor nodig had...'

'Ehh... ja, dat is waar...'

'Dus in de rechtbank zouden we overtuigend kunnen stellen dat hij juist doordat hij zoveel waarde hechtte aan de kwaliteit van zijn werk meer tijd nodig had dan de anderen...'

'Dat is belachelijk,' zei Jacques, wiens gezicht een alarmerende bietenrode kleur had gekregen. 'We weten allemaal precies waar Claude mee bezig is en waar het om gaat. Hij chanteert ons. Hij heeft zijn werkuren opgeschroefd. Monsieur LeClerc, u heult met een oplichter. Ik vind het ongelooflijk dat u zijn kant kiest.'

De potige LeClerc sloeg met zijn vuist op tafel. 'Dat neemt u terug, monsieur Jacques! U hebt Claude onrechtmatig ontslagen en nu valt u mij aan op mijn integriteit om uw eigen fout te verhullen. Maar zo werkt dat niet. De wet is heel helder in dit soort zaken. U moet Claude *immédiatement* weer aannemen. En als u van hem af wilt, moet u onderhandelen over een gepaste ontslagvergoeding, een die overeenkomt met wat wettelijk is voorgeschreven in plaats van dat armzalige bedrag dat u hem gisteren hebt gegeven.'

Ik keek naar Mehtab die stomend van woede berekeningen aan het maken was op een kladblok.

'En als we weigeren?' vroeg ze.

'Dan kan de vakbond niets anders doen dan u voor de *Conseil de prud'hommes* dagen op beschuldiging van onrechtmatig ontslag, en dat wordt een hel, geloof me. We zullen ervoor zorgen dat de pers in de rechtbank aanwezig is en dat uw restaurant wordt ontmaskerd als "uitbuiter van de arbeider".'

'Dat is chantage.'

'Noem het hoe u wilt. Wij zijn er alleen maar om te voorkomen dat onze leden worden misbruikt door *propriétaires* als u en te zorgen dat u deze jongeman betaalt waar hij recht op heeft.'

Ik stond op.

'Ik heb genoeg gehoord. Geef ze wat ze willen, Mehtab.'

'Hassan! Dat is twee jaar salaris plus vakantiegeld. Het kost ons honderdnegentigduizend euro om van dat ettertje af te komen!'

'Kan me niet schelen. Ik heb er genoeg van. Claude zet kwaad bloed bij onze goede medewerkers en als we hem houden, kost het ons uiteindelijk meer. Betaal hem. Hij heeft het allemaal heel goed uitgedokterd.'

Claude glimlachte vriendelijk en ik denk dat hij op het punt stond om me te bedanken voor de genereuze regeling, toen ik nadrukkelijk maar rustig tegen monsieur LeClerc zei: 'En verdwijn nu met dat stuk stront uit mijn restaurant.'

Paul Verdun was een van de eerste Franse topkoks die echt begrepen dat de economische situatie van onze bedrijfstak volledig was veranderd en dat de toprestaurants in Frankrijk net als kankerpatiënten op een druppel geleende tijd leefden. De Franse staat had het ons in al zijn wijsheid uiteindelijk onmogelijk gemaakt om de recessie te overleven. De vijfendertigurige werkweek, de pensioenrechten en de vele 'sociale' belastingen, de onbegrijpelijke bureaucratische formulieren waarvoor je een handvol boekhouders en advocaten nodig had om ze in te vullen, de regels en beperkingen die de kosten opdreven; dat alles bracht ons die winter aan de afgrond.

Natuurlijk had Paul veel eerder dan de rest van ons al deze financiële problemen aan de horizon zien opdoemen en hij was de strijd aangegaan voordat het rampzalige omslagpunt was bereikt. Hij had vooral de Franse modehuizen goed gevolgd toen die vijftig jaar eerder eenzelfde reorganisatieperiode hadden doorgemaakt, daar had hij veel van geleerd. Hij had bijvoorbeeld ontdekt dat de arbeidsintensieve haute couture aan de top van de modepiramide wereldfaam verwierf met innovatieve ontwerpen, maar dat weinig vrouwen in de moderne tijd zich deze kostbare creaties konden veroorloven waardoor de ateliers van de haute couture allemaal verlies leiden. Het waren de prêt-à-porterlijnen en parfumlicenties lager in de piramide die het geld binnenhaalden voor de modehuizen. De gewiekste modeimpresario's – zoals Bernard Arnault van LVMH – wisten via lijnen munt te slaan uit de reputaties die waren gevestigd door de verliesgevende haute couture.

Paul begreep intuïtief dat Le Coq d'Or de culinaire evenknie was van de haute couture van Christian Dior en ook hij daalde een paar treden af in de gastronomische piramide om geld te verdienen. Hij sloot licentieovereenkomsten voor allerlei producten, van linnengoed tot olijfolie. Paul liet ons zien hoe het moest en zijn ondernemerschap was zonder meer de inspiratie voor onze generatie van mindere koks bij het opbouwen van ons eigen gastronomische bedrijf in deze moeilijke tijd.

Dus je kunt vast wel begrijpen waarom ik zo geschokt was toen ik eindelijk ontdekte dat het succes van Paul een illusie was. Hij was bankroet en dood. Het leek er bijna op – ook al wilde nog niemand het toegeven – dat er op Franse bodem geen plaats meer was voor de haute cuisine zoals we die tot dan toe kenden.

En als ik dacht me nog te kunnen vastklampen aan allerlei fantasieën over mijn eigen restaurant, dan was het wel de ontslagpremie voor Claude die mij de ogen opende. De *bénéfice*, de nettowinst, van het restaurant was het afgelopen jaar om precies te zijn 87 euro op een omzet van 4,2 miljoen euro. Het jaar daarvoor had Le Chien Méchant zelfs 2.200 euro verlies geleden. Nu we voor Claude 190.000 euro moesten ophoesten – een bedrag dat niet in de begroting was opgenomen – stevenden we af op een zwaar verlies aan het einde van het jaar. Het kwam hierop neer: het punt waarop we quitte zouden draaien was met een sprong omhooggegaan naar een bezettingsgraad van 92 procent; onze bezettingsgraad was gemiddeld 82 procent per jaar.

Dus plotseling begreep ik waarom Paul zoveel risico's had genomen en heimelijk geld was gaan lenen om de tekorten aan het einde van het jaar te overbruggen; hier een beetje, daar een beetje, want volgend jaar zal het beter gaan... En als ik nog niet helemaal doordrongen was van de implicaties voor de toekomst van Le Chien Méchant, dan was er altijd nog mijn zus om me met de neus op de feiten te drukken, in het restaurant – waar ze de boekhouding deed – of in het appartement, waar ze in de achterkamer woonde.

Die avond keerde ik na het werk terug naar ons appartement achter het Institut Musulman. Ik gooide mijn sleutels en telefoon op het gangtafeltje en ging naar de keuken; mijn avondsnack – een lepeltje door mijn zus gemaakte *baingan bharta*, auberginecurry, en een lepeltje *dum aloo*, gepureerde aubergine en aardappel met yoghurt – stond op me te wachten op het aanrecht. Maar Mehtab lag niet in bed, zoals gewoonlijk om deze tijd, maar zat met een pot thee voor zich in haar nachtjapon aan de bar. Haar ogen waren roodomrand en ze had opgezette wallen.

Ze stond op, schonk een glas bruiswater uit de ijskast voor me in en gaf me een servet. 'Het gaat heel slecht,' zei ze. 'Ik zie het voor me. Voor je het weet staan we weer bhelpuri te verkopen aan de kant van de weg.'

'Mehtab, alsjeblieft. Ik ben doodmoe en ik wil me niet opwinden voordat ik naar bed ga.'

Ze zoog bedachtzaam een paar minuten op haar onderlip, maar ik zag dat ze een van haar strijdvaardige buien had. Het volgende wat ze zei was: 'En wat is er met Isabelle gebeurd? Waarom belt ze niet meer?'

'We zijn uit elkaar.'

'Aii. Je hebt het uitgemaakt. Je gedraagt je als een tiener, Hassan.'

'Ik ga naar bed, Mehtab. Slaap lekker.'

Natuurlijk had mijn zus vat op me gekregen met haar opmerking dat we binnenkort bhelpuri zouden moeten verkopen aan de kant van de weg en ik lag de hele nacht te woelen. Ergens midden in de nacht dacht ik terug aan een ritje dat ik de maand daarvoor had gemaakt naar een terrein buiten Parijs. Een van mijn gevogelteleveranciers had een nieuwe, zeer geavanceerde fabriek geopend en hij had me vol trots uitgenodigd voor een rondleiding. Het gebouw was zo groot als een hangar, rook naar warme veren en mest en het eerste wat

ik zag waren kippen die via een stortkoker een kooi in gleden, waar ze werden opgewacht door Noord-Afrikanen met
haarnetjes, witte jassen en rubberen laarzen. De mannen, die
potig waren maar op een vreemde manier ook gracieus, grepen de kakelende vogels bij hun geschubde poten en hingen
ze in een vast ritme een voor een op hun kop in de beugels
van een transportband boven hun hoofd. De kippen vormden een vliegend tapijt dat recht op een zwarte flap in de
muur af vloog.

Vervolgens kwamen de kippen, die met bonzend hart en
trillende lelletjes ondersteboven hingen, in een donkere,
warme, afgesloten ruimte terecht, waar hun machinale reis
werd bijgelicht door het zachte, kalmerende, paarse schijn-
sel van een tl-buis aan het plafond. Onmiddellijk kwamen de
vogels tot bedaren. Het geklapper van de vleugels en het ge-
kakel verstomde plotseling tot een zacht geklok hier en daar.
De band liep soepel maar meedogenloos door naar weer een
flap. Toen hij de hoek omging, streken de koppen van de
zwijgende vogels tegen een onschuldig uitziende draad. De
elektrische schok in hun hoofd verdoofde ze onmiddellijk.
Nog een draad en daarna de laatste flap.

Dus ze zagen het ronddraaiende, scherpe blad niet, dat als
een elektrische blikopener naderbij kwam om hun keel door
te snijden, en ze hoorden het bloed niet dat tegen de stalen
muren spatte. Ze zagen de slager niet die zich met zijn mes en
zijn maliënhandschoen naar ze toe boog om alle halzen die
nog niet helemaal open waren verder door te snijden. Ze zagen de opvangbakken op de grond niet die zich vulden met
de vloeistoffen uit hun lichamen. Maar ik zag het wel. En ik
zag hoe de dode vogels een lange metalen bak in gingen,
waar ze door kokend water werden gesleept om hun witte
verendek losser te maken zodat de rollers het gemakkelijk
konden afpellen, waarna de kippen roze en naakt weer te-

voorschijn kwamen, klaar voor de rijen mannen en vrouwen die op hun post zaten om ze in vieren te snijden, te verpakken en te verzenden.

Dit was het visioen dat me in die rusteloze ruimte tussen slapen en waken bezocht, en het stelde me diep gerust. Want dit visioen van de kippen op weg naar de slacht herinnerde me eraan dat er veel momenten zijn in het leven waarop we niet kunnen zien wat ons te wachten staat als we de hoek omslaan, en juist op dat soort momenten, als het pad voor ons niet goed zichtbaar is, moeten we onze zenuwen bedwingen en resoluut de ene voet voor de andere zetten om blind de duisternis in te marcheren.

En vlak voordat ik in slaap viel, dacht ik aan een van de favoriete uitspraken van oom Mayur, die hij vaak herhaalde toen ik een kleine jongen was en we hand in hand door de sloppenwijken van Mumbai liepen. 'Hassan, Allah geeft en neemt,' zei hij altijd, vrolijk wiebelend met zijn hoofd. 'Onthoud, zijn wil wordt alleen op het juiste moment geopenbaard.'

En zo kom ik eindelijk bij de laatste cruciale gebeurtenis van die vreemde dagen. Na het ontslag van Claude gingen Jacques en ik op zoek naar een vervanger. We voerden gesprekken met ik weet niet hoeveel kandidaten – een vrouw uit Wales met een ring door haar neus, een serieuze Turk die veelbelovend leek, maar heel slecht Frans sprak, een Fransman uit Toulouse die op papier geweldig klonk, tot we er bij het antecedentenonderzoek achter kwamen dat hij drie keer was gearresteerd voor het in brand steken van auto's tijdens studentenrellen. Uiteindelijk kozen we voor de halfbroer van Abdul, een van onze beste obers, die beloofde dat hij persoonlijk zijn jongere broer onder zijn hoede zou nemen.

Tegen het einde van dit vermoeiende proces stak Jacques

op een namiddag zijn hoofd om de hoek van mijn kantoor om me te vertellen dat er beneden een kok was die me wilde spreken.

Ik keek op van de inventarislijst die ik aan het bestuderen was.

'Een kok? Je weet heel goed dat we geen nieuwe kok nodig hebben.'

'Ze zegt dat ze ooit met je heeft gewerkt.'

'Waar?'

'Le Saule Pleureur.'

Die naam had ik lang niet gehoord en het voelde alsof ik door de bliksem werd getroffen. Mijn hart begon te bonzen.

'Laat haar maar boven komen.'

Ik wil best bekennen dat ik door mijn wat verwarde mentale toestand behoorlijk schrok en half verwachtte madame Mallory door de deur te zien komen.

Maar natuurlijk was het de oude vrouw niet.

'Margaret! Wat een verrassing!'

Ze stond aarzelend op de drempel van mijn kantoor, verlegen en stilletjes als altijd, wachtend tot ik haar zou vragen binnen te komen. Ik kwam onmiddellijk van achter mijn bureau vandaan, we omhelsden en kusten elkaar en ik voerde mijn vroegere culinaire kameraad en geliefde aan de hand naar het midden van de kamer.

'Sorry dat ik zomaar binnenval, Hassan. Ik had even moeten bellen.'

'Onzin. We zijn oude vrienden. Hier. Ga zitten... Wat doe je in Parijs?'

Margaret Bonnier, gekleed in een jurk met een fleur-de-lismotiefje en een trui, een kalfsleren Kelly-tas over haar schouder, frunnikte zenuwachtig aan het kruisje om haar nek en bracht het naar haar lippen, zoals ze zoveel jaren geleden ook altijd deed als madame Mallory tegen ons tekeerging. Ze was natuurlijk ouder geworden, steviger, en haar haar was blond geverfd. Maar hoewel de tijd zijn sporen op haar gezicht had achtergelaten, was ze er op de een of andere manier in geslaagd haar zachtheid te behouden en ik herkende meteen mijn oude vriendin van lang geleden.

'Ik ben op zoek naar werk.'

'In Parijs?'

'Ik ben getrouwd. De monteur Ernest Borchaud. Herinner je je hem nog?'

'Jazeker. Mijn broer Umar was gek op auto's. Ernest en Umar zaten vaak aan motoren te knutselen. Ik had geen idee wat ze precies deden.'

Ze glimlachte. 'Ernest is nu eigenaar van het Mercedes- en Fiat-dealerbedrijf. We hebben samen twee kinderen. Een jongen en een meisje. Het meisje, Chantal, is acht. Alain is pas zes.'

'Dat is fantastisch. Gefeliciteerd.'

'Ernest en ik zijn gescheiden. De papieren zijn twee maanden geleden getekend.'

'O,' zei ik. 'Wat erg.'

'De kinderen en ik zijn naar Parijs verhuisd; ik heb hier een zus. We hadden behoefte aan verandering.'

'Ja, ik begrijp het.'

Ze keek me strak aan. 'Misschien had ik dat lang geleden al moeten doen. Naar Parijs verhuizen.'

Ik zei niets.

'Natuurlijk is de stad peperduur.'

'Ja, dat klopt.'

Margaret keek even uit het raam om zich te hernemen, voordat ze haar ogen weer op mij richtte. 'Vergeef me mijn brutaliteit,' zei ze, met een stem die zo ontdaan was van alle zelfvertrouwen dat er alleen een fluistering te horen was. 'Maar... heb je een souschef nodig? Je kunt me overal inzetten. Warme keuken, koude keuken, desserts.'

'Nee, helaas niet. Het spijt me. Ik kan me geen extra personeel veroorloven.'

'O,' zei ze.

Margaret keek wanhopig om zich heen en probeerde te bedenken wat ze nu moest doen. Ik had gemerkt dat ze haar schouders onder haar jurk hoog had opgetrokken, maar nu liet ze ze verslagen hangen. En toen stond ze op om afscheid te nemen, zich vastklampend aan haar Kelly-tas om haar evenwicht te vinden. Ze glimlachte maar haar lip trilde een beetje.

'Sorry dat ik je heb lastiggevallen, Hassan. Ik hoop dat je het me niet kwalijk neemt. Maar, zie je, jij ben de enige restaurateur die ik ken in Parijs en ik wist niet bij wie ik anders terecht kon...'

'Ga zitten.'

Ze keek me aan als een bang klein meisje, met haar crucifix bungelend tussen haar lippen.

Ik wees naar de stoel. 'Nou?'

Margaret zakte weer neer in de stoel.

Ik pakte de telefoon op en belde chef Piquot.

'*Bonjour, André... Hassan ici...* Zeg eens, is jouw vacature in de koude keuken al vervuld?... Dus dat was geen succes... Ja. Ja, ik weet het. Verschrikkelijk zoals ze zich tegenwoordig gedragen. Echte prima donna's... Maar weet je, het is uitstekend nieuws dat het met die kerel niets werd, want ik heb de ideale kandidaat voor je... Ja. Ja. Maak je geen zorgen. Ik heb met haar gewerkt in Le Saule Pleureur. Eersteklas souschef. Werkt hard. Heel ervaren. Geloof me, vriend, je zult me dankbaar zijn... Nee, dat denk ik niet. Ze woont nog maar pas in Parijs... Ik stuur haar meteen naar je toe.'

Toen ik de telefoon neerlegde, zag ik tot mijn schrik dat Margaret geen enkele blijdschap toonde over het feit dat ik haar zojuist een baan had bezorgd bij Montparnasse, maar in een zakdoekje zat te snotteren, niet in staat een woord uit te brengen. Haar huilbui vulde de ruimte en ik wist niet wat ik moest doen, waar ik moest kijken. Maar toen, nog bevend van emoties, hoofd nog steeds gebogen, strekte Margaret haar linkerhand uit over de tafel, met vingers die blind in de lucht naar contact zochten.

En op dat moment begreep ik dat ze het heel moeilijk had gehad.

Dat dit het enige was wat ze kon doen – op dat moment.

Dus ik strekte mijn rechterhand uit en zwijgend ontmoetten we elkaar halverwege.

18

Het zwakke maartzonnetje trok zich terug achter de nokken van de stad. Het was dat moment van de dag waarop het restaurant somber lag te broeden, die vreemde schemerperiode tussen de matinee en het begin van de avondvoorstelling. De werknemers keerden loom en prikkelbaar terug van hun twee uur pauze en wisten niet of ze zich weer konden oppeppen voor de late dienst. En de eetzaal zelf, altijd zo vol van leven tijdens het diner, maakte nu een matte indruk door de verschaalde nevel die was blijven hangen na de lunch. Het was moeilijk om niet moedeloos te worden. De late winter sidderde in de plooien van de fluwelen gordijnen; een broodje lag als een dode kever op zijn rug onder een stoel.

Zoals gewoonlijk was ik in de keuken, waar ik uien en knoflook smoorde in een koekenpan en in die roes kwam die me altijd overvalt als ik aan het koken ben. Maar om de een of andere reden gaf ik me op deze donkere maartavond niet volledig over. Ik bleef hangen op de grens tussen twee werelden, alsof ik wist dat er iets groots stond te gebeuren.

Terwijl ik de spetterende koekenpan schudde, hoorde ik

door de keukendeuren heen de obers die stampend de hal binnenkwamen. Ik hoorde het gebrom van de stofzuiger en de klappen die een leerling tegen de espressomachine gaf om de oude koffieprut los te slaan. Geleidelijk aan werd de kilte die in het restaurant hing verdreven door de bedrijvigheid die stukje bij beetje op gang kwam: messen werden geslepen; fris, gesteven linnen werd met een zwiepende beweging uitgevouwen; de printer in het kantoor begon druk te ratelen. En in een mum van tijd was de somberheid verdwenen.

De *France Soir* werd met kracht door de brievenbus geduwd en plofte op de mat. Het was een oude gewoonte waar de stijfkoppige Jacques geen afscheid van wilde nemen, zelfs niet in dit digitale tijdperk, en hij pakte de krant op en liep ermee naar de tafel achterin, waar de obers voor de avonddienst een snelle maaltijd aten, bestaande uit gegrilde *andouilettes*, worstjes van ingewanden.

Met de krant onder zijn arm ging Jacques bij de anderen zitten. Hij schepte worstjes, rijst en tomatensla op zijn bord en las de krant terwijl hij at. Maar plotseling kwam er een vreemd gegorgel uit zijn keel en gooide hij zijn vork neer. Voordat de anderen begrepen wat er aan de hand was, sprong hij overeind en stormde hij door de eetzaal. De anderen volgden hem op de hielen; de schurken vonden niets mooier dan een goede ruzie en hoopten getuige te zijn van wat, als ze de voortekenen goed lazen, wel eens zou kunnen uitlopen op een flinke schreeuwpartij.

Zo kwamen ze met z'n allen buiten adem en geagiteerd de keuken binnen, waar wij onwetend erwten stonden te doppen en sjalotjes fijn te hakken en vet weg te snijden. We versteenden midden in onze bewegingen en richtten waakzaam onze blik op Jacques, die stond te brullen en met de avondkrant door de lucht wapperde.

Ik dacht: o, mijn god, niet weer – want de avond daarvoor

waren Jacques en Serge elkaar bijna te lijf gegaan toen ze elkaar de schuld gaven van een bestelling waarmee iets fout was gegaan. En vanuit mijn ooghoek zag ik dat Serge een lamsbout vastpakte als een knuppel; hij zag eruit alsof hij niet zou aarzelen om Jacques of wie dan ook van de obers een optater te verkopen als ze zo dom waren om hem uit te dagen. Ik was volkomen uitgeput en aan het einde van mijn Latijn; een nieuwe confrontatie tussen mijn personeelsleden zou ik niet kunnen verdragen.

'*Maître! Maître!* De derde ster! Michelin heeft u net de derde ster gegeven!'

Het eerste opgewonden geschreeuw verstomde en het personeel stond drie rijen dik om het hakblok en hing aan mijn lippen terwijl ik het vijf alinea's lange artikel las. Het ging alleen maar over wie er was gestegen en wie er was gedaald. En daar was hij, de halve zin die *le tout Paris* vertelde dat Le Chien Méchant een van de twee restaurants in heel Frankrijk was die een derde ster hadden gekregen.

Ik was met stomheid geslagen, verdoofd, terwijl om me heen een feestgedruis losbarstte alsof het *quatorze juillet* was. Ze sloegen pannen tegen elkaar en schreeuwden en dansten om de gaspitten. Jacques en Serge vlogen elkaar in de armen en omhelsden elkaar bijna net zo gepassioneerd als geliefden, er waren tranen, er werd op ruggen geklopt, er werd gejoeld van vreugde en dat alles werd gevolgd door nog meer rondes innige handdrukken.

En wat ging er door mijn hoofd?

Ik kan het je niet vertellen. Niet precies.

Mijn emoties buitelden over elkaar heen. Het was één warboel. Bitterzoet.

Mijn medewerkers stonden opgewonden in de rij – de zwarte jasjes van het bedienend personeel en de witte kleding van de keuken, als schaakstukken – om me persoonlijk te feliciteren. Maar mijn reactie was niet warm, niet uitbundig. Misschien leek het zelfs alsof het me niets kon schelen, zoals ik al deze blijdschap om me heen van grote afstand bekeek.

Maar bedenk wel, er waren in heel Frankrijk slechts achtentwintig restaurants met drie sterren en mijn reis naar deze bestemming was zo lang en zwaar geweest dat ik nog niet echt kon geloven dat ik haar had bereikt. Of in ieder geval kon ik het niet zomaar geloven op grond van een halve zin in een grote avondkrant. En Suzanne, achter in de rij, leek mijn gedachten te lezen, want ze zei plotseling: 'En als de verslaggever het nou eens mis heeft?'

'*Merde*,' riep Serge van de andere kant van de keuken, terwijl hij woedend naar haar wees met een houten lepel. 'Wat is dat toch met jou, Suzanne? Altijd iets negatiefs te zeggen.'

'Dat is niet waar!'

Gelukkig werden we op dat moment afgeleid door Maxine, die handenwringend naar beneden kwam om me te vertellen dat monsieur Barthot van de Michelingids aan de telefoon was en me dringend wilde spreken. Met bonzend hart rende ik de wenteltrap naar het torentje op, terwijl het personeel me gelukwensen naschreeuwde.

Ik haalde diep adem en pakte de telefoon op. Na de gebruikelijke geforceerde beleefdheden vroeg Barthot: 'Hebt u de krant gelezen?'

Ik zei dat ik dat had gedaan en vroeg hem recht op de man af of het waar was dat we de derde ster zouden krijgen. 'Die rotkranten,' zei hij uiteindelijk. 'Ja, het is waar. Ik kan u feliciteren.'

Toen pas durfde ik het bericht in zijn volle betekenis tot me door te laten dringen. Eindelijk had het lot beschikt.

Monsieur Barthot ratelde door over procedurele kwesties en ik moest moeite doen om me te blijven concentreren op zijn hoogdravende woorden. Blijkbaar werd ik verwacht op een diner in Cannes ter gelegenheid van de uitreiking van de sterren. 'Weet u, chef,' zei hij, 'u bent de eerste immigrant in Frankrijk die ooit de derde ster heeft gekregen. Het is een hele eer.'

'Ja, ja,' zei ik. 'Dat ben ik helemaal met u eens. Een grote eer.'

'Ik heb voor u moeten vechten, weet u. Niet al mijn collega's vinden dat koks met – hoe zal ik het zeggen? – met een exotische achtergrond het juiste gevoel hebben voor de klassieke Franse keuken. Dit is nieuw voor ons. *Mais c'est la vie.* De wereld verandert. De gids moet mee veranderen.'

Natuurlijk loog hij en ik wist niet goed wat ik tegen hem moest zeggen. Het was niet Barthot die voor mijn zaak had gestreden, dat wist ik zeker; hij was zonder twijfel juist een van de laatsten die voor mij stemden. Het was te danken aan de zuiver objectieve inspectierapporten, die werden ingediend na geheime bezoeken aan het restaurant en die twee keer per jaar werden besproken in de commissie. Die rapporten vertelden de waarheid zoals de inspecteurs haar zagen.

'Monsieur Barthot,' antwoordde ik uiteindelijk. 'Ik wil u en de inspecteurs nogmaals bedanken. Maar neemt u me niet kwalijk... ik moet gaan, over minder dan twee uur gaat het restaurant open, begrijpt u?'

19

Toen die magische avond eind maart waarop ik mijn derde ster kreeg bijna ten einde liep, vond er op de tong een overgang plaats naar licht en zoet en smeltend, naar pistachemadeleines en steranijsclafoutis en mijn beroemde bittere-kersensorbet. Nog maar een of twee soufflés in de oven en alleen pâtissière Suzanne was nog druk in de weer om het diner goed af te sluiten. Ik ging naar haar werkplek en zij aan zij lepelden we beaujolaiscompote in de krokante taartkorsten die net uit de oven kwamen. Een dot mascarpone erbij, als final touch voor mijn *tarte au vin*. En je kon het voelen, de hitte van de keuken die geleidelijk verdween op het moment dat de fornuizen van Le Chien Méchant een voor een werden gedoofd.

De gasten in de eetzaal legden hun linnen servetten naast hun borden neer alsof ze de handdoek in de ring gooiden. Door mijn glazen raampje zag ik dat hun benen in vreemde hoeken onder de tafels uit staken en dat hun bovenlichamen als vlezige soufflés over de tafels hingen.

Jacques en zijn personeel waren nog aan het werk, maar

niet meer zo gehaast. Nu ging het alleen nog om het eindeloze weghalen van met saus besmeurde borden en met wijndruppels bevlekte glazen, het opvegen van de kruimels en korsten van de broodjes. Er werd verkwikkende koffie met petitfours gebracht; digestieven in bewerkt kristal en goede havanna's, die voorzichtig uit de laatjes van de voetenbankjes werden gehaald.

'Jean-Pierre,' riep ik, terwijl ik mijn jasje uitdeed. 'Geef me mijn schone uniform eens aan.'

Een Australisch echtpaar dat in het deel zat dat we 'Siberië' noemden, zag als eerste dat ik uit de keuken tevoorschijn kwam, maar wist niet goed wat ze moesten doen. Maar toen ik de volgende zaal in liep, daalde er een stilte neer en Jacques, die opkeek van zijn boeken, kwam me tegemoet.

Le Comte de Nancy zat aan zijn gebruikelijke tafeltje rechts achteraan, met twee managers van de bank Lazard Frères als zijn gasten. Hij hief zijn met levervlekken bezaaide hand op om me te begroeten en stond met veel moeite op. Voordat ik het wist kwamen ook de burgemeester van Parijs en diens gasten overeind, evenals Christian Lacroix, de ontwerper, en Johnny D., die fantastische Hollywoodacteur, die met zijn dochter verlegen weggedoken zat in een compartimentje. De commotie in de eetzaal lokte Serge en de anderen uit de keuken en ze kwamen de eetzaal in om mee te doen met het applaus. En dat applaus waarmee gasten en personeel me feliciteerden met mijn verheffing naar de hoogste regionen van de Franse haute cuisine, was oorverdovend.

Heel indrukwekkend, geloof me. Heel indrukwekkend.

Dat moment was het hoogtepunt van mijn leven, deze beroemde en gedistingeerde mensen die voor me stonden, mijn *comrades de cuisine*, die me allemaal zoveel respect betoonden. En ik weet nog dat ik dacht: hmm, dit bevalt me wel. Ik zou hier best aan kunnen wennen.

En zo stond ik midden in mijn restaurant en liet ik alles op me inwerken, iedereen in de zaal bedankend met knikjes van mijn hoofd. En ik kan je vertellen dat ik, toen ik naar al deze goede mensen keek – met hun rood aangelopen gezichten, volgepropt met eten – plotseling naast me de overweldigende aanwezigheid van mijn vader voelde, die straalde van trots.

Hassan, zei hij in mijn gedachten, Hassan, je hebt ze ingemaakt. Heel goed.

Maxine kwam uit het kantoor naar beneden om gedag te zeggen. 'Het is ongelooflijk, chef,' zei ze, met blosjes van opwinding. 'We hebben vanavond zevenhonderd reserveringen aangenomen, de e-mails stromen binnen en de telefoon rinkelt nog steeds – nu vanuit Amerika, want het nieuws heeft zich over het internet verspreid. We zitten al helemaal vol tot april volgend jaar. In dit tempo hebben we tegen het einde van de maand een wachtlijst van twee jaar. En kijk, er zijn dringende berichten van Lufthansa, Tyson Foods en Unilever. Dat gaat vast over zakendeals, *non?*... Wat is er, chef? Waarom kijkt u zo verdrietig?'

Als je een Michelinster verliest daalt de omzet met dertig procent, maar als je er een ster bij krijgt gaat de omzet met veertig procent omhoog. Een verzekeringsbedrijf in Lyon – dat 'winstderving' verzekert voor restaurateurs die het risico lopen hun hoge positie te verliezen – had dat zojuist aangetoond met een statistisch onderzoek.

'Ach, Maxine. Ik ben verdrietig omdat ik aan Paul Verdun denk. Mijn vriend kon zichzelf niet redden, maar mij wel.'

De jonge vrouw sloeg haar armen om mijn nek en fluisterde: 'Kom later even langs om een kop koffie te drinken. Ik zal op je wachten.'

'Dank je wel voor het aanbod. Heel verleidelijk. Maar van-avond niet.'

Ik wenste de twee obers en Serge goedenacht. Hij was die avond de laatste die naar huis ging en deed dat pas nadat we elkaar nog één keer hadden gekust en gefeliciteerd en hij me nog een paar keer op de rug had geslagen. Maar uiteindelijk deed ik zachtjes de deur achter hem dicht en was ik weer alleen.

En dat was dat.

Mijn bijzondere avond was voorbij, voorgoed, opgelost in de geschiedenis.

Met de definitieve klik van de grendel die op zijn plek gleed, begon mijn afdaling naar de aarde vanaf de duizeling-wekkende hoogte waar ik op deze fantastische avond had verkeerd. En meteen deed de somberheid zijn intrede, die bekende depressie die alleen een tenor die in triomf het podium van La Scala verlaat echt kan begrijpen. Maar zo gaat dat in de keuken.

'*Tant pis*,' zoals Serge altijd zei. Niks aan te doen.

We moeten het slechte met het goede aanvaarden.

Ik verzekerde me ervan dat de ramen vergrendeld waren en de voorraadruimte op het hangslot zat. Boven in het torentje deed ik alle computers en lampen uit. Ik pakte mijn mobiel en sleutelbos van de bijzettafeltjes en liep weer naar beneden. Lichten van de eetzaal uit. Een laatste blik op het restaurant, op de vaag verlichte bollen die in het donker zweefden, de witte Madagaskische tafelkleden die hun laatste restjes licht afgaven. Alarm aan. En toen trok ik de deur dicht.

De klimop rondom het uithangbord met de blaffende buldog was nat van de avonddauw, maar die was niet bevroren, en voor het eerst dat jaar voelde ik in de avondlucht de zachtheid van het naderende voorjaar, heel zwakjes, maar toch onmiskenbaar. Ik keek omhoog langs de rue Valette, naar de top van de heuvel, zoals ik iedere avond deed. Het was mijn favoriete uitzicht in Parijs: de koepel van het Panthéon in de gele gloed van de schijnwerpers als een zachtgekookt ei in de nacht. En toen deed ik de voordeur op slot.

Het was diep in de nacht, maar weet je, de nachten in Parijs zijn bedwelmend en er is altijd leven. Een verliefd middelbaar stel daalde arm in arm de rue Valette af, terwijl een geneeskundestudent van de Sorbonne op een rode Kawasaki juist in tegengestelde richting de heuvel op reed. Ik denk dat zij het ook voelden, de naderende lente.

Tevreden liep ik door de donkere steegjes van het Quartier Latin naar mijn appartement. Het was geen lange wandeling, over de Place de la Contrescarpe, langs de vele goedkope Noord-Afrikaanse restaurantjes in de nauwe rue Mouffetard, waarvan een paar ramen spookachtig waren verlicht door een rode lamp die een vettige souvlaki bescheen.

Maar ergens halverwege de rue Mouffetard stond ik opeens stil. Eerst wist ik het niet zeker, vertrouwde ik mijn zintuigen niet. Opnieuw snoof ik de vochtige nachtlucht op. Het kon toch niet waar zijn? Maar het was er echt: het onmiskenbare aroma van mijn jeugd dat vreugdevol door een met keitjes geplaveid zijstraatje naar me toe stroomde, de geur van machli ka salan, de viscurry van thuis, van zo lang geleden.

Verleid door deze indringende currygeur liet ik me machteloos het donkere steegje in trekken, naar een klein winkeltje aan het einde, waar ik tussen twee onsmakelijke Algerijnse restaurants in het eethuisje Madras ontdekte, dat pas was geopend maar op dit tijdstip gesloten was.

Boven mijn hoofd zoemde een straatlantaarn. Ik schermde mijn ogen af tegen het licht en gluurde door het raam. In de eetzaal stonden ongeveer tien ruwhouten tafels, bedekt met papieren kleedjes, klaar voor de volgende dag. Aan de felgele muren hingen eenvoudig ingelijste zwart-witfoto's van India – waterwallahs en wevers en treinen op een station. De lampen in de eetzaal waren uit, maar de harde tl-buizen in de keuken achterin brandden, en ik kon net zien wat er gaande was in de lange gang naar de keuken.

Een grote ketel met visstoofpot, de dagschotel voor de volgende dag, stond te borrelen op het fornuis. In het smalle gangetje zat een eenzame kok in een T-shirt en met een schort aan op een krukje, zijn vermoeide hoofd gebogen over een kom met zijn gekruide viscurry.

Mijn hand ging vanzelf omhoog, en drukte warm en plat als een chapati tegen het glas. En ik voelde een pijn die zo heftig was dat mijn hart bijna brak. Ik verlangde naar mammie en India. Naar mijn lieve, luidruchtige papa. Madame Mallory, mijn lerares, en de familie die ik nooit heb gehad, geofferd op het altaar van mijn ambitie. Ik verlangde naar mijn overleden vriend Paul Verdun. Mijn geliefde grootmoeder, Ammi, en haar heerlijke karimeen. Dit alles miste ik, juist op deze dag.

En toen, ik weet niet hoe het kwam, maar staand voor dat kleine Indiase restaurant, vervuld van dat intense verlangen, moest ik plotseling weer denken aan iets wat madame Mallory me had verteld op een lenteochtend vele jaren geleden. Dat was, zo realiseer ik me nu, een van de laatste dagen die ik in haar restaurant doorbracht.

We zaten in haar privévertrek op de bovenste verdieping van Le Saule Pleureur. Ze had een sjaal om haar schouders en dronk thee in haar geliefde fauteuil, terwijl ze naar de koerende duiven in de wilg voor het raam keek. Ik zat tegenover haar en was verdiept in *De Re Coquinaria*. Ik maakte aantekeningen in het in leer gebonden boekje dat ik tot op de dag van vandaag bij me draag waar ik ook ga. Madame Mallory zette haar kopje op het schoteltje – opzettelijk met veel gerinkel – en ik keek op.

'Als je hier weggaat,' zei ze koeltjes, 'vergeet je waarschijnlijk het meeste van wat ik je heb geleerd. Daar is niets aan te doen. Maar als er iets is wat je onthoudt, hoop ik dat het dit advies is dat mijn vader mij gaf toen ik jong was, nadat een beroemde en extreem lastige schrijver had uitgecheckt bij ons familiehotel. "Gertrude," zei hij, "vergeet nooit dat een snob iemand is met een totaal gebrek aan goede smaak." Ikzelf ben dat advies vergeten, maar ik vertrouw erop dat jij niet zo dom bent.'

Ze nam nog een slokje van haar thee en keek me toen scherp aan met die ogen die, ook al was ze een oudere vrouw, verontrustend blauw en doordringend en fonkelend waren.

'Ik ben niet zo goed met woorden, maar ik wil je graag zeggen dat ik ergens in het leven de weg ben kwijtgeraakt en ik geloof dat jij naar me toe bent gestuurd, misschien door mijn lieve vader, om me op het rechte pad te brengen. En daar wil ik je voor bedanken. Jij hebt me laten inzien dat goede smaak niet het geboorterecht is van snobs, maar een geschenk van God dat soms op de vreemdste plaatsen en bij de onwaarschijnlijkste mensen te vinden is.'

En dus wist ik, toen ik naar de uitgeputte eigenaar van Madras keek, die een kom eenvoudige maar verrukkelijke visstoofpot vasthield na een lange dag had werken, opeens wat ik tegen die onmogelijke kerel zou zeggen als hij me nog eens vertelde hoe vereerd ik zou moeten zijn omdat ik de enige buitenlander was die ooit een plaats had verworven bij de Franse culinaire elite. Ik zou de opmerking van Mallory over Parijse snobs doorgeven, de boodschap misschien even op hem laten inwerken en me dan naar hem toe buigen om, met een heel klein beetje spuug, te zeggen: 'Nou? Wat zeg je daarvan?'

Maar een kerkklok in de buurt sloeg één uur en de plichten van de volgende dag riepen en knaagden aan mijn geweten. Dus wierp ik nog een laatste lange blik in Madras en keerde me toen met een bruuske beweging af om mijn weg door de rue Mouffetard te vervolgen. Met achterlating van de bedwelmende geur van machli ka salan – een olfactorisch vleugje van wie ik was dat snel vervaagde in de nacht van Parijs.

20

'Hassan? Ben jij dat?'

Uit de keuken van het penthouse kwam het geluid van borden die werden gewassen in de gootsteen.

'Ja.'

'Ongelooflijk! Drie sterren!'

Mehtab had haar haar die dag mooi opgestoken en kwam in haar beste zijden salwar kameez de gang in, haar ogen met kohl omlijnd, net als onze moeder. Ze glimlachte naar me en strekte haar armen uit.

'Niet slecht, yaar,' zei ik, terugvallend op het dialect van onze kindertijd.

'O, ik ben zo trots. Ik wou dat mammie en papa hier waren. Ik kan wel huilen.'

Maar ze zag er helemaal niet uit alsof ze in tranen zou uitbarsten.

In plaats daarvan kneep ze me hard.

'Au,' jammerde ik.

Haar gouden armbanden rinkelden hevig toen ze met haar vinger zwaaide. 'Jij vuilak! Waarom heb je me niet gebeld?

Waarom heb je me voor paal laten staan bij de buren? Ik moest het van vreemden horen.'

'Ach, Mehtab. Ik wilde je echt bellen, maar het was zo druk, yaar. Ik hoorde het vlak voordat het restaurant openging en de telefoon bleef maar gaan en er kwamen steeds nieuwe gasten. Iedere keer dat ik je wilde bellen, kwam er weer iets belangrijks tussendoor wat ik moest afhandelen.'

'Hmm. Smoesjes.'

'Maar wie heeft het je verteld?'

Plotseling werd haar gezicht zachter.

Ze legde haar vingers tegen haar lippen en wenkte me haar te volgen.

Margaret zat met rechte rug midden op onze witleren bank in de woonkamer te knikkebollen. Haar ogen waren gesloten en haar kin zakte steeds langzaam naar haar borst om pas op het laatste moment weer omhoog te schieten. Haar handen lagen op haar zoon en dochter, die allebei diep in slaap met hun hoofd op haar schoot lagen, hun benen opgetrokken onder de dekens die uit de persoonlijke kist van Mehtab kwamen. En ik herinner me nog dat er op de gezichten van de kinderen niets te lezen was dan diepe en ontroerende onschuld.

'Zijn ze niet schattig?' fluisterde Mehtab. 'En zo braaf. Ze hebben alles opgegeten wat ik voor ze had klaargemaakt.'

Op het gezicht van mijn zus lag een blik van pure vreugde omdat ze eindelijk kinderen in haar huis had – het lot waarvoor ze altijd had gedacht voorbestemd te zijn, maar dat nooit werkelijkheid was geworden.

Maar toen verscheen er een norse blik op haar gezicht, precies zoals tante soms kon kijken. 'Zij is de enige van je vrienden die de moeite heeft genomen om me te vertellen dat je die ster hebt gekregen.'

Ze kneep me weer, maar nu niet zo hard.

'Ze kwam de *France Soir* brengen. Zo aardig. En ze vertelde over haar man, weet je. Wat een bruut. Ze hebben het heel moeilijk gehad, zij en de kleintjes... en waarom heb je me niet verteld dat ze naar Parijs is verhuisd?'

Gelukkig bleef de volgende mortierbeschieting van Mehtab me bespaard doordat Margaret haar ogen opende. Toen ze ons naar haar zag kijken vanuit de deuropening, glimlachte ze waarbij haar gezicht lief oplichtte. Ze hief een vinger op om ons duidelijk te maken dat we moesten wachten en maakte zich langzaam en voorzichtig los van de slappe ledematen van haar kinderen, die gewoon doorsliepen.

We omhelsden en kusten elkaar hartelijk in de gang.

'Ik kon het niet geloven, Hassan. Wat geweldig!'

'Het was nogal een schok. Totaal onverwacht.'

Ik pakte haar beide handen en kneep erin terwijl ik haar in de ogen keek.

'Dank je wel, Margaret, dat je hiernaartoe bent gekomen. Dat je het aan mijn zus hebt verteld.'

'We zijn meteen gekomen toen we het nieuws hoorden. Ik was zo blij. We moesten je gewoon even zien om je te feliciteren. *Immédiatement*. Wat een ongelooflijke prestatie... madame Mallory had gelijk!'

'Ik weet zeker dat ze dat daarboven in de hemel nu ook tegen papa zegt.'

We lachten.

Mehtab had nog steeds die norse uitdrukking op haar gezicht en maakte ons met haar vinger tegen haar lippen duidelijk dat we stil moesten zijn. Ze gebaarde dat we naar de andere kant van het appartement moesten gaan, naar de bar in de keuken, waar we konden praten. In de keuken trokken we de krukken onder de marmeren bar vandaan terwijl Margaret me vertelde hoe het haar verging bij Montparnasse, hoe fatsoenlijk chef Piquot zich gedroeg, dat hij absoluut geen schreeuwer of tiran was, zoals zoveel andere topkoks.

'Hassan, ik zal nooit vergeten dat we alles aan jou te danken hebben.'

'Ik heb niets gedaan. Ik heb één telefoontje gepleegd.'

Ik haalde een fles gekoelde Moët et Chandon uit de Sie-Matic koelkast, liet boven de gootsteen de kurk eruit schieten en schonk de champagne in amberkleurige, antieke flûtes. Margaret, verfrist van haar tukje, was spraakzaam.

'Het was heerlijk om je zus weer te zien, na al die jaren. Ze was zo lief voor ons, toen we zomaar onaangekondigd voor de deur stonden. Zo aardig voor de kinderen. En tjonge, wat kan zij koken! *Ooh la la.* Net zo goed als jij. Ze heeft een maaltijd voor ons gemaakt. *Délicieuse.* Een pittige runderstoofpot, dik en romig, volmaakt voor deze koude avond. En zo anders dan onze *boeuf bourguignon*.'

Mehtab nam dit gepaste eerbetoon aan haar kookkunst op koninklijke wijze in ontvangst. Er verscheen een onderkoelde tevreden uitdrukking op haar gezicht, ook al deed ze alsof ze niet naar ons gesprek luisterde. Ondertussen dekte ze de bar voor mijn avondsnack.

'Margaret, kom,' zei ze, terwijl ze een bord met zoetigheden over de bar schoof. 'Je moet mijn wortelhalva nog proeven. En we moeten het over Hassans feestje hebben. Het menu, en wie we moeten uitnodigen.'

Mijn zus keek me aan en op een toon die niet veel verschilde van het geblaf van een hond zei ze: 'Schiet op, ga je wassen.'

Toen ik mijn gezicht onder de kraan stak ging de telefoon. Een paar seconden later hoorde ik het geluid van sloffende voeten en de stem van Mehtab door de badkamerdeur: 'Het is Zainab. Neem op.'

De lijn kraakte en de stem klonk ver weg, alsof we een gesprek voerden op de zeebodem.

'O, Hassan. Ze zouden zo trots zijn geweest. Papa en mammie en Ammi. Stel je voor. Drie Michelinsterren!'

Ik probeerde van onderwerp te veranderen, maar daar wilde ze niets van weten. Ik moest haar alle details vertellen.

'Uday wil je even spreken.'

De lage basstem van Uday bulderde door de lijn.

'Wat een geweldig nieuws, Hassan. We zijn ontzettend trots op je. Gefeliciteerd.'

Zainabs echtgenoot, Uday Joshi.

Nee, niet de restaurateur uit Bombay die mijn vader altijd mateloos irriteerde, maar de zoon.

Uday en Zainab waren samen het gesprek van de dag in Mumbai. Ze hadden het oude Hyderabad omgebouwd tot een deftige boetiekhotel- en restaurantketen. Chic op zijn Mumbais. Van ons allemaal bleek Zainab het meest op papa te lijken. Ook zij was een stichter van grote imperia. Altijd met grote plannen, maar dan beter in staat om ze uit te voeren.

Ik herinnerde me de bruiloft van Uday en Zainab in Mumbai, kort voordat papa stierf. Het was eerst heel ongemakkelijk toen papa en Uday Joshi Sr. elkaar op die dag eindelijk ontmoetten. Papa praatte veel te veel; hij ging maar door met zijn opschepperige geblaat en de oude Joshi zag er verveeld uit. Hij stond in elkaar gezakt en leunde zwaar op een wandelstok. Maar later poseerden de twee vaders op leeftijd voor de fotograaf van *Hello Bombay!*, waarin een artikel over de bruiloft zou verschijnen dat uiteindelijk vijf pagina's van het populaire tijdschrift in beslag nam. Ze stonden daar als een stel paternalistische pauwen en vervolgens lieten de mannen hun vijandige houding varen en spraken ze lang met elkaar.

Toen papa en ik elkaar later tegenkwamen, zei hij: 'Die oude haan. Ik zie er veel beter uit dan hij, yaar? Vind je niet? Hij is stokoud.'

En ik herinner me dat ik laat op de avond naast papa stond, terwijl het feest in volle gang was en een met juwelen behangen olifant de pasgehuwden over het grasveld droeg en de bedienden in hun witte jasjes met zilveren bladen vol champagneglazen op vakkundige wijze tussen de twaalfhonderd fonkelende gasten door dansten. In het midden van de grote tent stond een zilveren schaal vol belugakaviaar en de politici drongen zich met hun ellebogen naar voren en laadden soeplepels vol op hun borden – voor tweeduizend dollar per lepel.

Maar papa en ik keken toe vanaf de zijkant, gehuld in de schaduw van de nacht, onder een snoer feestlichtjes, en we aten *kulfi*, Indiaas ijs, uit de eenvoudige aardewerken potten van de kulfi-wallahs. En ik herinner me de smaak van de koude geblancheerde amandelroom terwijl we bewonderend naar de smaragden oorbellen van de vrouwen keken. Zo groot als pruimen, zei papa steeds, zo groot als pruimen.

'We moeten het even over zaken hebben,' zei de man van mijn zus nogmaals door de telefoon. 'Zainab en ik, we hebben een zakelijk voorstel dat je misschien wel interessant vindt. Dit is hét moment om in India een Frans toprestaurant te openen. Het geld ligt hier voor het oprapen. De financiering is al geregeld.'

'Ja, ja. Laten we een afspraak maken om te praten. Maar niet vanavond. Laten we volgende week even bellen.'

'Hij eet 's avonds een heel lichte maaltijd, of helemaal niets, maar altijd een snack in de nacht, als hij thuiskomt van zijn werk,' hoorde ik Mehtab tegen Margaret zeggen toen ik de keuken weer in kwam. 'Dat helpt hem te ontspannen. En

meestal drinkt hij muntthee. Met een lepel garam masala erin. Of soms wat van mijn groenten. En bronwater.'

'Hé, dit gebak ken ik.'

'Het komt natuurlijk niet van de patisserie. Ik maak het
zelf met het recept van zijn oude leraar. Pistachepasta en een
beetje vanille-essence in het glazuur, yaar. Proef maar.'

'Beter dan die van madame Mallory. In ieder geval beter
dan die van mij.'

Mijn zus bloosde zo van dit compliment dat ze zich naar
de gootsteen wendde om haar verlegenheid te verhullen. Ik
moest glimlachen.

'Mehtab. Heeft er nog iemand anders gebeld?'

'Umar. Hij komt met de hele familie hiernaartoe voor het
driesterrenfeest.'

Umar woonde nog in Lumière en was de trotse eigenaar
van twee Total-garages in de omgeving. Hij had ook vier
prachtige zoons en de op een na oudste zou het jaar daarop
naar Parijs komen om bij mij in de keuken van Le Chien
Méchant te komen werken. De rest van de Haji-familie had
zich over de hele wereld verspreid. Mijn jongere broers waren chronisch rusteloze rakkers die jarenlang over de wereld
hadden gezworven. Mukhtar ontwierp software voor mobiele telefoons in Helsinki en Arash doceerde rechten aan
Columbia University in New York.

'Je moet morgen al je broers bellen, Hassan.'

'*Mais, oui*,' zei Margaret, terwijl ze zachtjes mijn elleboog
aanraakte. 'Je broers moeten dit fantastische nieuws rechtstreeks van jou horen.'

Mijn zus vertelde dat Umar had gezegd dat hij zou kijken
of hij ook oom Mayur mee kon nemen, maar hij dacht niet
dat het verzorgingshuis hem toestemming zou geven voor de
reis naar Parijs, want hij stond niet meer zo stevig op zijn benen. Oom Mayur was nu drieëntachtig en hij was de laatste

van wie we hadden verwacht dat hij zo oud zou worden. Maar toen ik aan hem terugdacht, realiseerde ik me dat hij zich nooit ergens zorgen over maakte en geen stress kende, misschien doordat tante zich druk genoeg maakte voor hen beiden.

Mehtab duwde haar haar een beetje op. 'En wat vind jij, Margaret? Wie van Hassans vrienden moeten we nog meer uitnodigen? Wat dacht je van die vreemde slager met al die winkels, die man die eigenaar is van het kasteel in Saint-Étienne?'

'*Ah, mon Dieu.* Hessmann. Dat is een varken.'

'Haar, dat ben ik helemaal met je eens. Ik begrijp nooit wat Hassan in die kerel ziet.'

'Zet hem op de lijst,' zei ik. 'Het is een vriend van me en hij moet erbij zijn.'

De vrouwen keken me alleen maar aan en knipoogden.

'En wat dacht je van de boekhoudster? Maxine, die zenuwenlijer. Weet je, volgens mij is ze verliefd op je, Hassan.'

Ik liet ze hun gang gaan met hun plannen en machinaties voor mijn feest, terwijl ik rusteloos van de ene naar de andere kamer liep, alsof er nog iets was wat ik moest doen maar vergeten was wat.

Ik deed de deur naar mijn studeerkamer open.

Mehtab had de *France Soir* op mijn bureau gelegd.

En toen wist ik het. Ik ging aan mijn bureau zitten, pakte resoluut een schaar op en knipte zorgvuldig het drie pagina's lange artikel over mijn derde ster uit, stopte het in een houten lijstje, boog me naar voren en hing het aan de muur.

Op die hunkerende plek.

Van generaties her.

Dankwoord

Alle schrijvers, vooral degenen met een journalistieke opleiding, houden het idee in stand dat ze veel meer weten dan eigenlijk het geval is. Ikzelf heb de neiging om een aura van wijsheid te creëren door vakkundig de kennis en ervaring te pikken van mensen die slimmer zijn dan ik en hun inzichten te presenteren alsof ze van mij zijn. Er zijn dan ook talloze mensen en bronnen die hebben geholpen bij de totstandkoming van dit werk en er geloofwaardigheid aan hebben verleend. Te veel om hier te noemen en te bedanken, maar ik hoop dat je me toestaat een paar sleutelfiguren en -bronnen te vermelden die belangrijke bijdragen hebben geleverd aan *Truffels & tandoori*.

Dit boek is een eerbetoon aan wijlen Ismail Merchant, de getalenteerde en onstuitbare filmproducent achter Merchant Ivory Productions, die onverwacht stierf in 2005. Ismail en ik hielden allebei van goed eten en kokkerellen, en op een dag, terwijl we in de Bombay Brasserie in Londen zaten te eten, drong ik er bij Ismail op aan om een literaire uitlaatklep te vinden om zijn liefde voor eten samen te brengen met zijn liefde voor het filmvak. Ik beloofde hem te helpen bij deze onderneming. Helaas overleed Ismail voordat ik dit boek kon afmaken, maar het is mijn diepe wens dat *Truffels & tandoori* op een dag op het scherm te zien zal zijn – een passend eerbetoon voor mijn vriend.

Mijn bureau ligt vol culinaire bronnen, waar ik zwaar op heb geleund om zo accuraat mogelijk de technische mysteries van de keuken te portretteren. Hier volgt een lijstje: *Life is a Menu* van Michel Roux; *Indian Cuisine* van Ismail Merchant, *French Chefs Cooking* van Michael Buller, *Flavours of Delhi* van Charmaine O'Brien, *The Cook's Quotation Book*, onder redactie van Maria Polushkin Robbins, *Cuisine Actuelle*, Patricia Wells' presentatie van de keuken van Joël Robuchon, *The Decadent Cookbook* van Medlar Lucan en Durian Gray, *The Oxford Companion to Wine* van Jancis Robinson, *The Sugar Club Cookbook* van Peter Gordon, culinaire essays in de onnavolgbare *New Yorker* en, tot slot, Scribner's klassieker *Joy of Cooking* van Irma S. Rombauer, Marion Rombauer Becker en Ethan Becker. Natuurlijk waren er veel meer bronnen, van websites tot artikelen en romans, die me hebben geïnspireerd bij het schrijven van dit boek, maar mijn speciale dank gaat uit naar Forbes, voor mijn journalistieke carrière die me de kans bood om verre reizen te maken en over de wereld te leren.

Ik ben dank verschuldigd aan Adi en Parmesh Godrej in India. Zij waren zo vriendelijk om me voor te stellen aan restaurateur Sudheer Bahl, die me heeft uitgenodigd om een halve dag in de keuken van zijn eersteklasrestaurant Khyber door te brengen, een belangrijk element van mijn onderzoek dat mijn inzicht in de robuuste Indiase keuken aanzienlijk heeft verdiept. In New York gebruikte mijn vriendin Mariana Field Hoppin haar charme en connecties om me de keuken binnen te krijgen van het gerenommeerde visrestaurant

Le Bernardin. In Londen mocht ik een leerzaam kijkje nemen in de krochten van The Sugar Club, toen Peter Gordon
daar de sterkok was. Maar het mag niet onvermeld blijven
dat Suraja Roychowdhury, Soyo Graham Stuart en Laure de
Gramont degenen waren die ervoor zorgden dat ik eerlijk
bleef, door mijn werk te lezen en me ter verantwoording te
roepen als mijn culturele grensoverschrijdingen niet correct
waren en daarnaast de vele voorbeelden van verwrongen
Franglais en Hindi-Urdismen corrigeerden.

En verder wil ik mijn vrienden Anna Kythreotis, Tony
Korner, Lizanne Merrill en Samy Brahimy bedanken voor
hun niet-aflatende goede humeur, vriendschap en steun. V.S.
Naipaul, die ik niet goed ken, maar die toch buitengewoon
vriendelijk en gul was in een belangrijke periode, net als zijn
vrouw, Nadira, die me trakteerde op kleurrijke verhalen
over haar opvoeding, waarvan ik er een paar heb gestolen.

Maar vooral wil ik mijn goede vrienden Kazuo Ishiguro en
zijn vrouw Lorna bedanken. Ik weet niet meer hoe vaak Ish
mij, als ik wanhopig was door weer een afwijzing of struikelde over een technisch schrijfprobleem, overeind hielp, het
stof van me af klopte en me weer op weg hielp met een vriendelijk woord en een stimulerend inzicht. Niemand kan zich
een betere vriend en rolmodel wensen dan Ish voor mij was.

Tom Ryder, mede-lekkerbek en grootheid in de uitgevers-
wereld, was een ongelooflijk actieve promotor van mijn
werk. Zijn pleidooien openden vele wegen en ik ben hem een
goede maaltijd verschuldigd. En een of twee Martini's. Ook
dank aan Esther Margolis, die mijn boek in een zeer vroeg
stadium aan de man bracht.

Maar Richard Pine van InkWell Management was degene
die grotendeels verantwoordelijk is voor mijn recente ver-
koopsucces. Richard heeft ongelooflijke genen: zijn vader
Artie was mijn agent aan het begin van mijn carrière. Maar

Richard is hors categorie – met een scherpe redacteursblik en een creatieve handigheid in het sluiten van overeenkomsten – en hij was degene die mij koppelde aan de scherpzinnige en begaafde redactrice Whitney Frick van de legendarische uitgeverij Scribner. Whit is een echte vakvrouw: het ene moment streelde ze mijn ego en het volgende moment zat ze me achter de vodden om het boek beter te maken. Maar ik ben iederéén bij Simon & Schuster/ Scribner dankbaar voor hun professionaliteit en inzet voor dit boek. Ik hoop dat we in de toekomst nog eens samen zullen dineren.

Ten slotte moet ik een diepe, eerbiedige buiging maken voor mijn vrouw Susan en mijn Katy, die allebei opgetogen waren over mijn succes en bedroefd waren over mijn tegenspoed, en die me hebben gesteund in alle pieken en dalen die horen bij het schrijversbestaan. En mijn ouders, Jane en Vasco, die me moed gaven, en mijn oudere broers (John, Jim, en Vasco), die het overlevingsinstinct in mij wekten. De jongste moet al vroeg leren sluw te zijn en heel snel te eten – als hij tenminste iets te eten wil krijgen.

En aan jou, beste lezer, mijn oprechte dank voor het aanschaffen en proeven van dit boek. Ik wens je het allerbeste en ik hoop dat je in zware tijden altijd een moment zult vinden voor een verkwikkend maal in het gezelschap van echte vrienden en een liefdevolle familie.

Richard C. Morais
Philadelphia, VS